Une simple alliance ?

———

Le désir d'un Westmoreland

CAT SCHIELD

Une simple alliance ?

Passions

HARLEQUIN

Collection : PASSIONS

Titre original : A MERGER BY MARRIAGE

Traduction française de FLORENCE MOREAU

Le visuel de couverture est reproduit avec l'autorisation de :
HARLEQUIN BOOKS S.A.
Réalisation graphique couverture : E. COURTECUISSE (Harlequin)

Tous droits réservés.

HARLEQUIN

83-85, boulevard Vincent Auriol, 75646 PARIS CEDEX 13.
Service Lectrices — Tél. : 01 45 82 47 47
www.harlequin.fr

ISBN 978-2-2803-2947-7 — ISSN 1950-2761

- 1 -

Le bras nonchalamment étendu sur le dossier d'un canapé en cuir, JT Stone sirotait un cocktail concocté par les soins de Rick tout en méditant sur une femme bien précise…

Ce soir-là, Violet Fontaine portait une minirobe noire très moulante, à longues manches et décolleté des plus sages, de sorte que, vue de face, la tenue paraissait relativement décente. Mais il ne fallait pas se fier à la première impression car, quand on la voyait de dos, c'était une tout autre affaire ! Un immense V dévoilait un grand pan de sa peau dorée, zébrée par de fines lanières qui partaient de la nuque pour se déployer jusqu'aux hanches, et attirait forcément le regard sur le bas des reins.

Il sentit presque ses doigts trembler en s'imaginant, l'espace d'un instant, étreindre ces courbes sculpturales.

Avant de connaître Violet, six ans plus tôt, il était un homme au cœur sec, qui passait indifféremment d'une femme à une autre ; depuis lors, il avait beau tenter de se concentrer sur les créatures les plus objectivement attirantes qu'il croisait, aucune ne parvenait à le détourner de Violet. Par chance, celle-ci n'avait aucune idée de l'effet qu'elle produisait sur ses sens, sans quoi il aurait sans doute perdu un trésor bien plus précieux que son barman favori.

Le pro des cocktails du *Baccarat*, le bar de l'hôtel-casino Fontaine Chic, était un vrai génie. Ce soir, il en savourait un cocktail à se damner, à base de Martini et de gingembre. Il avait trouvé un bon prétexte pour venir six soirs sur sept au Baccarat : il tentait en effet désespérément de soudoyer Rick pour qu'il revienne chez lui, au Titanium, où il avait effectué ses débuts.

JT termina son verre.

Allons, qui essayait-il de tromper ? Il y avait des années que Rick avait changé d'employeur ! S'il venait passer ses soirées ici, c'était parce que Violet y faisait une apparition à 23 h 15 précises, pour flâner entre les tables et discuter avec sa clientèle. En tant que propriétaire de Fontaine Chic, elle veillait à entretenir une ambiance chaleureuse et cordiale.

— Un autre verre, JT ? lui demanda une serveuse en inclinant la tête, sourire chaleureux aux lèvres.

— Volontiers.

Il désigna alors Violet du menton.

— Et je lui offre ce qu'elle veut.

Charlene suivit son regard.

— Tu sais bien qu'elle ne boit jamais quand elle travaille.

— Elle fera peut-être une exception pour moi ce soir.

— Peut-être, fit Charlene d'un ton sceptique.

— Peux-tu lui dire que je veux lui parler ?

— Tout à fait, répondit-elle avec, de nouveau, un large sourire.

Ce petit rituel qui se déroulait quasiment chaque soir amusait beaucoup Charlene.

Violet les rejoignit quelques instants après, déposant un verre devant lui.

— Rick m'a dit que c'était le cocktail que tu buvais, ce soir.

— Merci. Tu m'accompagnes ?

Elle secoua la tête, et ses boucles d'oreilles en forme de gouttes d'eau piquées de diamants se balancèrent de façon très plaisante à ses lobes.

— Je travaille, dit-elle.

— Et je suis ton meilleur client, renchérit-il.

— Tu viens ici pour Rick et ses cocktails, pas pour jouer au casino, lui rappela-t-elle.

— C'est pour toi que je viens chaque soir, murmura-t-il sur une impulsion.

Elle ouvrit de grands yeux, comme si son aveu la surprenait réellement. Etait-il possible qu'elle n'ait pas du tout remarqué l'intérêt qu'il lui portait ? Aucun membre du personnel n'était dupe de ses visites quotidiennes.

Avec sa longue silhouette élancée héritée de sa mère et sa belle crinière châtaine et ondulée qu'elle tenait de son père, Violet ne correspondait pas du tout à son type de femme, puisqu'il affectionnait plus particulièrement les blondes voluptueuses. De la même façon, il préférait ne pas trop s'attarder sur le fait qu'elle doive sa forte personnalité à celui qui avait été son père de substitution, Tiberius Stone, lequel se trouvait également être son propre oncle ; toutefois, il ne l'avait fréquenté que très tardivement, car celui-ci accusait son père, Preston Rhodes, d'avoir œuvré à sa disgrâce.

— Prends au moins quelques minutes pour discuter, dit JT en lui désignant l'espace vide, sur le canapé, à côté de lui.

Violet fronça légèrement les sourcils devant ce qui ressemblait à un ordre, mais elle prit place sur le sofa, puis croisa les jambes. Ce soir, elle s'était fait une queue-de-cheval très haute, ce qui lui donnait une allure à la fois moderne et rétro, et mettait en valeur ses grands yeux noisette ainsi que ses pommettes saillantes.

Alors que le bout de son escarpin se trouvait juste à quelques mètres de l'ourlet de son pantalon, elle appuya son coude sur le dossier du canapé, puis posa la joue sur sa paume, attendant qu'il parle. C'était la personne la plus enjouée et optimiste qu'il ait jamais rencontrée ; elle était le soleil qui éclairait son cœur sombre, à la fois proche et inaccessible.

Il avala une gorgée de Martini tout en l'observant par-dessus son verre. Les petits cernes qu'il distingua alors sous ses beaux yeux lui indiquèrent qu'elle travaillait encore plus depuis que Tiberius avait été assassiné, quelques semaines plus tôt.

— Tu devrais prendre un peu de vacances, lui dit-il, conscient qu'il n'avait aucune légitimité à se mêler de sa vie.

— Et pour faire quoi, au juste ? Passer mon temps à me morfondre ?

Sans doute consciente de l'agacement que sa réponse avait laissé transparaître, elle enchaîna sur un ton plus doux :

— Je sais que c'est ce que font la plupart des gens qui viennent de perdre un proche, mais je ne vois pas d'autre manière d'honorer la mémoire de Tiberius que de travailler.

Il acquiesça.

— Effectivement, il t'approuverait.

Bien qu'on lui ait donné Tiberius en deuxième prénom, d'après le jeune frère de sa mère, il n'avait guère eu l'occasion de le fréquenter, à part durant les quelques mois qui avaient précédé sa mort.

Il avait en effet été élevé à Miami, ville où la Stone Properties avait établi ses quartiers ; Tiberius avait pour sa part rarement quitté Las Vegas. Par ailleurs, la mésentente qui régnait entre ce dernier et son père, Preston Rhodes, avait annihilé toute possibilité d'établir une relation avec son oncle.

La dissension entre les deux beaux-frères remontait

à vingt-cinq ans. Selon ce que JT avait entendu dire par les amis de la famille, Preston avait d'abord accusé Tiberius d'avoir détourné des fonds de la Stone Properties et convaincu James Stone de renvoyer son fils. Cinq ans plus tard, James était mort, et le père de JT avait cette fois persuadé sa femme, Fiona Stone, d'insister auprès du conseil d'administration pour qu'il le désigne président-directeur général de la Stone Properties.

— Merci d'être venu à la messe du souvenir, ce matin, lui dit Violet. Je pensais que vous n'étiez pas très proches, Tiberius et toi, mais, avant de mourir, il m'avait confié qu'il regrettait toutes ces années où tu ne faisais pas partie de sa vie, et qu'il aurait aimé mieux te connaître.

Il sentit les remords l'étreindre.

— Je l'ignorais, dit-il.

Puis il avala une large bouffée d'air, et la relâcha avec lenteur.

Lorsqu'il avait débarqué à Las Vegas pour s'occuper des affaires familiales locales, l'opinion qu'il avait de son oncle reposait sur ce que lui avaient raconté son père et son grand-père. Toutefois, après avoir constaté que Violet admirait Tiberius, et que les hommes d'affaires de Las Vegas pensaient le plus grand bien de lui, il avait commencé à comprendre que, si Tiberius avait agi comme son père le prétendait, il avait peut-être une bonne raison.

— Quand il s'agissait de ta famille, il pouvait être très entêté, reprit Violet avec un petit sourire. Et il est certain qu'il détestait ton père.

— Un sentiment largement partagé, compléta-t-il.

Violet demeura songeuse quelques instants.

— Récemment, ajouta-t-elle, il m'avait répété plusieurs fois que tu ferais du bon travail, si tu prenais la tête de la Stone Properties.

Le compliment lui alla droit au cœur. Comme il aurait aimé connaître cet oncle de façon aussi intime que Violet ! Mais inutile de s'appesantir, il était trop tard à présent.

— Je vais quitter la société familiale, annonça-t-il.

Que lui prenait-il de divulguer un secret qu'il n'avait encore confié à personne, pas même à son proche cousin Brent, qu'il considérait comme son frère ? Il loucha sur son cocktail : Rick y avait-il versé quelques gouttes d'un sérum de vérité ? Relevant les yeux, il se heurta au regard étonné de Violet.

— Pourquoi ferais-tu une chose pareille ? demanda-t-elle.

— Depuis mes trente ans, que j'ai fêtés il y a deux mois, je dispose désormais de mon fidéicommis et de 30 % de la Stone Properties, c'est-à-dire les parts que j'ai héritées à la mort de ma mère. Cela m'a permis de plonger le nez dans les finances de la société et de voir la façon dont mon père l'avait gérée, dernièrement.

— C'est-à-dire ?

— La société est surendettée. Mon père a trop emprunté en voulant s'agrandir, et le rapport n'a pas été à la hauteur des prévisions. Nous allons droit à la catastrophe.

Depuis deux mois, il sentait monter en lui une affreuse frustration. Si sa mère avait encore été de ce monde, elle en aurait été complètement bouleversée.

— Je l'ignorais, compatit Violet d'un ton sincèrement désolé. Est-ce que tu en as parlé à ton père ?

Cela ne lui ressemblait guère d'évoquer ses difficultés devant autrui, et certainement pas d'en faire état à une personne qui était si étroitement liée à la concurrence. Seulement voilà : Violet n'était pas n'importe qui. Elle établissait un pont entre lui-même et une partie de sa famille qu'il ne connaissait pas. Par ailleurs, sa présence le réconfortait.

12

Il se saisit de nouveau de son verre.

— Il ne voudra pas m'écouter et, comme il contrôle la majorité des parts, je ne dispose d'aucune marge de manœuvre pour m'élever contre la politique qu'il mène.

— Que comptes-tu faire, si tu quittes Stone Properties ?

Encore une fois, il n'était pas dans sa nature de se dévoiler, mais Violet prêtait aux autres une telle attention qu'elle les y poussait. Elle lui donnait l'impression d'avoir tout le temps voulu pour écouter ce qui le tracassait et lui prodiguer des conseils avisés. Il aurait été fou de ne pas écouter l'opinion d'une femme d'affaires aussi avisée qu'elle, même si, en réalité, c'était son amitié qu'il recherchait. Enfin, pour être honnête avec lui-même, il rêvait plutôt de posséder son corps !

— J'ai des relations, une certaine fortune, commença-t-il. Mon oncle n'a pas eu besoin des activités familiales pour réussir. Je compte suivre son exemple.

— Tu es certain que c'est la meilleure idée ? Tiberius a toujours regretté d'avoir été écarté de Stone Properties.

— C'est lui-même qui l'a cherché en se servant dans la caisse, corrigea JT.

Il vit alors l'ombre de la déception passer dans les beaux yeux de Violet, tels des nuages dans un calme azur.

— Il a été piégé par ton père, affirma-t-elle avec conviction.

Il s'efforça de demeurer impassible face à l'accusation qu'elle venait de formuler. Un fils « normal » aurait bondi pour défendre son père contre une telle calomnie, mais, comme il avait pu constater par lui-même le gouffre financier creusé par son père, il savait désormais que ce dernier n'avait pas un mode de fonctionnement transparent vis-à-vis de ses actionnaires. Ce qui, en d'autres termes, le transformait en imposteur à ses yeux. Et puis, il n'oubliait pas la façon dont cet homme s'était comporté envers sa mère.

Toutefois, ayant une haute idée de la loyauté, il ne pouvait trahir son père sans avoir la preuve concrète de ses fautes. Il opta pour la neutralité.

— Si c'est vrai, raison de plus pour quitter la société et mon père.

Violet lui adressa un regard aussi brillant que déterminé.

— Tu peux aussi choisir de rester et de te battre, répliqua-t-elle.

— Je n'ai pas le pouvoir de contrer mon père, et je ne supporte plus de le voir détruire ce que mon grand-père a construit.

— Je comprends…

Soudain, elle leva vers lui un regard plus acéré.

— Tes nouveaux projets vont-ils te conduire à quitter Las Vegas ? demanda-t-elle.

Etait-ce ce qu'elle espérait ? Pour sa part, la pensée de ne plus la voir le dévastait. Il l'observa alors attentivement, dans l'espoir de la percer à jour, mais les prunelles de Violet ne reflétaient que de la curiosité. Elle n'était pas le genre de femme à ruser, et sa franchise le fascinait. Elle ne cherchait pas à se protéger, se souciant peu des éventuelles blessures que sa conduite pouvait lui valoir.

C'était notamment pour cette raison qu'il n'avait jamais cherché à la poursuivre de ses assiduités.

Peu de temps après son arrivée à Las Vegas, il l'avait rencontrée en compagnie de son oncle, à un dîner de charité. Bien qu'il ait tout de suite été attiré par cette beauté d'alors vingt-trois ans, il avait aussi compris qu'il ne devait pas céder à ses impulsions. La brouille qui existait entre le père adoptif de Violet et son propre père constituait une première barrière. Sa vie de play-boy en représentait une seconde.

Avant d'emménager à Las Vegas, il avait mené une vie totalement insouciante à Miami, conduisant des voitures de luxe à tombeau ouvert et séduisant des femmes mariées; il se fichait alors pas mal de blesser quiconque, tant qu'il ne déplaisait pas à son père.

Or Violet nourrissait forcément des exigences auxquelles il n'aurait pas pu répondre, comme la sincérité, la confiance, la convivialité. Nouer une relation avec elle aurait signifié renoncer aux défenses qu'il avait érigées autour de lui pour étouffer ses émotions et se protéger de la douleur et autres déceptions. Elle l'aurait poussé à sortir de sa confortable tanière pour se mettre en quête du bonheur. Hélas, son enfance ne lui avait pas permis de puiser en lui une telle force.

Son père l'avait élevé dans un esprit combatif : rien ne devait se dresser entre lui et les affaires, doctrine qu'il s'appliquait à lui-même, ce qui l'avait conduit à négliger son propre fils. Sa mère, dévorée par la passion qu'elle portait à son mari, n'avait pas su tempérer cette éducation. Pourtant, le mari dominateur qu'elle vénérait avait passé sa vie à l'ignorer, de sorte que, vivant un enfer, elle avait fini par se réfugier dans l'alcool et la drogue, notamment après le départ de Tiberius de Miami. Aussi, dès l'âge de douze ans, JT avait-il été habitué à être délaissé par ses parents, oublié par son grand-père et tenu éloigné de son oncle. La seule personne qui lui avait vraiment montré soins et affection, c'était sa grand-mère, qui avait vécu entre Miami, la Virginie et le Kentucky.

Une famille traditionnelle et aimante, JT n'en avait jamais connu.

Quand il avait commencé à côtoyer Violet, il s'était peu à peu forgé une idée de ce qu'une vie de famille pouvait représenter. L'amour qu'elle portait à ses sœurs, à sa mère et à Tiberius lui avait donné l'envie d'être inclus dans leur cercle. Mais il n'avait pas eu le courage de franchir le pas, sans pour autant renoncer à établir un lien avec eux. C'était son secret le mieux gardé.

Voilà pourquoi chaque soir il venait à Fontaine Chic et sirotait un cocktail, enfoncé dans un fauteuil ou bien au comptoir. Il brûlait de sortir avec Violet, mais il n'avait pas la moindre idée de la façon dont s'y prendre. Dans l'univers du jeu, on aurait dit qu'il pariait le minimum. A ce compte-là, jamais il ne rapporterait le gros lot ; en revanche, en misant plus, il pourrait tout perdre. Il était pourtant habitué à prendre des risques, aussi bien financiers que physiques. Mais parier avec son cœur relevait d'une entreprise très différente.

— Je ne sais pas encore ce que l'avenir me réserve, finit-il par répondre. Est-ce que je te manquerai, si je pars ?

A la façon dont elle écarquilla les yeux et entrouvrit la bouche, il était manifeste que sa question la prenait au dépourvu. Habituellement, ils n'évoquaient pas les sujets personnels, mais ce soir il avait changé la donne puisqu'il lui avait avoué ce qui le tracassait, l'avait informée de ses projets.

— L'argent que tu me rapportes chaque soir me manquera, répondit-elle avec un bref sourire qui n'atteignit pas ses yeux.

Sur cette déclaration, elle décroisa les jambes pour se lever, ce qui signifiait que la conversation était terminée.

— Violet ! s'exclama-t-il en lui saisissant le poignet.

Et ce simple contact déclencha en lui une cascade d'émotions. Il la désirait, c'était indéniable. Mais ce qui sourdait sous ce désir était infiniment plus dangereux.

— Je suis vraiment désolé pour Tiberius, marmonna-t-il alors.

Puis il lui étreignit légèrement la main et la relâcha, au prix d'un effort presque surhumain. Il aurait tant aimé pouvoir la prendre dans ses bras et lui dire qu'elle pouvait s'appuyer contre son épaule pour y pleurer tout son soûl la mort de son père adoptif chéri.

— Merci, répondit-elle poliment.

Il perçut néanmoins une certaine tension dans sa voix et, de fait, elle s'essuya le coin de l'œil, d'où une larme venait de couler.

— Je ne suis vraiment pas présentable, marmonna-t-elle.

— Au contraire, tu es très belle, renchérit-il.

Ce ton sincère, de la part d'un homme si réservé, bouleversa Violet. Elle s'efforça pourtant de se ressaisir, lui présenta ses excuses puis se dirigea vers le comptoir, afin de prendre quelques serviettes en papier et de sécher ses larmes. Une fois redevenue elle-même, elle rejoignit JT.

— Tout va bien ? lui demanda-t-il d'un ton sec.

L'homme d'affaires dur et inflexible était de retour. Elle hocha la tête tout en retenant un soupir de soulagement. Ce qu'elle venait d'entrevoir derrière le rideau, et qui rendait JT bien plus intéressant, représentait aussi un problème.

Elle avait depuis longtemps accepté comme une fatalité le fait qu'un simple regard de JT suffise à allumer le feu du désir en elle. Cela, elle pouvait le gérer. Elle se piquait d'être une fille moderne, dotée d'un appétit sain pour les choses du sexe. Et, même si elle ne s'abandonnait pas souvent à ses impulsions, elle n'en nourrissait pas moins des désirs. Seulement, elle était prudente.

Avec JT, c'était l'accélération des battements de son cœur, chaque fois qu'elle le rencontrait, qui la préoccupait. Qu'un homme aussi peu versé dans les émotions suscite en elle des idées romantiques la conduirait droit vers un chagrin d'amour. Et elle en avait vu de près les effets dévastateurs ! Sa mère avait été abandonnée par son amant marié, alors qu'elle venait d'accoucher de leur enfant, en l'occurrence elle. Ross Fontaine avait tout ravi à Lucille Allen et poursuivit sa route sans se retourner. Et, bien qu'il ait réduit son cœur en miettes, cette dernière n'avait jamais cessé de l'aimer, elle en était certaine.

Pas question qu'elle finisse comme sa mère, elle était trop maligne pour en arriver là ! A cette pensée bien peu charitable, elle se sentit toute honteuse, car elle adorait sa mère. Seulement, l'attitude de celle-ci l'avait contrainte à grandir plus vite qu'elle ne l'aurait voulu et, sans Tiberius, elle n'aurait pas eu d'enfance.

Ce dernier aimait profondément Lucille, et s'était tout de suite senti responsable de sa fille. Même s'ils n'étaient pas mariés, sa mère n'ayant jamais totalement renoncé à l'espoir que Ross Fontaine lui revienne un jour, ils avaient formé une véritable famille.

Lorsque Violet donnerait son cœur à un homme, il faudrait que celui-ci soit disponible, tant sur le plan émotionnel que légal. La réputation professionnelle de JT l'impressionnait énormément, mais elle était consciente qu'en ce qui concernait les relations personnelles il n'était pas à la hauteur.

Non qu'il lui ait donné des raisons de penser qu'elle représentait à ses yeux autre chose qu'une concurrente lui ayant volé son serveur préféré.

Encore que, ce soir, tout avait changé.

Oui, ce soir, il lui avait en effet demandé s'il lui manquerait, au cas où il quitterait Las Vegas, espérant selon toute vraisemblance qu'elle répondrait par l'affirmative.

Elle repoussa bien vite ces pensées fantaisistes, même si elle sentait encore l'empreinte de sa poigne sur son bras. Allons, ce n'était que la voix du désir, rien de plus ! Avec son bon mètre quatre-vingts et sa large carrure, JT était l'incarnation même de la virilité.

Quelle femme n'aurait pas été troublée par sa chevelure noire, ses yeux d'un bleu azur impénétrable et sa bouche parfaitement dessinée ?

Son instinct lui soufflait qu'il avait besoin d'aide et elle aimait précisément réconforter ses semblables. Seulement, il ne faisait pas partie de ses intimes et il était sans doute préférable qu'elle ne se mêle pas de ses affaires. Si elle lui offrait son secours et qu'il le repoussait, elle s'en trouverait blessée.

— Bon, il faut que j'y aille à présent, déclara-t-elle, sans pour autant parvenir à bouger.

— Moi aussi, je dois rentrer, renchérit-il en regardant sa montre. Si tu as besoin de quoi que ce soit, n'hésite pas à m'appeler.

JT lui offrait son aide, à présent ? Décidément, elle allait de surprise en surprise, aujourd'hui.

— Entendu, parvint-elle à articuler.

Mais elle se figurait mal en quoi il aurait pu l'épauler. En général, elle se débrouillait seule, et il avait fallu qu'elle commence jeune, étant donné que sa mère était submergée par la moindre difficulté. Oui, elle avait appris à s'occuper d'elle-même très jeune, même si la vie avait été bien moins compliquée après qu'elles avaient emménagé avec Tiberius, quand elle avait six ans.

— C'est gentil à toi, finit-elle par ajouter.

Elle vit un éclair de douceur passer dans les yeux de JT, avant qu'il ne se retranche promptement dans sa réserve.

— C'est normal, répondit-il d'un ton neutre et poli. Nous sommes de la même famille.

Eh bien ça, c'était la meilleure !

— Ah bon ? Et peux-tu m'expliquer par quel miracle ?

— Evidemment, ce n'est pas au sens traditionnel du terme, mais tu es la fille de mon oncle.

— Sa fille adoptive de cœur, rectifia-t-elle. Il n'était pas officiellement mon beau-père.

En réalité, ce lien familial qu'il envisageait entre eux la perturbait, car cela n'excluait-il pas toute relation plus intime ?

— Tu crois vraiment que cela représentait une différence, aux yeux de Tiberius ?

— Non, tu as raison, rétorqua-t-elle avant d'incliner la tête de côté et d'ajouter : Mais pour toi peut-être que oui.

— Pourquoi ?

Elle hésita. Il ne lui était pas naturel de confronter les autres à certaines réalités. Elle avait dû pourtant apprendre à développer cette faculté en tant que gestionnaire, mais elle s'efforçait toujours de proférer la vérité avec ménagement.

— En vérité, je ne sais pas.

— Tu n'as pourtant pas dit cela par hasard, insista-t-il, son intérêt visiblement piqué au vif.

Elle n'aimait pas admettre ses faiblesses, mais elle sentait bien qu'elle devait une explication à JT ; il avait été si affable avec elle, ce soir.

— Il n'a pas toujours été facile de grandir en étant l'enfant illégitime de Ross Fontaine, expliqua-t-elle. Longtemps, la famille Fontaine a nié mon existence et cela a été fort pesant pour moi.

— La situation a bien évolué depuis, puisque non seulement Henry Fontaine t'a reconnue comme sa petite-fille, mais il t'a confié la gérance de l'hôtel et donné la chance de devenir directrice générale de l'entreprise familiale.

Elle hocha la tête.

— Tu as raison, il y a des jours où je me pince encore pour y croire. Mais parfois, j'ai de nouveau l'impression d'avoir onze ans et d'être moquée par mes camarades de classe parce que je me vantais d'être la fille de Ross

Fontaine, alors que tout le monde avait bien conscience qu'il se fichait éperdument de moi.

— Je comprends.

Vraiment ? En tant qu'unique héritier de Stone Properties, il avait grandi en sachant qui il était et qui étaient les siens, même si ceux-ci n'étaient pas parfaits.

— Donc, tu penses qu'on fait partie de la même famille, reprit-elle en lui adressant cette fois un sourire chaleureux.

— Je n'ai pas eu la chance de côtoyer longtemps mon oncle, mais je crois qu'il m'aurait beaucoup apporté. Tu l'as mieux connu que moi, voilà pourquoi je me sens lié à lui à travers toi.

Ces paroles lui procurèrent un certain vertige.

— Comme ton oncle a fait office de père pour moi, en un sens, nous sommes cousins, résuma-t-elle.

JT inclina la tête de côté, et la regarda droit dans les yeux.

— En un sens, répéta-t-il. Bonne nuit, Violet.

Il s'éloigna sans la toucher, ni l'effleurer, et elle en éprouva une certaine déception. Elle aurait pu très facilement s'habituer à la sensation de ses mains sur sa peau. Mais cela n'était-il pas un peu délicat, maintenant qu'ils se considéraient comme des cousins ?

Tout en continuant à se couler entre les tables des clients pour s'assurer que tout allait bien, elle se demanda ce que ses sœurs auraient pensé de sa conversation avec JT. En raison de son éducation traditionnelle et de ses ambitions professionnelles, Harper lui aurait donné un conseil raisonnable et prudent. De quelques mois sa cadette, elle n'en représentait pas moins la voie du pragmatisme par excellence, et elle l'aurait vraisemblablement encouragée à garder ses distances avec cet homme compliqué, dans un contexte familial qui l'était tout autant. Pactiser avec JT signifiait devenir l'ennemi de Preston Rhodes, son père.

Nul doute que Scarlett aurait un avis plus passionné sur la question. Quelques semaines plus tôt, elle avait sous-entendu que les visites de JT au Baccarat n'étaient pas simplement dues aux talents de Rick qui lui manquaient depuis son départ du Titanium. Alors bien sûr, Scarlett l'encouragerait à faire mieux connaissance avec JT, car elle était convaincue qu'il y avait anguille sous roche.

A cette pensée, Violet sentit son ventre se contracter.

JT devait être un amant impétueux. Ce soir, quand il lui avait attrapé la main, elle avait été tentée de planter sur sa bouche un baiser qui n'avait rien à voir avec ceux qu'on pouvait échanger entre cousins. Elle frissonnait rien qu'en y repensant… Soudain, elle secoua la tête. Non, elle ne pouvait s'autoriser de tels égarements, même en rêve. Le problème, c'était qu'en présence de JT tout discernement l'abandonnait.

L'angoisse existentielle et la fièvre qui le consumaient traversaient ses costumes et ses airs professionnels. Depuis six ans qu'elle le connaissait, elle avait parfois aperçu des éclairs de souffrance chez lui, mais JT n'était pas homme à admettre sa vulnérabilité. Tiberius lui avait appris que son enfance n'avait pas été idéale : son père était un homme d'affaires sans vergogne qui avait manipulé son beau-père afin que ce dernier déshérite son unique fils. Sa soif de pouvoir l'avait par ailleurs conduit à négliger sa femme.

La mère de JT n'avait pas accepté son sort avec autant de philosophie que son frère, et elle s'était réfugiée dans l'alcool et les médicaments. Tiberius avait toujours eu de ses nouvelles par des amis, mais il n'était pas arrivé à contrecarrer l'influence de Preston. Violet n'avait jamais compris pourquoi la mère de JT n'avait pas divorcé de lui. Elle aussi aurait eu droit au bonheur ! Mais il était trop tard, à présent.

Une fois sa tournée terminée, elle réintégra son bureau. Il était 3 heures du matin, mais elle n'avait pas sommeil.

Derrière la baie, elle observa le Strip tout illuminé, et sentit sa gorge se serrer en pensant au petit hôtel-casino qu'elle y tenait. Construit dans les années 1960, il lui manquait le confort requis aujourd'hui par la clientèle : un restaurant étoilé, un décor tapageur, et des suites de luxe. Les plafonds étaient bas et la moquette aurait mérité d'être changée. Les habitués affluaient pourtant toujours, car le prix des cocktails demeurait modeste et les horaires de fermeture très souples. Pour elle, ce serait toujours sa maison, et tous ces détails lui semblaient somme toute très relatifs : le Baccarat conservait malgré tout un certain prestige.

Elle avait été fort étonnée de la réaction de Tiberius quand Henry Fontaine avait pris contact avec elle pour lui demander de travailler pour lui. Elle s'était imaginé qu'il l'en dissuaderait, alors que c'était tout le contraire qui s'était produit. Sans doute avait-il compris à quel point elle avait souffert de son statut d'enfant illégitime et ce que l'aubaine représentait pour elle en termes de revanche. Contrairement à Scarlett, l'autre fille naturelle de Ross, Violet avait grandi à Las Vegas, dans l'ombre des superbes hôtels et casinos que possédait la dynastie Fontaine.

Peut-être était-ce pour cette raison qu'elle ressentait de la sympathie pour JT. Si son grand-père n'était pas décédé quand ce dernier avait dix ans, Preston n'aurait pas pu s'emparer de Stone Properties et mettre son beau-frère à la porte. La société serait restée entre les mains des Stone, d'abord celles de Tiberius, puis elle serait revenue à JT.

La messe de souvenir en hommage à son oncle, ce

matin, avait dû profondément le bouleverser. C'était à coup sûr pour cette raison qu'il lui avait confié ses préoccupations, concernant Stone Properties. Ils se côtoyaient depuis six ans à présent et, même s'il faisait tanguer son cœur, il l'avait toujours traitée comme une connaissance professionnelle. Aussi était-il compréhensible que son comportement de ce soir l'ait complètement chamboulée. Il avait si peu l'habitude d'être communicatif.

Un sourire envieux lui vint aux lèvres, alors qu'elle l'imaginait rentrer chez lui, au Titanium. C'était une splendide propriété à la restauration de laquelle il avait employé ses deux premières années à Las Vegas. L'hôtel et le casino étaient à eux deux bien plus grands que Fontaine Chic et Fontaine Richesse réunis. Le complexe comportait d'immenses salles de conférences et un terrain de golf à dix-huit trous.

Qu'arriverait-il si JT quittait Stone Properties ? Tiberius avait toujours redouté le sort qui attendait la société familiale, sous la responsabilité de Preston. Il aurait été consterné en apprenant que JT envisageait de quitter le navire.

Evidemment, ce n'était pas son problème, et pourtant elle avait commencé à échafauder des plans.

Car Tiberius aurait forcément souhaité qu'elle aide JT. En dépit des années de brouille, il avait tenté de rétablir un vrai lien avec son neveu, peu avant sa mort.

Allons, elle était tout de même capable de contrôler ses hormones et de garder la tête sur les épaules afin de concocter un projet pour aider JT à sauver Stone Properties !

Forte de cette pensée, Violet se dirigea vers sa suite pour prendre une douche chaude, et se mettre bien vite au lit.

2

Violet inspectait, médusée, les étagères remplies de livres de droit qui tapissaient les murs, dans le bureau de l'avocat. Elle avait les yeux secs, contrairement à sa mère qui, assise à ses côtés, sanglotait sans bruit. Lucille n'arrivait pas à se remettre de la mort de Tiberius.

D'ailleurs, elle se sentait presque honteuse d'avoir si bien surmonté l'événement, alors que sa mère était au bord de la dépression.

— Venons-en à Lucky Heart, déclara John Malcolm, l'avocat de Tiberius. Comme vous le savez sans doute, le casino croule sous les dettes.

Violet secoua la tête, tout en étreignant machinalement la main de sa mère, soulagée que Tiberius ait réalisé des placements avisés concernant sa fortune personnelle et mis sa mère à l'abri du besoin pour le restant de ses jours.

— Je ne comprends pas pourquoi, s'insurgea-t-elle. Les comptes ont toujours été bien tenus, au temps où j'y travaillais, et l'activité n'a pas ralenti au cours des cinq dernières années. Par ailleurs, Tiberius était d'un tempérament économe. D'où viennent ces dettes ?

— Il avait hypothéqué le Lucky Heart afin d'acheter des actions.

— Des actions ? s'étonna-t-elle. Ce n'était pas du tout son style, il se méfiait de Wall Street comme de la peste.

— Il achetait des actions privées.

Voilà qui était encore plus curieux ! Elle sentit ses tempes se mettre à battre violemment, et elle les massa pour alléger la douleur.

— Ne pouvons-nous pas les vendre et rembourser les dettes du Lucky Heart ?

— Malheureusement, cela ne va pas être possible.

— Pourquoi ? De quel genre d'actions s'agit-il ?

— Des actions de Stone Properties.

Violet se pencha en avant. Avait-elle bien compris ce que venait de dire l'avocat aux tempes grisonnantes ?

— Pourquoi aurait-il fait une chose pareille ?

Vaine question, car les yeux bleus et solennels de John étaient visiblement les gardiens de milliers de secrets de sa clientèle.

— Il avait ses raisons, se contenta-t-il de répondre.

Elle imagina tout de suite une dizaine de scénarios sur les motifs qui avaient poussé Tiberius à le lui cacher. Puis elle repensa à sa conversation avec JT, quelques jours plus tôt.

— Combien d'actions détenait-il ?

— Trois mois avant sa mort, il en avait acquis 18 %.

Cet achat avait-il un rapport avec le fait qu'il ait renoué avec JT ? Encore qu'à eux deux ils n'auraient contrôlé que 48 % de Stone Properties, pas assez donc pour reprendre les commandes de la société, sauf s'ils avaient pu récupérer 3 % supplémentaires et atteindre ainsi la majorité des voix, soit 51 %…

Etait-ce ce qu'espérait Tiberius ?

— A-t-il légué ces actions à JT ? s'enquit-elle alors.

John Malcolm parut surpris.

— Non, c'est à vous qu'elles reviennent.

Toute personne « normale » héritant de 18 % des parts d'une entreprise dont le chiffre d'affaires s'évaluait en milliards aurait sans doute dansé autour du bureau de son avocat, ou au moins arboré un large sourire. Mais elle n'avait aucune envie de faire la fête ! Le prix de cette manne était trop élevé, puisqu'elle venait de perdre son père de cœur. Et puis, ce legs était curieux.

— Pourquoi à moi, et pas à ma mère ? questionna-t-elle.

— Parce qu'il était convaincu que vous sauriez quoi en faire.

Encore plus étrange. Scarlett avait hérité, il y avait peu, d'un entrepôt rempli de fichiers secrets, et maintenant c'était à son tour. Elle songea à toutes les informations privées que Tiberius avait rassemblées au fil des années sur leurs connaissances et la famille. Quelles autres surprises avait-il encore réservé aux sœurs Fontaine ?

— Et maintenant, passons aux conditions liées à l'héritage.

— Des conditions à présent ?

Elle avait beau avoir adoré Tiberius, c'était vraiment un vieux cachottier. Sans relever sa remarque, John Malcolm enchaîna :

— Vous ne pouvez pas vendre les actions, ni les donner, ni y renoncer, et ce, jusqu'à la mort de Preston Rhodes.

Manifestement, Tiberius voulait s'assurer que son beau-frère ne mettrait jamais les mains sur ces actions.

— Enfin, un dernier détail, poursuivit Malcolm. Vous ne pouvez pas non plus participer aux votes relatifs aux parts dans la mesure où vous ne faites pas partie de la famille.

Abasourdie, elle s'adossa à sa chaise et considéra l'avocat. Pourquoi Tiberius n'avait-il pas tout simplement légué les parts à JT ? Et soudain, elle comprit : parce qu'il ne faisait pas encore suffisamment confiance à son neveu. Il avait sans doute cru disposer de plus de temps pour mieux le connaître, car il ne pouvait en effet pas prévoir qu'il allait être assassiné.

— Merci pour votre travail, dit-elle en se levant.

— Oui, merci, reprit Lucille en écho. Je sais que vous étiez un très bon ami de Tiberius.

— Parfois, il me donnait, à mon corps défendant, le rôle de coconspirateur, déclara John Malcolm avec un bref sourire. Mais c'était un plaisir pour moi d'être à la fois son ami et son avocat.

Après être sorties du cabinet, Violet et sa mère regagnèrent le parking.

— Je ne comprends pas pourquoi Tiberius t'a laissé toutes ces actions, si tu ne peux rien en faire, observa Lucille.

— Il avait sûrement un plan en tête. Tu es certaine qu'il ne t'en a jamais parlé ?

Le beau sourire de sa mère avait toujours reflété une tristesse feutrée, mais, depuis la mort de Tiberius, il était franchement mélancolique.

— Tu sais bien qu'il ne parlait jamais affaires avec moi.

Tiberius s'était en effet toujours efforcé d'entretenir des conversations gaies et amusantes avec Lucille. Il adorait voir ses yeux briller de joie, et il ne lui aurait jamais exposé un éventuel piège tendu à Preston Rhodes, de crainte de l'inquiéter.

— Je chercherai dans ses tiroirs quand je passerai à son bureau, déclara Violet. Je trouverai peut-être des informations intéressantes.

— Les fichiers qu'il laissait toujours à la maison en contiennent sans doute, commenta Lucille.

Une fois qu'elles furent arrivées chez sa mère, Violet découvrit que celle-ci avait raison. Dix fichiers concernaient l'acquisition des actions. Deux d'entre eux étaient dédiés à l'achat lui-même et huit autres renfermaient des renseignements sur les membres de la famille avec qui il n'avait pas encore pris contact. Peu à peu, sa lecture piqua son intérêt. Acquérir les fameux 3 % restants pour devenir majoritaire ne serait certes pas une entreprise aisée, mais elle commençait à comprendre ce que Tiberius avait en tête…

A la pensée de prendre part à une intrigue, qui plus est contre la puissante entreprise *Stone Properties*, elle éprouva soudain un léger malaise. Elle était satisfaite du casino qu'elle possédait, Fontaine Chic la comblait entièrement, elle n'avait besoin de rien d'autre. Elle se fichait d'ailleurs de remporter le concours que leur grand-père avait voulu ouvrir entre les trois sœurs Fontaine, pour déterminer laquelle lui succéderait comme président général. Elle était tout à fait réaliste quant à ses chances de décrocher le titre, sachant parfaitement que Harper l'emporterait haut la main, de par son éducation et son expérience. En outre, c'était elle la fille légitime.

Tout comme JT avait un droit d'aînesse sur Stone Properties. Ah, si seulement elle avait pu en convaincre le premier intéressé ! Mais, pour l'instant, elle devait se concentrer sur la façon dont elle pourrait réaliser le souhait de Tiberius, à savoir faire en sorte que le contrôle de l'entreprise familiale revienne dans le giron des Stone et échappe au contrôle de Preston.

Et, tout à coup, une solution s'imposa à elle. Elle était d'une simplicité et d'une audace qui la stupéfia. Non, c'était impossible, l'idée était trop folle… Et pourtant, la situation ne l'était-elle pas tout autant ?

Il n'y avait qu'un moyen de savoir si elle était réalisable ! Et elle allait de ce pas le vérifier.

JT s'apprêtait à quitter le Baccarat lorsqu'il repéra Violet, derrière le comptoir. La tension qui l'habitait jusqu'alors à son insu retomba d'un coup. Outre l'attirance qu'il éprouvait pour elle, il la considérait désormais comme une confidente avec qui il pouvait partager ses soucis.

Or, depuis cinq jours, elle avait déserté Fontaine Chic aux horaires qui étaient les siens. Avait-elle été retenue par ailleurs pour affaires, ou bien avait-elle cherché à l'éviter ? Cette dernière pensée était une pilule bien amère à avaler.

Certes, lors de leur dernière discussion, il avait peut-être franchi les bornes, en affirmant qu'au fond ils appartenaient à la même famille. Pourtant, il se rendait compte qu'il ne pouvait plus se passer de son soutien.

Il ressentit un plaisir indescriptible quand les yeux de Violet croisèrent les siens à son entrée dans le bar, comme si elle le cherchait, puisqu'elle s'approcha immédiatement de lui. Le parfum épicé qu'elle portait la précéda et il en huma une profonde bouffée pour bien s'en imprégner les poumons. Aujourd'hui, elle était vêtue d'un fourreau noir qui lui arrivait aux genoux, et affichait un décolleté si plongeant qu'il dévoilait le haut de sa poitrine. Il dut fournir un gros effort pour garder les yeux rivés aux siens, et ne pas les laisser courir sur ses seins.

— Je suis heureuse que tu sois venu, déclara-t-elle de sa voix au débit rapide et décidé.

Il résista à l'envie de lui rappeler qu'il était là tous les soirs : il lui mangeait déjà dans la main, pourquoi lui aurait-il donné encore plus de pouvoir ?

— Tu es très belle, ce soir, répondit-il en la jaugeant de pied en cap.

Elle battit des paupières, comme troublée par le compliment.

— Merci.

Et, l'espace d'un instant, elle parut avoir perdu le

fil de ses pensées. En dépit des lumières tamisées du bar, il remarqua une certaine rougeur sur ses joues, ainsi qu'une accélération de sa respiration. Nul doute qu'elle avait deviné son attirance pour elle, même si elle s'efforçait d'en faire abstraction.

Il eut soudain très envie de caresser sa peau à l'aspect si velouté, de presser son corps sans doute chaud contre le sien et de mêler son souffle à celui qui sortait de sa bouche follement appétissante. Puis, sans transition, il s'imagina titiller du bout de la langue les pointes de ses seins, et l'entendre pousser des gémissements de plaisir... Bon sang, son absence avait chauffé à blanc le désir qu'il éprouvait pour elle ! Il avait décidément passé trop de temps à fantasmer sur la façon dont il pourrait lui faire l'amour.

— JT, est-ce que tu m'écoutes ?

Il secoua la tête, pour chasser les images érotiques qui avaient entièrement envahi son esprit.

— Désolé, j'étais distrait, avoua-t-il. Tu portes un nouveau parfum ?

— C'est Tiberius qui l'a offert à ma mère, à Noël dernier. Depuis sa mort, elle n'arrive plus à le mettre, donc elle me l'a donné, car elle sait que je l'adore.

— Il sent très bon, murmura-t-il.

— Merci.

Elle s'interrompit et plissa les yeux.

— Nous sommes allées chez l'avocat de Tiberius pour la lecture de son testament.

Reprenant le contrôle de sa libido, il rebondit sur sa phrase :

— Et je suppose qu'il vous a laissé tous ses biens, à ta mère et toi.

— Oui, dit-elle, en fronçant les sourcils, comme s'il était censé comprendre plus qu'elle ne lui révélait. Mais ce qu'il m'a laissé à moi en particulier m'a beaucoup surprise.

— A part sa maison, son compte en banque et son hôtel, qu'a-t-il pu te léguer qui t'ait étonnée ? questionna-t-il.

Elle arbora alors un petit sourire suffisant.

— Que dirais-tu de 18 % des parts de Stone Properties ?

La nouvelle lui fit l'effet d'un violent coup de poing.

— Comment était-il en possession de ces parts ?

— Il a hypothéqué le Lucky Heart pour acheter toutes les parts qu'il a pu.

— Mais pourquoi ?

— Peut-être pour détrôner ton père ?

— Avec 18 % ? A sa mort, ma mère lui a laissé 30 % de ses parts. Avec le reste de ce que ma famille possède, mon père détient assez de voix pour contrôler la société.

— Sauf que, depuis tes trente ans, tu détiens en propre 30 % des parts, de ton côté…

— C'est vrai.

Pour le coup, il ne savait plus trop que penser de tout cet imbroglio.

— Tu crois que mon oncle souhaitait que nous unissions nos forces ? ajouta-t-il.

Il se rappela alors les dîners partagés avec Tiberius.

— Pourtant, il ne l'a jamais évoqué, dit-il encore.

— Je crois qu'il voulait mieux te connaître avant de s'engager avec toi.

Soudain, il ressentit un élan d'excitation qu'il n'avait pas éprouvé depuis longtemps : s'il rachetait l'héritage de Violet, il ne lui manquerait plus que 3 % pour reprendre la société à son père et réparer les dégâts qu'il avait causés.

— Combien veux-tu, contre tes parts ? s'enquit-il à brûle-pourpoint.

Le beau sourire de Violet s'évanouit.

— C'est là où les choses se compliquent, annonça-t-elle.

A ces mots, un éclair de méfiance le saisit, mais il se souvint bien vite que Violet était la loyauté même, et qu'elle ne chercherait pas à le piéger. Elle voulait au contraire sincèrement l'aider.

— C'est-à-dire ? demanda-t-il d'un ton impassible.

— Tiberius a posé des conditions. En contrepartie de cet héritage, je ne dois ni vendre les actions, ni les échanger, ni les donner. Sans quoi, naturellement, elles auraient été à toi.

Bien que déçu par les façons peu orthodoxes de son oncle, il argua toutefois :

— En revanche, tu peux me remettre ton vote par procuration.

Evidemment, cela ne ferait que 48 % des voix, mais, si Tiberius avait déjà convaincu certains membres de la famille de lui vendre leurs parts, il pourrait tout à fait lui emboîter le pas. Après tout, il ne s'agissait que de 3 % !

— C'est l'autre mauvaise nouvelle, objecta-t-elle d'un ton contrit. Selon les termes qui définissent les actions, seuls les membres de la famille, de sang et par alliance, peuvent voter. Par conséquent, ma voix ne compte pas.

Il poussa un soupir d'exaspération.

— Donc, nous voilà revenus au point de départ. Sans tes voix, mon père conservera la majorité des actions.

— Pas tout à fait au point de départ, décréta alors Violet. Si je faisais partie de la famille, je pourrais voter.

— Oui, si tu en faisais partie, répéta-t-il, les yeux rivés sur les lumières qui dansaient au-dessus du bar. Mais ce n'est pas le cas.

— Ça pourrait l'être.

Une note dans le timbre de cette voix piqua son attention : il tourna la tête et vit un sourire trembler au coin de ses lèvres. Elle essayait manifestement de lui faire passer un message, mais, quelle que soit la façon dont il retournait l'affaire dans sa tête, il ne le saisissait pas.

— Comment ? finit-il par demander.

— Nous pourrions nous marier.

Il crut s'étrangler.

— Nous marier ?

— Juste sur le papier, bien sûr ! précisa-t-elle.

Et un large sourire impertinent éclaira son visage.

— Rien dans le testament ne nous en empêche, ajouta-t-elle.

— Et pour cause : Tiberius s'imaginait que cela ne nous traverserait jamais l'esprit, dit-il.

Elle inclina la tête de côté, et le regarda avec gravité.

— Et comment l'aurait-il pu ?

— Je lui avais dit qu'il n'était pas dans mes intentions de te fréquenter, déclara-t-il.

Elle se redressa et plissa les yeux.

— Vous parliez donc de moi, tous les deux ?

Il hocha la tête.

— Quand je suis arrivé à Las Vegas, Tiberius, ayant eu vent de ma vie tumultueuse à Miami, a craint que je te poursuive de mes assiduités. Je lui ai promis de garder mes distances.

— Comme c'est noble de ta part ! ironisa-t-elle d'un ton à la rage contenue.

— Pas tant que ça, répliqua-t-il, décidé à jouer cartes sur table. La promesse était aisée, puisque tu n'es pas vraiment mon type.

Elle le considéra pendant quelques secondes, bouche pincée, puis lui posa sans la moindre gêne la main sur le genou.

— Rassure-toi, tu n'es pas non plus mon type, rétorqua-t-elle d'une voix rauque, alors même que ses yeux semblaient clamer une tout autre vérité. C'est pourquoi ce mariage blanc devrait être réglé en un rien de temps.

Il s'efforça de demeurer de marbre. Il n'allait pas gâcher leur association prometteuse avec un élément aussi éphémère que le désir. Il se jura que rien n'arriverait entre eux.

— Tu as raison, approuva-t-il d'un ton moins convaincu qu'il ne l'aurait voulu. D'autant que ce n'est pas pour la vie.

— Tout à fait. Il suffit que nous restions mariés jusqu'à la réunion annuelle des actionnaires pour que je puisse voter. Elle a lieu fin août, n'est-ce pas ?

— Le 25, pour être exact.

— Ce qui nous laisse six semaines.

Soudain, une autre pensée lui traversa l'esprit.

— Ta famille ne va pas être contente si tu m'épouses sans contrat de mariage, objecta-t-il.

— On peut signer un simple accord stipulant qu'en cas de divorce chacun reprend ce qu'il a apporté.

A entendre Violet, tout paraissait aussi simple que raisonnable. Pourquoi aurait-il résisté ?

Evidemment, il n'avait pas prévu de se marier. Il aimait sa vie de célibataire, et Las Vegas était la ville idéale pour séduire des jeunes femmes attirantes qui cherchaient juste à se divertir un peu, en venant passer un week-end en ville, puis repartaient, ni vu ni connu. Pas de dispute, pas d'engagement, le rêve en somme.

Avec Violet, il en allait différemment : elle habitait à Las Vegas. Une idylle avec elle serait forcément synonyme de complication et de cœur brisé, en l'occurrence le sien.

Allons, ils n'allaient pas se marier pour de bon, se rappela-t-il. Ce serait juste un mariage de complaisance.

— Alors, tu es d'accord ? reprit-elle.

Et elle enleva la main de son genou, qui se mit subitement à le picoter.

— Tu es certaine que tu veux m'épouser ? s'enquit-il.

Et son cœur se mit à battre comme un fou, tandis qu'il se répétait qu'il ne s'agissait là que d'un contrat d'affaires comme un autre.

— Je n'en ai pas envie, ça, c'est certain ! répondit-elle en riant.

Et il lui sembla percevoir un petit écho qui sonnait faux, dans ce rire. A moins que ce ne soit le fruit de son imagination…

— Mais je dois finir ce que Tiberius a commencé, poursuivit-elle. Et j'aimerais moi aussi te voir à la tête de l'entreprise familiale, comme il se doit.

Il contempla son beau visage où il ne lut que de l'altruisme. Son sacrifice le mit tout à coup mal à l'aise.

— Je comprends l'obligation que tu ressens envers Tiberius, mais je ne suis pas certain que ce soit une bonne idée, argua-t-il.

— Je ne ressens aucune obligation, objecta-t-elle.

Elle était si sérieuse qu'elle proférait uniquement la vérité. Et c'était d'ailleurs ce qui le préoccupait le plus.

— Mais tu cherches malgré tout toi aussi un moyen de te faire rembourser tes parts, non ? insista-t-il.

Elle le regarda en silence pendant quelques secondes.

— Tu as dit toi-même que la société ne se portait pas très bien, avec ton père à sa tête, finit-elle par répondre. S'il continue ainsi, les actions diminueront de plus en plus. Je sais que tu ferais un bien meilleur P-DG que lui. Je protège mes intérêts.

Sa réponse était convaincante. Pourtant, il aurait dû refuser cette improbable proposition qui portait en germe des retombées malheureuses. Mais l'idée de se rapprocher aussi près de Violet représentait une tentation à laquelle il lui était quasiment impossible de résister.

Enfin tout de même, le mariage, ce n'était pas rien… L'occasion de sauver Stone Properties des griffes de son père valait-elle le danger de s'attacher de façon si étroite à Violet ? Il l'appréciait déjà bien trop pour son propre salut. Le seul fait de la voir marcher dans le hall le remplissait d'allégresse. Qu'allait-il se produire s'il commençait à passer beaucoup de temps avec elle ? Il la désirait, et il se connaissait suffisamment pour savoir qu'il ne pourrait pas résister à la tentation de lui faire des avances. Mais, de toute façon, c'était ce qui serait arrivé, mariage ou pas…

— OK, je suis partant, déclara-t-il à brûle-pourpoint.

Et il était sur le point de mettre un genou à terre et de lui faire une demande en bonne et due forme, quand elle enchaîna :

— Je crois que nous devrions agir au plus vite, avant que l'un d'entre nous ne change d'avis.

— Au plus vite, c'est-à-dire ? questionna-t-il, finalement heureux qu'elle lui ait évité le ridicule d'un simulacre de romantisme. Samedi, par exemple ?

— Et pourquoi pas ce soir ?

Il ne put masquer le choc qu'elle lui causait, puisqu'elle ajouta :

— Tu trouves que ça va trop vite ?

— Un peu, tout de même.

Pourtant, s'ils attendaient trop longtemps, la fièvre de l'anticipation risquait de le pousser à des élans impulsifs et stupides, comme lui déclarer à quel point il tenait à elle.

— Mais faisable ! s'empressa-t-il de rectifier. Ta chapelle ou la mienne ?

— Et si nous options pour un endroit neutre ? Le Tunnel of Love Chapel, par exemple ?

Il sentit sa tension régresser. Elle approchait vraiment la question comme un arrangement commercial, et il devait l'imiter. Mais faire abstraction des effets qu'elle produisait sur lui était plus facile à dire qu'à réaliser.

— Voici un nom des plus romantiques, observa-t-il d'un ton sec.

— Parfait.

Elle regarda son téléphone.

— J'ai réservé pour minuit.

— Tu étais donc certaine que j'accepterai.

Elle haussa les épaules.

— Je connais ton sens des affaires.

Si elle avait su ! En l'occurrence, ce n'était pas ce sens-là qui le motivait le plus ! Il réfléchissait déjà à toutes les possibilités merveilleuses qui s'offraient à un mari et sa nouvelle épouse.

— Est-ce que tu m'autorises à réserver la suite pour notre voyage de noces ? s'enquit-il, suivant la pente de ses rêves.

Elle lui lança un regard pétrifié.

— Je n'ai sans doute pas été assez claire. Un mariage blanc signifie qu'il n'y a pas de consommation.

— Même pas la nuit du mariage ? ne put-il s'empêcher de demander.

Elle était si sérieuse que c'était finalement un régal de la taquiner.

— Je pensais que je n'étais pas ton type, lança-t-elle d'un ton dépourvu de la moindre trace d'amusement.

— Comme tu vas devenir mon épouse, dit-il, j'avais pensé déroger à la règle, une fois n'étant pas coutume.

— C'est une délicate attention, mais nous devons vraiment nous en tenir à l'idée qu'il s'agit d'un contrat d'affaires.

— Comme tu voudras.

— Ce sera plus facile ainsi.

Ah bon ? Non, rien dans cette entreprise n'allait être aisé. Et il devait s'y préparer coûte que coûte, car ce serait sans doute encore pire qu'il ne l'imaginait.

3

Tout en regagnant le vestibule de Fontaine Chic, Violet pensa qu'il n'y avait rien d'inconvenant à ce qu'une future épouse se sente excitée et un peu terrifiée le jour de son mariage. Surtout si le fiancé était sexy et mystérieux, et que la décision de se marier relevait à la fois de la raison et de l'impulsion.

Vêtue d'une robe en dentelle blanc cassé qu'elle avait achetée le matin même dans l'une des boutiques de l'hôtel, elle sentait son cœur battre deux fois plus vite que d'habitude. Au même rythme que le claquement de ses talons sur le marbre noir. Elle tenait à la main un bagage pour la nuit ainsi que la valise qui contenait les fichiers de Tiberius relatifs aux détenteurs d'actions Stone Properties. Tout en sachant que c'était une erreur, elle avait finalement accepté de passer la nuit chez JT, dans des chambres séparées, bien sûr.

Elle ne craignait pas qu'il cherche à tirer avantage d'elle : ne lui avait-il pas avoué qu'elle n'était pas son type ? Ces propos résonnaient encore durement à ses oreilles. Eu égard à sa réputation de play-boy, elle n'avait pas imaginé un instant qu'il se cantonne à un type de femme, mais avait cru que les simples critères de jeunesse et de célibat lui suffisaient, et que, les remplissant, elle aurait tout à fait pu lui convenir !

Etait-ce sa taille qui lui déplaisait ? La trouvait-il trop mince ? Pas assez jolie, pas assez sexy ?

Allons, à quoi cela l'aurait-il avancée de le savoir ? Elle s'en fichait de ne pas être son genre, il s'agissait d'un mariage de complaisance, elle devait impérativement garder cette réalité à l'esprit et prendre garde à la réactivité de son corps, chaque fois qu'il s'approchait d'elle.

Une BMW bleu clair décapotable était garée devant l'entrée de l'hôtel-casino, et JT adossé contre le capot, vêtu d'un costume gris foncé et d'une chemise blanche, sur laquelle se détachait une cravate d'un rouge éclatant, qui renforçait encore son charisme. Comme il ne l'avait pas encore remarquée, elle en profita pour l'observer à son insu, tandis qu'il discutait dans la plus grande décontraction avec un jeune groom.

L'angoisse avait en quelque sorte anesthésié ses sens jusque-là, mais, en le revoyant, elle sentit son estomac se contracter violemment.

Il souriait encore quand leurs regards se croisèrent, et son sourire à tomber par terre lui coupa littéralement le souffle. Toutefois, elle sentit son cœur se serrer lorsque, à sa vue, il retrouva rapidement le plus grand sérieux.

— Tu es ponctuelle, observa-t-il en lui prenant ses bagages.

Avait-il l'habitude d'attendre les femmes avec qui il sortait ? Elles prenaient sans doute plus de temps pour se bichonner. En réalité, c'était la nervosité qui l'avait empêchée de peaufiner sa mise et d'appliquer de l'eye-liner, car sa main tremblait trop pour tracer une ligne droite. Elle s'était donc légèrement fardé les paupières, les joues et avait appliqué un peu de fond de teint pour éviter que sa peau ne luise… Elle se rendit compte qu'elle avait oublié de se mettre du rouge à lèvres quand le regard de JT se fixa sur sa bouche !

Quelle catastrophe ! Une mariée ne pouvait se passer

de rouge à lèvres. Elle fouilla fébrilement dans son sac à main.

— Et zut ! marmonna-t-elle. Je n'en ai pas.

— Rassure-toi, tu n'en as pas besoin, répliqua-t-il en lui ouvrant la porte passager et en s'écartant le plus possible, comme si l'idée de la frôler lui répugnait.

— Sans ça, je n'ai pas l'impression d'être vraiment habillée.

— Je t'assure que tu es vêtue de la tête aux pieds, renchérit-il.

Etait-ce de l'humour qu'elle vit alors passer sur son visage ? Elle aurait bien aimé savoir quelles pensées nourrissaient l'homme qu'elle allait épouser, mais autant croire que le soleil allait soudain paraître à minuit.

— Je me demande ce que j'ai encore oublié, réfléchit-elle à haute voix. Je devais régler des affaires de dernière minute avec mon assistante, et j'avais peur d'être en retard.

— Tu ne craignais pas que j'aie changé d'avis ?

— Si, j'y ai aussi pensé.

Elle se glissa sur le siège avant et, tout en le regardant contourner le coupé sport, elle ajouta :

— Et toi ? Tu n'as pas eu peur que je me dérobe au dernier moment ?

— Non, tu es la personne la plus fiable que je connaisse.

A son ton, on aurait pu croire qu'il la connaissait bien alors que leur relation somme toute limitée ne le laissait guère supposer. S'installant derrière le volant, il mit le contact.

Elle contempla alors son profil bien ciselé, ses mâchoires carrées, ses cils épais.

— Qu'est-ce qui te fait dire ça ? finit-elle par demander.

— Ta réputation. Si tu t'engages pour une cause ou fais une promesse à un ami, tu t'y tiens. Quoi qu'il arrive.

Ils roulaient à présent sur Las Vegas Boulevard, en

direction du sud. Elle posa les mains sur ses joues et les sentit toutes chaudes, tant elle était embarrassée.

— Cela n'a rien d'extraordinaire.

— Et en général, enchaîna-t-il, feignant visiblement de n'avoir pas entendu, tu ne te vantes pas de tes bonnes actions. Tu ne les considères même pas comme telles.

Le feu passa au vert alors qu'ils s'en approchaient, de sorte que JT prit son virage sans s'arrêter.

— Si bien que certaines personnes profitent de ta générosité, ajouta-t-il.

Etait-il en train de la mettre en garde contre lui-même ? Dans ce cas, c'était trop tard, elle ne reviendrait pas sur sa décision.

— A t'entendre, on croirait que je suis une cruche.

— Pas du tout, je louais au contraire tes qualités.

— C'est un compliment un peu équivoque, tout de même. Si je te comprends bien, je suis la bonne poire sur qui on peut compter. Voilà une façon fort sympathique de s'adresser à sa future femme ! ironisa-t-elle.

— OK, répondit-il d'un ton brusque. A l'avenir, je saurai me rappeler que tu ne supportes pas les compliments.

— Je préfère juste la sincérité à la flagornerie.

Et, sur cette déclaration à l'emporte-pièce, elle se mit à le fixer sans mot dire jusqu'au feu rouge suivant, où il coula alors vers elle un regard de biais.

— Cela te pose un problème ? ajouta-t-elle.

— Pas du tout.

— Bien. Considère-moi comme une associée et tout se passera bien.

JT hocha alors simplement la tête.

Dix minutes plus tard, ils s'engageaient dans le Tunnel of Love Chapel. Ce n'était pas la première fois qu'elle l'empruntait : sa meilleure amie du lycée s'y était mariée, le jour suivant l'obtention de son bac et deux mois avant la naissance de Cory, son bébé. Pour JT, cela semblait en revanche une première, car il scrutait d'un air un peu incrédule le plafond bleu ciel parsemé d'étoiles et de cupidons.

Il arrêta la voiture devant une cabine qui indiquait le nom de la chapelle convenue, et on leur tendit sans transition les licences de mariage à remplir. Il était si facile de se marier à Las Vegas. Trop facile ? Des scrupules l'assaillirent soudain et, quand le maître de cérémonie commença à prononcer le discours officiel, ses oreilles se mirent à bourdonner.

Etait-elle vraiment en train d'épouser JT Stone ? Son regard passa de l'homme derrière le comptoir de la cabine à JT, et ses lèvres se mirent soudain à trembler. JT répéta le premier les vœux prononcés par le pasteur, puis ce fut son tour. Il lui sembla alors vivre une expérience irréelle, comme si ce n'était plus elle qui était assise à côté de JT, dans la voiture. Elle ne reconnut d'ailleurs pas sa propre voix lorsqu'elle lui promit amour et loyauté. Elle ne revint sur terre qu'au moment où elle sentit, sur sa peau, le métal froid de l'alliance qu'il lui passait au doigt.

C'était une bague façon chevalière dans laquelle était enchâssé un diamant. A vue d'œil, la gemme faisait deux carats et demi. Des petites pierres semblables flanquaient le chaton. L'ensemble était magnifique.

Une fois l'anneau bien en place, Violet ressentit une sorte d'apaisement curieux. C'était comme si toute son agitation intérieure s'était évanouie, tandis que l'impression du devoir accompli l'envahissait.

— Et maintenant, à la mariée, dit le pasteur.

Ces paroles la ramenèrent sur terre.

JT lui tendit l'autre anneau, où figuraient des vagues en relief. A son tour, elle le lui passa au doigt tout en prononçant les paroles appropriées. Elle était incapable de croiser son regard. Son idée complètement étrange d'épouser JT afin de l'aider à récupérer le contrôle de l'entreprise familiale était en train de se concrétiser et de l'engager aussi bien sur le plan légal que moral.

— Je vous déclare unis par les liens du mariage, proclama le pasteur.

Depuis que JT avait accepté de l'épouser, son cœur avait battu de façon irrégulière et, maintenant, il semblait complètement déboussolé. Voilà, ils étaient mariés, pour le meilleur et pour le pire.

— Vous pouvez embrasser la mariée.

Bouche sèche, Violet attendit son premier baiser de JT… Serait-il romantique ? Passionné ? Sensuel ? En tout état de cause, elle s'attendait à la perfection.

Aussi, quelle ne fut sa déception quand il lui saisit le menton et déposa un rapide baiser au coin de sa bouche ! Nageant dans le brouillard de la désillusion, elle se conforma en mode automatique aux formalités qui s'ensuivirent et accepta le cœur bien lourd les félicitations des témoins.

Puis la BMW repartit, sortit en trombe du Tunnel of Love Chapel et ils furent aussitôt happés par les lumières et le brouhaha de Las Vegas. Tandis que JT se frayait un chemin dans la circulation pour regagner la rocade, elle se mit à contempler sa bague. Comment s'y était-il pris pour trouver ces anneaux en l'espace de si peu de temps ? Et, de surcroît, des pièces apparemment uniques.

— Elle appartenait à ma grand-mère, dit-il comme s'il lisait dans ses pensées. Quant à moi, je porte celle de mon grand-père.

Elle retint un petit cri. Comment, des bijoux de famille ? Harper se moquerait d'elle, qui affirmait toujours que les bijoux contenaient l'énergie de ceux à qui ils avaient appartenu. Cela dit, une sensation d'apaisement l'avait submergée dès l'instant où JT lui avait passé la bague au doigt. Son ancienne propriétaire était-elle douée d'une sérénité exceptionnelle qu'elle lui transmettait à travers le bijou ? Allons, assez fantasmé ! Ils s'étaient mariés sans amour, aussi n'avait-elle pas le droit de porter une pièce si précieuse.

— Quelque chose ne va pas ? demanda-t-il, l'interrompant dans ses pensées.

— On aurait pu acheter des bagues à la chapelle.

— Pourquoi ? Celles-ci prenaient la poussière dans le coffre, autant qu'elles servent à quelque chose.

— Mais c'est la bague de ta grand-mère !

Il lui jeta un regard de biais.

— Je suis certain que, le moment venu, tu me la rendras.

— Bien sûr, s'empressa-t-elle de répondre.

Cela commençait à l'agacer qu'il ne perçoive pas la signification de tels bijoux. Poussant un soupir, elle laissa retomber sa main : dans quelques semaines, la bague aurait de toute façon retrouvé son coffre.

Tandis que la BMW filait sous le dôme étoilé du Nevada, l'adrénaline qui la maintenait en grande forme depuis deux jours commença à refluer, tout comme sa confiance en elle-même. Elle se retrouvait mariée à un homme qui représentait pour elle un étranger. Et il était probable qu'il le reste jusqu'à la fin de ce mariage de complaisance : quels que soient les efforts qu'elle puisse fournir pour tenter de mieux le connaître, il lui donnait la sensation d'habiter une forteresse inexpugnable.

Allons, elle ne devait pas oublier qu'en dépit des vœux qu'ils venaient de prononcer leur union était un arrangement qui visait un bénéfice mutuel. JT aurait plus de chances de reprendre la main sur l'entreprise familiale, et de son côté elle achèverait la reconquête que Tiberius avait amorcée.

Donc, il n'y avait aucune raison qu'il s'ouvre à elle, ni ne lui communique les pensées profondes qui l'animaient.

— Quelque chose te tracasse ? s'enquit-il soudain.

— Non, pourquoi ?

Ils venaient de quitter Las Vegas et se dirigeaient vers le nord où était situé son ranch de soixante hectares, à une demi-heure environ de la ville. Au début, elle était contre l'idée de quitter son hôtel-casino, et puis elle avait finalement pensé qu'une petite nuit loin de son lieu de travail lui ferait le plus grand bien, car elle était surmenée.

— Tu n'as pas prononcé un mot depuis un quart d'heure, observa-t-il. Cela ne te ressemble pas.

— C'est un peu fou ce que nous venons de faire, non ?

— Complètement, approuva-t-il en s'engageant sur une route secondaire. Tu as changé d'avis ?

— Non, répondit-elle avec une ardeur qui l'étonna elle-même. Tout va marcher comme prévu. Il faut juste que nous trouvions les 3 % manquants. C'était ce à quoi Tiberius s'employait pour le prochain conseil d'administration.

JT hocha la tête.

— Quoi qu'il en soit, nous divorcerons avant l'automne, dit-il.

Elle sentit son estomac se contracter face à son impatience de se débarrasser d'elle, et s'en voulut aussitôt de réagir de façon aussi déraisonnable : n'était-ce pas précisément le contrat qu'ils avaient passé ? Elle n'était nullement fondée à en réclamer davantage.

— Dans ces conditions, nous ferions bien de nous mettre au travail sans tarder, répliqua-t-elle. J'ai apporté les dossiers de Tiberius, il s'apprêtait à prendre contact avec huit actionnaires, dont quatre semblent des pistes prometteuses.

— Je les consulterai demain dès mon réveil, promit JT.

Le fait qu'il parle à la première personne du singulier ne lui plut guère, elle lui rappellerait dès le lendemain, avant de repartir pour Fontaine Chic, qu'il s'agissait d'un travail d'équipe. Ne l'avait-elle pas justement épousé pour qu'il ne se batte pas seul contre son père ?

— Je suis certaine que notre entreprise va aboutir, dit-elle.

Il lui lança un regard froid.

— Es-tu toujours aussi optimiste ?

— A t'entendre, on croirait que c'est un défaut.

— Non, seulement je ne pense pas que ce soit une attitude très réaliste. Tu ne te fais jamais de souci ?

— Pour l'avenir, non, répondit-elle.

Et elle prêta son visage au vent qui entrait par la vitre.

— Pourquoi s'en faire ? poursuivit-elle. La vie est riche de tous les possibles.

Il ne répondit pas et un silence s'installa entre eux ; toutefois, elle brûlait d'envie de reprendre cette conversation inachevée.

— Tous les soirs, je te vois plongé dans tes pensées, au bar, à broyer du noir, reprit-elle, n'y tenant plus. Tu peux me dire quel bien cela te procure de t'inquiéter pour tout ce qui n'est pas encore arrivé ?

— Ce n'est pas l'avenir qui m'inquiète, c'est le passé, déclara-t-il alors. J'aimerais revenir en arrière, agir différemment, mais c'est impossible.

Ravie que JT soit sur le point de se confier, elle renchérit :

— Par exemple ?

— Rien dont j'ai envie de parler.

Et voilà, il venait de refermer la porte.

Elle poussa un soupir et replongea dans le silence : JT représentait une réelle énigme. Elle connaissait bien sûr son enfance difficile entre les ambitions de son père et les addictions de sa mère. Par ailleurs, Tiberius l'avait mise en garde contre lui à son arrivée à Las Vegas, arguant qu'il était devenu un homme impitoyable qui se servait des gens avant de les rejeter.

Pourtant, elle suspectait que ce n'était pas un tableau tout à fait exact : ce qui motivait les actes de JT était tapi bien profondément en lui, ainsi que l'indiquaient ses mâchoires serrées.

— Si je comprends bien, tu as du mal à tourner la page, enchaîna-t-elle. Pourtant, cela te ferait du bien, tu sais.

— Garder présents à l'esprit les événements passés me permet de ne pas commettre les mêmes erreurs.

Elle-même aurait dû s'appliquer la maxime, c'était un fait. Elle était souvent sortie avec des hommes qui avaient en réalité besoin d'un boute-en-train, d'une psychologue ou d'une conseillère fiscale ! Et elle avait toujours rempli avec complaisance le rôle qu'ils attendaient d'elle. Oui, cela s'était produit bien trop souvent, et n'avait-elle pas réitéré l'expérience aujourd'hui ? Seulement cette fois, elle avait en plus franchi une ligne rouge, puisqu'elle venait de se marier.

JT s'engagea dans un chemin bien éclairé et arrêta la voiture devant une immense demeure de style Prairie School, en stuc et en pierre. D'immenses bacs à fleurs arrondis comportaient des plantes du désert et des fleurs tropicales ; leurs lignes courbes adoucissaient l'architecture à angle droit de la maison.

— Cela valait le détour ! s'extasia-t-elle en sortant de la voiture.

L'allée pavée qui menait à la porte d'entrée était flanquée de piliers carrés, et éclairée par des appliques. Il s'en dégageait une atmosphère élégante et accueillante.

— Et quel silence ! ajouta-t-elle.

Elle qui avait grandi sur le Strip, au cœur de Las Vegas, n'était guère familière d'un environnement aussi tranquille. Cela la mettait presque mal à l'aise, d'ailleurs.

— Attends demain, lui conseilla-t-il. La vue que l'on a du salon m'a convaincu de faire l'acquisition de la maison.

Il s'empara de son bagage dans le coffre et lui fit signe de passer devant lui pour regagner l'entrée.

L'endroit était réellement impressionnant. De l'immense vestibule sur deux niveaux, JT la conduisit dans l'espace salon-salle à manger. De si grands volumes auraient pu paraître froids et austères, mais les plafonds en forme de voûte, les nombreuses ouvertures qui laissaient entrer la lumière, et les tons chauds choisis pour faire écho au désert rendaient l'endroit tout à fait convivial. La cuisine était presque aussi grande que la suite d'un hôtel et dotée de tout l'électroménager dernier cri, ainsi que d'une cave impressionnante.

— J'aimerais tant savoir cuisiner, observa-t-elle en laissant glisser sa paume sur l'îlot de granit, au centre.

— Tiens donc, tu ne sais pas cuisiner ? reprit JT en sortant une bouteille de champagne et deux coupes.

Quelques secondes plus tard, il lui en tendit une, qu'elle accepta volontiers.

— Les plats de base, si, mais mes talents limités ne me permettraient pas de faire honneur à une si belle cuisine.

JT se rapprocha soudain d'elle et leva sa coupe. Jusque-là, elle s'était efforcée de donner le change, ce qui n'était pas rien, eu égard à toutes les émotions qu'elle avait vécues depuis la mort de Tiberius : le legs des actions, la demande en mariage de JT, les noces express dans un drive-in… Et maintenant, elle se trouvait seule avec lui dans sa maison ! Elle se sentait un peu vulnérable et à cran. Prête à céder à la plus folle des impulsions et exiger de lui un baiser d'une tout autre qualité que celui qu'il lui avait donné dans le Tunnel of Love.

— A notre union fructueuse, déclara JT en touchant sa coupe.

Le cristal résonna alors dans la pièce spacieuse.

— A ta reprise de contrôle sur Stone Properties, répondit-elle avant d'avaler une toute petite gorgée de champagne.

Si JT tenait bien l'alcool, ce n'était pas son cas, et elle devait demeurer prudente.

— Il est presque 1 heure du matin, reprit-il. Je te montre ta chambre ?

— Pour que j'y fasse les cent pas ? Tu sais, je me couche rarement avant 3 heures.

S'avançant vers la baie vitrée, elle avisa alors une piscine turquoise, nichée dans la verdure.

— Je peux piquer une tête ? poursuivit-elle.

— A minuit et quart, cette maison est devenue pour moitié la tienne, tu n'as pas à me demander la permission.

Elle poussa une petite exclamation de surprise, désormais abandonnée par son envie de se baigner au clair de lune.

— Ah non, ce n'est pas de ce que nous étions convenus ! Quand nous divorcerons, chacun reprendra ce qui lui appartient. Je ne veux pas de la moitié de ta maison.

— Il faudra sans doute que nous renégocions le contrat de mariage pour y inclure une pension alimentaire au cas où les choses tourneraient mal avec mon père. Autant te prévenir qu'il n'hésiterait pas à me mettre à la porte des affaires familiales. Et puis, d'ailleurs, ses actions ne valent plus rien.

Il s'adossa alors au comptoir et croisa les bras.

— Alors que, toi, tu vaux des millions, en tant que future P-DG de Fontaine Chic.

Elle se demanda un instant s'il plaisantait ou non, car avec lui on n'était jamais sûr de rien. Sans compter qu'il y avait peu de chance pour que ce titre lui revienne.

— Je n'avais jamais imaginé que je t'entretiendrais, commença-t-elle. Nous devrions peut-être demander l'annulation…

— Tant que nous le pouvons encore ? coupa-t-il d'une voix de velours qui la fit frissonner.

— Arrête de te moquer de moi, JT, protesta-t-elle en s'efforçant d'adopter un ton léger, pour cacher l'angoisse qui montait en elle. Ce n'est pas parce que nous venons juste de nous marier et que nous sommes seuls dans ta maison, la nuit de nos noces…

Elle s'interrompit. Qu'est-ce qui lui avait pris de formuler ces pensées à haute voix ? Où voulait-elle en venir au juste ?

— Que nous devons céder à nos instincts les plus primaires, enchaîna-t-il.

— Exactement.

— Même si nous avons bu du champagne et que nous sommes mus par une terrible curiosité l'un envers l'autre.

Elle reposa sa coupe et s'aperçut avec consternation qu'elle l'avait entièrement bue.

— Il est temps que tu me montres la chambre… Euh, ma chambre, corrigea-t-elle en se sentant rougir. Bref, l'endroit où je vais dormir. Seule.

Son léger vertige était dû au champagne, elle refusait de croire qu'elle était troublée par l'idée de passer la nuit dans la maison de JT. A propos, sa chambre se trouvait-elle loin de la sienne, ou à côté ?

Allons, elle devait se ressaisir ! Elle n'était tout de même pas une vierge effarouchée ; elle incarnait une femme d'affaires prospère et JT était un collègue. Il suffisait qu'elle garde les idées claires et tout irait bien.

— Par ici, répondit JT.

Et il la conduisit à sa chambre qui s'avéra spacieuse, bien sûr, meublée d'un grand lit flanqué de deux tables de chevet de bois de cerisier, d'une commode à triple tiroir, ainsi que d'une partie salon, avec un canapé placé devant la cheminée à gaz.

Il posa sa valise sur le lit et revint vers le seuil où elle se tenait toujours.

— C'est joli, merci.

— C'est moi qui dois te remercier, répliqua-t-il. Si ta folle idée se concrétise, je serai en mesure de sauver les affaires familiales. Et c'est une dette dont je ne pourrai jamais m'acquitter.

Se penchant vers elle, il lui donna un petit baiser sur la joue.

— Bonne nuit, Violet. Je te préparerai un thé vert, demain matin.

Tiens, il savait qu'elle ne consommait pas de café ? Elle se rappela avoir eu une conversation avec lui, il y avait fort longtemps, sur les bienfaits du thé, tandis qu'il lui avait opposé ceux du café. Curieux qu'il n'ait pas oublié, après tout ce temps.

— C'est gentil à toi, répondit-elle. Encore une chose…

Et, avant de réfléchir à la sagesse de ses actes, elle se hissa sur la pointe des pieds et posa les mains sur les épaules de JT. Rejetant toute pensée rationnelle, elle murmura :

— Tu ne m'as pas donné un vrai baiser, lors de la cérémonie.

— Eh bien, je vais réparer mon erreur, dit-il.

Et il lui captura la bouche.

Elle sentit sa respiration s'arrêter. Tous ses nerfs se tendirent, tandis que sa peau la picotait à l'endroit où la chemise de JT frôlait son bras nu. Il enserra son visage et elle lui enfouit les doigts dans les cheveux. Sa bouche était ferme, mais plus douce qu'elle ne l'aurait cru. Un petit gémissement de contentement lui échappa alors.

Visiblement, sa réaction le stimula car il renforça la pression de son baiser et bientôt sa langue se mêla à la sienne. Il l'embrassait à pleine bouche, maintenant, comme s'il l'avait fait des milliers de fois auparavant. Où était passé l'homme qui savait se contrôler en toute situation ? Et elle, n'était-elle pas définitivement en train de perdre la tête ? Ils étaient pourtant convenus que le mariage ne serait pas consommé ; or, à ce rythme-là, elle n'allait pas répondre d'elle-même très longtemps.

Elle sentit soudain qu'il posait les mains sur ses côtes, aventurant les pouces sur la courbe de ses seins. Oh ! comme elle avait envie d'être à lui !

Ce fut alors qu'il détacha la bouche de la sienne, le souffle court.

— C'était mieux que le premier ?

Mieux ? Merveilleux, oui !

Les genoux tremblants, elle regarda autour d'elle. Ça alors ! Ils se tenaient encore sur le seuil de la chambre, alors que JT venait de faire basculer son monde !

— Maintenant, je me sens mariée, déclara-t-elle.

— Et tu te sentiras encore bien mieux après une vraie nuit de noces, murmura-t-il en rapprochant de nouveau ses lèvres des siennes.

Etait-il sérieux ? Tous deux se jaugèrent et le feu qu'elle perçut alors dans ses yeux l'alarma. Et, lorsqu'il fit glisser ses mains prometteuses sur ses reins, elle eut la folle envie d'être enfin possédée par lui.

Bon sang ! Jamais elle n'aurait dû lui réclamer ce baiser. Si elle avait su surmonter son impulsion, elle ne se serait pas retrouvée à présent dans un tel état de frustration. Pourtant, elle ne pouvait pas le laisser continuer.

— JT, je…

Elle s'interrompit, saisie par son regard brusquement distant : en un rien de temps, il venait de nouveau de dresser un mur entre eux. La vitesse à laquelle il avait changé de comportement lui fit l'effet d'une douche glacée.

— Inutile de t'expliquer ! lâcha-t-il en s'écartant, un sourire sarcastique aux lèvres. Je sais bien que notre mariage n'en est pas vraiment un.

Et dire qu'elle était à deux doigts de l'oublier ! Un sentiment d'humiliation la submergea, qui chassa toute trace de désir en elle. Elle éprouva néanmoins le besoin de se justifier.

— Ce n'est pas la question… Enfin, en partie, si… Bon, je ne te connais pas très bien et je n'ai pas l'habitude de coucher avec un homme aussi rapidement.

— Tu en sais pourtant davantage sur moi que la plupart des femmes avec qui je suis sorti.

Vraiment ? Devait-elle se sentir flattée d'occuper une place plus élevée dans sa cour ? Elle se mordit la lèvre, perturbée par son désir de représenter bien plus qu'une simple conquête pour lui. Le danger se profilait à l'horizon. Il était décidément préférable qu'ils s'en tiennent aux affaires !

— Il vaut mieux que nous en restions à un mariage blanc, déclara-t-elle alors à contrecœur.

— Dans ces conditions, évite à l'avenir de me réclamer un baiser.

Son ton froid était censé évoquer un reproche, mais elle avait perçu une passion vibrante dans son baiser. Ou bien prenait-elle ses rêves pour la réalité ?

— C'était juste un baiser, répliqua-t-elle en enfonçant ses ongles dans ses paumes. On ne va pas en faire toute une histoire.

— Le problème, c'est qu'en général j'aime terminer ce que j'entreprends.

Un muscle de sa mâchoire tressaillit et il ajouta :

— Surtout dans ce domaine.

Pourquoi semblait-il tellement vexé ? Ce n'était tout de même pas la première fois qu'une femme l'éconduisait.

— Ce qui veut dire que tu as couché avec toutes les femmes que tu as embrassées ? questionna-t-elle sur le ton du défi.

— Depuis que j'ai quitté le lycée, oui, rétorqua-t-il avec un petit sourire satisfait aux lèvres.

S'il cherchait à la mettre mal à l'aise, c'était réussi.

— Donc tu n'embrasses pas une femme, si tu sais que tu ne vas pas coucher avec elle ?

— En général, après m'avoir embrassé, peu d'entre elles se désistent.

La vérité était-elle toujours bonne à dire ? Mais elle croisa rapidement les bras.

— Je suis ravie de faire partie de cette minorité des femmes de ta connaissance, lança-t-elle, sourcils froncés.

— Je te rappelle que tu n'es pas une connaissance, Violet, tu es ma femme.

JT lui saisit alors la main et lui brandit sous le nez la bague de sa grand-mère. Pourquoi était-il si furieux ? Etait-ce à cause du désir qu'il éprouvait pour elle et qui ne cessait de le tourmenter ? Sans doute aussi parce qu'il n'aurait jamais cru dormir seul pour sa nuit de noces. Evidemment, les événements auraient été tout autres, s'il avait songé à se marier plus tôt.

Mais un curieux vide s'était emparé de son être quand elle lui avait déclaré qu'ils ne devaient pas faire toute une histoire du baiser torride qu'ils avaient échangé. En d'autres termes, que celui-ci ne signifiait rien ! Or, quand il l'avait prise dans ses bras, il avait cru que, dans la foulée, il allait la déshabiller et s'unir à elle. Hélas ! Elle lui avait opposé une réaction bien différente de celle qu'il attendait, et il lui faudrait du temps pour se remettre de la rebuffade.

— Je suis ta partenaire en affaires, répliqua-t-elle en se libérant de sa poigne.

Bon sang ! Ce qu'elle pouvait être belle avec ses yeux noisette qui lançaient des éclairs et ses joues saillantes rougies par l'outrage. Il sentit tout à coup sa colère retomber : Violet était une femme qu'il ne pouvait repousser, même s'il lui aurait été plus aisé de maintenir de la froideur entre eux.

— Et tu m'as accordé une grande faveur, dit-il en baissant les yeux.

Violet lui sourit, visiblement soulagée.

— Je pense que tout ira bien si nous nous en tenons à notre plan.

— Très bien. A demain, Violet.

Sur ces paroles, il sortit de la chambre et entendit le loquet se refermer derrière lui. Il regagna alors sa propre suite et, sans allumer la lumière, se réfugia sur la terrasse pour s'immerger dans la tranquillité de l'obscurité. Mais il avait les nerfs en pelote, ce soir, et il demeura insensible à l'air du désert tout comme au croissant de lune qui se dessinait dans le ciel clair.

Violet n'avait-elle donc pas conscience qu'il avait bien failli la prendre de force ? Tout avait commencé par cette robe en dentelle, particulièrement romantique et affriolante, dans laquelle elle avait surgi, avant la cérémonie. Puis elle avait flirté avec lui en buvant sa coupe de champagne et, pour couronner le tout, elle avait exigé un vrai baiser de mariage ! Cherchait-elle à le rendre fou, ou bien n'avait-elle vraiment pas la moindre idée de l'effet qu'elle produisait sur ses sens ?

Sans doute la seconde raison était-elle la bonne. Il n'avait donc pas de pire ennemi que lui-même ! Quand elle dardait sur lui ses grands yeux doux qui le transperçaient jusqu'à l'âme, le feu qu'elle déclenchait dans son corps court-circuitait son instinct de conservation.

Et à présent, comment était-il censé réagir face à ce violent désir qui le laissait pantelant ?

Cela n'avait plus rien à voir avec les soirées passées au Baccarat, à nourrir des fantasmes érotiques qu'il ne concrétiserait jamais. Là-bas, il pouvait discuter avec elle en toute tranquillité, sachant que la nature ouverte et radieuse de Violet finirait par se lasser de son talent pour la dérobade. Elle l'avait dit, elle ne connaissait rien de lui. Il ne lui avait pas permis l'accès à son moi profond, ce qu'il refusait d'ailleurs à quiconque.

Et pourtant, elle était au courant d'éléments de sa vie que la plupart ignoraient. Ainsi, son oncle lui avait parlé des dépendances de sa mère de sorte qu'elle pouvait se former une idée de l'enfance misérable qu'il avait eue. Mais, si elle tentait de lui en parler, il lui en tiendrait forcément rigueur et se refermerait encore plus sur lui-même. En matière d'intimité et d'amour, l'aptitude au bonheur lui faisait défaut.

Un plongeon dans la piscine attira soudain son attention : Violet était en train de nager avec élégance et énergie dans l'eau turquoise. Arrivée à l'autre bout, elle émergea pour mieux replonger et repartir dans l'autre sens.

Il l'observa pendant un bon quart d'heure, fasciné par sa détermination, qui était aussi sa façon d'être et d'aborder toute chose. Une fois qu'elle s'était fixé un objectif, elle n'avait de cesse de l'atteindre.

Elle finit pourtant par se fatiguer, et elle resta allongée sur l'eau, au beau milieu de la piscine. Il s'aperçut alors qu'elle était entièrement nue. Poussant un juron, il quitta son poste d'observation et regagna l'espace piscine. Le temps qu'il trouve un maillot de bain susceptible de lui convenir, elle était déjà sortie de l'eau et s'était drapée dans une grande serviette en éponge. En l'entendant arriver, elle leva vers lui un regard surpris.

— La prochaine fois que tu décides de piquer une tête, j'apprécierais que tu ne nages pas nue, dit-il en brandissant devant elle le maillot de bain qu'il avait choisi à son intention.

— Je suis désolée, murmura-t-elle.

De l'eau ruisselait de sa longue chevelure brune.

— Je croyais que tu dormais, ajouta-t-elle.

Elle semblait si mortifiée qu'il sentit son irritation régresser quelque peu.

— Comme toi, je suis un couche-tard.

— Merci pour le maillot, reprit-elle en s'en saisissant. Je te promets de ne plus te déranger, ce soir.

Elle plaisantait ou quoi ? Comment pourrait-il désormais trouver le sommeil alors que son corps nu allait hanter ses pensées ? Il serra les mâchoires tandis qu'elle rentrait dans la maison. Quand sa silhouette eut enfin disparu de sa vue, il regagna lui aussi sa suite.

Heureusement qu'ils étaient convenus de ne pas vivre sous le même toit et qu'elle repartirait dès le lendemain. Car il avait suffi qu'il passe une heure seul avec elle dans sa maison pour avoir envie de la jeter sur son épaule et de la faire basculer sur son lit. Il lui aurait été impossible de se dominer à long terme face à son humour impertinent et sa sensualité si naturelle.

Or leurs caractères étaient incompatibles. Une éventuelle relation serait forcément synonyme de souffrance et déboucherait sur une inévitable rupture. Voilà pourquoi il devait garder de manière impérative ses distances avec elle.

4

A 8 heures, le lendemain matin, Violet rejoignit JT dans son bureau. Elle attendit quelques secondes devant la porte, le temps de se ressaisir avant de l'affronter, puis entra.

Vêtu d'un jean délavé et d'une chemise de coton noir, il était penché sur une table de billard. D'une main, il envoyait une boule cogner contre le rebord d'en face et recommençait quand elle lui revenait ; de l'autre, il feuilletait des documents. L'attaché-case de Tiberius qu'elle lui avait remis la veille était vide, à ses pieds.

Il n'était vraiment pas humain de devoir faire face à une virilité si décontractée de si bon matin ! Surtout qu'elle avait passé une bonne partie de la nuit à regretter d'une part de l'avoir embrassé et d'autre part de ne pas avoir tout simplement laissé tomber sa serviette, lorsqu'il l'avait surprise au bord de la piscine. Elle était déchirée par les sentiments bien trop contradictoires qui la minaient. Il fallait qu'elle se décide pour une conduite bien précise.

— Tu as bu du thé ? demanda-t-il sans même la regarder.

Elle se rendit alors compte qu'elle l'avait contemplé en silence pendant une bonne minute et qu'elle n'avait pas prononcé un seul mot depuis son arrivée.

— Oui, ta gouvernante m'en a préparé un. Il était délicieux.

Elle ne le questionna pas au sujet des différents paquets de thé stockés dans ses placards, se figurant qu'il devait recevoir beaucoup d'invités, et notamment des créatures féminines. A Miami, il avait la réputation d'organiser de grandes fêtes, et nul doute qu'il avait continué sur sa lancée à Las Vegas.

— Tu as trouvé des choses intéressantes, dans ces documents ? ajouta-t-elle.

— Mon oncle a accumulé quantité d'informations et il adorait prendre des notes sur toutes les actions commerciales qu'il réalisait. Ce qui manque, ce sont les membres de la famille qui ont refusé de le soutenir.

Elle s'approcha de la table et remarqua qu'il avait établi deux listes de noms. Elle savait combien Tiberius adorait réunir des renseignements : son bureau en était rempli. Certains étaient très pertinents, d'autres moins.

— Je peux t'aider ? Nous gagnerons du temps.

Elle attendit sa réponse, mais il demeura perdu dans ses pensées. L'avait-il entendue ou préférait-il poursuivre seul ? Cette dernière éventualité était de toute façon exclue, car elle avait bien l'intention de participer à chaque étape de leur plan. Parcourant plus attentivement la liste des membres de la famille, elle remarqua qu'il avait souligné ceux qui étaient définitivement acquis à Preston.

— Paul et Tiberius ont eu une vive dispute, il y a trois ans, déclara-t-elle, faisant allusion au cousin de la mère de JT. C'était au sujet d'une bande dessinée qu'ils avaient achetée ensemble à l'âge de huit ans et que Paul avait gardée sans lui rembourser sa part.

Elle secoua la tête, consciente qu'il était parfaitement idiot de se disputer pour de telles vétilles, mais Tiberius était d'un caractère rancunier. Elle leva les yeux vers

JT : elle avait bien l'impression qu'il partageait ce trait de caractère avec son oncle.

— Merci, dit-il en griffonnant quelques mots à côté du nom de Paul.

Avisant la pile de fichiers qu'il avait déjà consultés, elle s'empara de celui du dessus. Il contenait un article de journal sur Casey, un autre cousin.

— Casey est en train de divorcer, et la procédure ne se passe pas bien, dit-elle. Il a une maîtresse avec des goûts de luxe qui se voit déjà dans le rôle de la future Mme Casey Stone. A mon avis, il serait prêt à vendre des actions, car il a sans doute besoin d'argent.

JT ne parut guère sensible à l'argument.

— Mon père lui a souvent rendu des services, aussi je ne crois pas qu'il accepterait que je lui rachète ses parts, pas plus qu'il ne voterait pour moi, marmonna-t-il.

Elle voulut ouvrir la bouche pour protester, mais comprit à son expression fermée que c'était peine perdue. Elle reposa le dossier de Casey et s'empara du suivant. Elle parcourut plusieurs documents avant de tomber sur celui qu'elle recherchait.

— Ta grand-tante Harriet est récemment tombée sous l'influence d'un escroc qui a réussi à la convaincre de créer une association de charité à La Nouvelle-Orléans, déclara-t-elle.

A ces mots, JT tourna la tête et elle vit briller un éclair d'intérêt dans ses prunelles.

— Cela pourrait toujours nous être utile, poursuivit-elle. Tiberius a collecté des tonnes d'informations sur l'histoire de Las Vegas au cours des trente dernières années. Il a légué le tout à Scarlett pour une exposition ayant pour thème l'expérience collective.

— Je suis certain que tout cela est très intéressant, mais tu m'as déjà beaucoup aidé.

Se redressant, il désigna du menton la porte entrouverte et ajouta :

— Est-ce que Pauline t'a préparé ton petit déjeuner ? Je
te reconduirai à Fontaine Chic lorsque tu auras terminé.

Elle se retint de protester, consciente qu'elle devait
accepter qu'il ne sache pas travailler en équipe, mais
bien décidée à faire en sorte que la situation évolue
peu à peu.

— Avant de rentrer en ville, il faut que nous discu-
tions, toi et moi, objecta-t-elle.

— De quoi ? s'enquit-il en croisant les bras.

Elle brandit alors la main gauche et désigna sa bague
de l'index droit.

— Comment suis-je censée expliquer cela à mon
entourage ? rétorqua-t-elle.

Il demeura un instant silencieux, absorbé par la
contemplation de la bague.

— De la façon qu'il te plaira, finit-il par dire.

Se mordant la lèvre, elle essaya une autre approche.

— Et toi, comment vas-tu justifier ton mariage impulsif ?

— Si on me pose la question, je répondrai que nous
sortions ensemble depuis un an environ, mais que nous
n'en avons rien dit à personne.

— Et c'est tout ?

— Je ne pense pas qu'on me demandera des détails.

— Vraiment ? Il n'y a donc personne dans ta vie à
qui tu confies des choses intimes ?

Sa vie de solitaire la stupéfiait. Etait-ce vraiment
un choix délibéré de sa part, ou avait-il un caractère si
impossible que nul ne recherchait sa compagnie ?

— Mon personnel sait qu'il est préférable de ne pas
m'interroger sur ma vie privée, et les gens que je côtoie
en dehors du travail ne s'intéressent pas à mes affaires
professionnelles. Je n'aurai donc pas de comptes à rendre
sur les raisons de notre mariage blanc.

— Grand bien t'en fasse, rétorqua-t-elle d'un ton sarcastique, mais, pour ma part, j'ai deux sœurs et une mère qui, quand elles l'apprendront, seront avides de connaître les détails croustillants de notre histoire.

A cet instant, il tourna la tête vers elle : elle venait enfin de capter son attention !

— Il n'y a aucun détail croustillant dans cette affaire, déclara-t-il.

Par prudence, elle fourra les mains dans les poches arrière de son jean, pour éviter tout geste impulsif qui aurait contraint JT à sortir de son calme stoïque.

— Est-ce que je peux leur dire la vérité concernant notre mariage ?

— Est-ce que tu penses qu'elles ne le répéteront à personne ?

La question la choqua, encore que, venant de lui qui ne se fiait à personne, elle aurait dû s'y attendre.

— Je leur fais entièrement confiance, se récria-t-elle, avant d'ajouter avec un petit sourire méprisant : Cela dit, si tu préfères, je peux aussi leur raconter que cela fait des années que tu me tournes autour mais que tu redoutais que Tiberius ne contrarie tes plans si tu montrais tes sentiments.

— Qui croirait de telles balivernes ? demanda-t-il, mâchoires serrées.

— Scarlett, sans aucun doute, déclara-t-elle, soudain décidée à le provoquer pour qu'il sorte de sa réserve. Elle pense que, si tu viens tous les soirs au Baccarat, c'est pour me voir.

— Et sur quoi se fonde-t-elle exactement, pour affirmer ça ? répliqua-t-il d'un ton qui ne laissait rien transparaître de ses émotions.

Désarçonnée, elle joua le tout pour le tout.

— Sur la façon dont tu me regardes, affirma-t-elle.

— Et qu'a-t-elle de si particulier ?

Elle fronça les sourcils, tâchant de se rappeler les propos exacts de sa sœur.

— Selon Scarlett, tu as l'air affamé.

Il avait beau être maître dans l'art de la dissimulation, elle aurait juré avoir vu passer un éclair dans ses yeux. Tiens donc ! Il n'était peut-être pas aussi désintéressé qu'il le prétendait.

— Ta sœur a lu trop de romans d'amour, décréta-t-il. En outre, comme elle est amoureuse, elle voit des histoires d'amour partout autour d'elle.

— Tu as probablement raison, observa-t-elle.

Toutefois, il n'avait pas nié.

Bon, elle l'avait assez questionné pour aujourd'hui, elle ne devait pas non plus courir le risque de le braquer. L'apprivoisement ne fonctionnait que s'il se déroulait par étapes, non ?

— Tu as pris ton petit déjeuner ? lui demanda-t-elle alors.

— Oui, il y a une heure environ.

Elle masqua sa déception.

— Dans ces conditions, je vais manger rapidement le mien et je serai prête dans une demi-heure, si cela te convient.

— Au fond, j'ai envie d'une autre tasse de café, annonça-t-il en reposant le dossier qu'il tenait à la main.

Elle sentit les battements de son cœur s'accélérer. Finalement, elle venait peut-être de découvrir la clé du comportement à adopter avec lui : faire mine de se ficher qu'il passe du temps avec elle, ou encore qu'il l'inclue dans ses projets de reprendre le contrôle de l'affaire familiale. En général, ce n'était pas ainsi qu'elle agissait avec les hommes, et d'ailleurs, la plupart du temps, ils la laissaient prendre les rênes de la situation.

Mais, avec JT, elle ne devait pas compter là-dessus.

— Je comprends que la vue t'ait tout de suite séduit et décidé à acheter la maison, lui avoua-t-elle, une demi-heure plus tard, alors qu'elle finissait son petit déjeuner.

L'immense baie de la salle à manger offrait un panorama imprenable du désert et des montagnes qui se détachaient au loin, sur le ciel d'un bleu presque insoutenable.

— L'océan ne te manque-t-il pas, toi qui as grandi à Miami ? ajouta-t-elle.

— Au début, j'ai craint de ne pouvoir supporter la poussière et la chaleur, mais les montagnes en arrière-fond sont apaisantes. Et puis, si j'ai envie d'étendues bleues, je saute dans le bateau que je possède sur Lake Mead.

Il avait finalement mangé des œufs brouillés, et volé une demi-poire dans son assiette ; du même coup, il était quelque peu sorti de sa réserve, et s'était presque montré charmant, si bien qu'elle n'avait aucune envie de rompre le sortilège. Elle reprit du thé, un toast, désireuse de profiter au maximum de cette façade plus accessible que lui présentait son nouveau mari.

— Finalement, tu tires le meilleur parti des deux mondes, commenta-t-elle en avalant un grain de raisin. Cependant, je ne comprends pas pourquoi tu as choisi de vivre dans un ranch, plutôt que près du Titanium.

— Ma grand-mère a grandi dans un ranch du Kentucky, expliqua-t-il en lui saisissant la main gauche pour regarder la bague qui avait appartenu à cette dernière. Même après son mariage et son installation à Miami, elle a continué à participer à des concours hippiques. Ma mère m'emmenait souvent la voir. Assis dans les gradins, j'admirais la façon dont elle faisait courir et sauter son cheval.

Jamais elle n'avait vu JT aussi décontracté, même

si ce n'était pas la première fois qu'il s'ouvrait à elle : après tout, ne lui avait-il pas confié sa décision de quitter Stone Properties ? Mais qu'il lui décrive les souvenirs heureux de son enfance, c'était de l'inédit. Au fond, s'il était si réservé, ce n'était peut-être pas en raison d'une grande indifférence à tout, mais bien au contraire parce qu'il était trop sensible. Et, à supposer que son cœur soit un baril d'explosif, que se passerait-il si quelqu'un y mettait le feu ?

— Ma grand-mère voulait que j'apprenne à monter, moi aussi, continuait JT, loin d'imaginer les conclusions auxquelles elle était arrivée. L'été, elle m'emmenait dans le Kentucky et nous passions des heures à chevaucher. Quand j'ai eu l'âge, elle m'a inscrit à des concours. Mais tout s'est arrêté avec sa mort.

JT avait perdu sa grand-mère à l'âge de dix ans. A l'entendre parler de cette femme avec autant de chaleur, elle en déduisit qu'il avait dû être dévasté par la disparition du seul être qui lui témoignait de l'amour et de l'attention. Elle se rappela alors le chagrin de Tiberius, au décès de sa mère. Il les avait emmenées à l'enterrement, Lucille et elle, et ils n'avaient pas été les bienvenus.

— Je n'ai jamais côtoyé mes grands-parents, quand j'étais enfant, enchaîna-t-elle. Ma mère a quitté Cincinnati alors qu'elle avait dix-sept ans et n'y est jamais revenue. Et, du côté de mon père, tu es au courant de la situation.

— Pour ma part, je n'ai pas connu mes grands-parents paternels. Ils sont morts quand j'étais très jeune, et mon père n'a jamais entretenu de liens avec le reste de sa famille.

— N'est-il pas originaire de Californie ? demanda-t-elle, se rappelant alors ce que Tiberius lui en avait dit. N'as-tu jamais eu envie de prendre contact avec eux ?

Mais JT s'était de nouveau retranché dans sa réserve.

Dès qu'il avait mentionné son père, son expression s'était faite plus distante que les sommets des montagnes qu'il trouvait si extraordinaires.

— Non, répliqua-t-il brutalement, pour couper court à toute nouvelle question de sa part.

Elle poussa un soupir.

— Je pense qu'il est temps que tu me ramènes à Fontaine Chic, déclara-t-elle.

— Entendu, je vais chercher mes clés.

Pendant que JT attendait dans le vestibule que Violet descende avec ses affaires, il repensa à leur conversation, aux différentes expressions qui avaient traversé son adorable visage. Ce petit déjeuner commun lui avait mis du baume au cœur. Il s'était senti si à l'aise qu'il s'était laissé aller à lui parler de sa grand-mère. Oui, il en avait presque été sentimental.

Qu'il était tentant d'accorder sa confiance à Violet ! Elle avait réellement envie d'en apprendre davantage sur autrui, sans arrière-pensée. Sa volonté de l'aider était authentique. Ce mariage express n'en constituait-il pas la meilleure preuve ?

Et elle attendait que les autres soient aussi désintéressés qu'elle. Ainsi, elle pensait qu'il serait capable de s'en tenir à un mariage blanc, alors qu'il mourait d'envie de lui faire l'amour. Voilà pourquoi il était préférable qu'il la côtoie le moins possible !

— Je suis prête, annonça-t-elle en surgissant sur les marches.

Elle était une merveille de féminité dans sa robe à motif pastel fleuri, dont les bretelles dévoilaient ses délicates épaules. Ses sandales roses à hauts talons attiraient immédiatement l'attention sur le galbe parfait de ses jambes, et ses cheveux étaient attachés en un chignon lâche. Elle lui fit tout de suite venir l'eau à la bouche.

D'un petit saut, elle bondit gracieusement de l'avant-dernière marche sur le sol en marbre, et vint se glisser à ses côtés, sur le seuil de la porte où il se tenait complètement immobile et muet, les hormones en tumulte. Se ressaisissant, il s'empara de son sac et ouvrit la porte.

— Je ne pense pas que nous devions vivre ensemble, déclara-t-il d'un ton sec.

— Mais comment les gens croiront-ils que nous sommes mariés, si chacun vit chez soi ?

— Nous travaillons beaucoup, personne ne s'en apercevra.

— Non, ça ne marchera pas, décréta-t-elle d'un ton buté.

— Ecoute, nous en reparlerons à mon retour à Las Vegas, d'accord ?

Elle lança un coup d'œil au second bagage qu'il portait.

— Où est-ce que tu vas ?

— Dès que je t'ai déposée, je file pour la Caroline du Nord, lui expliqua-t-il.

Il ne devait plus perdre une minute s'il voulait récupérer les parts qui lui permettraient de remplacer son père à la tête de Stone Properties. Ainsi, il pourrait se libérer au plus vite de ce maudit mariage blanc avant de commettre l'irréparable.

— Qui habite là-bas ?

— Mon cousin Brent. Son père, qui souffre d'Alzheimer, a effectué le nécessaire pour qu'il prenne ses affaires financières en charge. Il détient quelques parts, loin des 3 % dont j'ai besoin, mais il ne faut rien négliger.

— Je ne me rappelle pas avoir vu son nom dans les fichiers de Tiberius.

Il lui ouvrit la portière passager et retint sa respiration

un instant pour ne pas être submergé par la fragrance enivrante qui émanait de sa personne, quand elle passa devant lui afin de se glisser dans la voiture. Il fournissait de tels efforts pour ne pas succomber à l'envie de l'embrasser ! Quand il avait accepté de l'épouser, il avait largement sous-estimé le défi que cela représenterait pour lui.

— Il n'y figure pas, déclara-t-il en plaçant les bagages dans le coffre. Et je ne comprends d'ailleurs pas pourquoi.

Une fois sur la route qui menait à la nationale, il prit de la vitesse, et remarqua alors que la jupe de Violet voletait sur ses cuisses, ce qui les découvrait en partie. La folle tentation qu'il éprouva subitement d'y couler la main pour remonter jusqu'à son intimité lui brouilla presque la vue… quand un camion passa à toute allure devant lui : il se rendit compte qu'ils étaient arrivés au croisement qui débouchait sur la grand-route. Il pila, et la BMW dérapa légèrement avant de s'immobiliser.

— Ça va ? lui demanda-t-il en lui adressant un regard de biais.

Elle lui jeta un coup d'œil étrange.

— Oui. Et toi ?

Si elle avait su !

— Je crois qu'il est préférable que nous relevions la capote, trancha-t-il.

Et il appuya sur le bouton destiné à cet effet, tout en fixant l'anneau de son grand-père qu'il portait au doigt.

Pour survivre à ce mariage et garder son cœur intact, il devrait côtoyer Violet le moins possible !

Durant le voyage de trente minutes jusqu'à Las Vegas, il se contenta de fixer la route et de rester concentré sur sa conduite. Violet respecta son silence et contempla le paysage qui se déroulait derrière la fenêtre, jetant de temps à autre un coup d'œil à son smartphone qui ne cessait de vibrer.

— C'est toujours comme ça ? finit-il par demander.

— Pardon ? questionna-t-elle en clignant les yeux.

— Ton téléphone. Il n'arrête pas de vibrer depuis que nous sommes montés dans la voiture.

Un bref sourire éclaira son visage.

— Ce sont mes sœurs. Il est rare que je sois inaccessible pendant plus de douze heures.

Comme ce devait être rassurant d'avoir tout un petit cercle qui se préoccupait de vous...

— Elles sont sûrement inquiètes. Pourquoi ne leur réponds-tu pas ?

— Je leur ai envoyé un texto, hier soir. Elles savent que je suis en sécurité.

Son sourire s'élargit, et elle ajouta :

— Je leur ai indiqué que j'étais avec toi.

A ces mots, il sentit nettement les battements de son cœur s'accélérer, mais il s'efforça de garder une contenance. Elle ne manquerait pas une occasion de le provoquer, il le savait bien ; ce qu'elle n'avait en revanche pas encore compris, c'était qu'il ne serait peut-être pas toujours maître de ses émotions.

— Tu leur as dit que nous nous étions mariés ?

— Non, je ne voulais pas le leur apprendre par téléphone.

— Comment pensent-elles alors que nous occupions le temps ? demanda-t-il d'un ton tendu.

— Elles doivent savoir ce qui arrive quand une femme passe la nuit chez toi.

Quelle fichue impertinente !

— Pourquoi veux-tu qu'elles croient que nous couchons ensemble ? répliqua-t-il.

— Ce n'est pas franchement de cela dont nous devrions parler, déclara-t-elle alors d'un ton soudain bien plus sérieux.

— Je ne comprends pas...

Cette femme allait décidément le rendre dingue.

— Est-ce que tu as l'intention d'amener des femmes chez toi, pendant que nous serons mariés ?

A cette question, il eut soudain envie de la prendre dans ses bras et de l'embrasser éperdument afin de la rassurer. Mais il devait garder les idées claires. En résumé, elle ne l'autorisait pas à lui faire l'amour et, en même temps, il ne devait pas avoir de relation sexuelle avec une autre !

— Je n'ai pas réfléchi à la question, éluda-t-il.

— Je sais que notre mariage n'est pas une vraie union, mais j'apprécierais que tu ne sortes pas avec d'autres femmes tant que nous ne sommes pas divorcés.

— S'il s'agit de quelques semaines, c'est dans le domaine du possible.

— Et si tu ne peux pas obtenir les parts d'ici là, et qu'il faille encore attendre un an ?

Ce dont il était certain, c'était qu'il ne pourrait pas tenir un an à ses côtés sans la faire sienne !

— Nous serons divorcés à l'automne, quoi qu'il arrive, marmonna-t-il.

— Très bien, répondit-elle, le visage impénétrable.

Après quoi, le silence retomba entre eux. Par chance, ils venaient d'arriver aux abords de la ville et la circulation était assez fluide, de sorte qu'ils arrivèrent assez rapidement à Fontaine Chic. Il gara la voiture tout près de l'entrée. Avant qu'il n'en sorte pour prendre ses bagages, Violet le retint par le bras.

— Ouvre le coffre, je me charge de ma valise toute seule.

Il se rendit alors compte qu'il n'avait nulle envie de déguerpir comme un voleur et de laisser sa toute nouvelle femme toute seule. Ce qui était parfaitement idiot, étant donné les circonstances : ils étaient loin d'avoir partagé une nuit de grande passion qu'il aurait hâte de répéter.

Mais elle représentait déjà bien plus pour lui qu'une simple connaissance.

Dans un ultime effort, il déclara :

— Très bien. Je t'appellerai de la Caroline du Nord, pour t'informer de l'évolution de la situation.

Puis il s'empara de la télécommande du garage dans le vide-poches.

— Tiens, ajouta-t-il.

— Pourquoi me donnes-tu ça ?

Parce qu'il aimait l'idée qu'elle dorme chez lui et nage toute nue dans sa piscine. Au lieu de quoi, il répondit :

— Si tu couches chez moi, tu pourras continuer à consulter les fichiers de Tiberius et me fournir les éventuelles informations dont j'aurais besoin, répondit-il.

Elle lui lança un regard mi-amusé, mi-étonné.

— Si je comprends bien, tu me fais confiance au point de me laisser seule dans ta maison ?

— Notre maison, corrigea-t-il. Je sais que tu ne vas pas fouiller dans les tiroirs où je mets mes sous-vêtements.

Elle se pencha alors vers lui.

— C'est là que tu gardes tes secrets ? demanda-t-elle d'une voix chuchotée.

Non, ils étaient tous bien à l'abri dans sa tête. Mais il se contenta de prendre un air énigmatique et de répondre :

— Ne te gêne pas pour explorer mes placards, si tu en as envie !

— C'est vrai, cela ne te dérangerait pas ?

— Qu'est-ce que tu crois y trouver ? rétorqua-t-il alors, lui-même surpris que la perspective ne l'émeuve nullement.

— Je ne sais pas, répondit-elle en lui prenant la télécommande des mains. Cependant, tu es un homme si secret que je suis certaine que la moindre vétille pourrait s'avérer significative.

Avec un petit clin d'œil insolent, elle se glissa hors de la voiture et alla récupérer sa valise dans le coffre.

Il attendit qu'elle soit happée par la porte tambour pour redémarrer. Il l'avait épousée depuis à peine vingt-quatre heures que déjà il notait des craquements dans l'armure qui l'avait toujours protégé. Elle était comme un soleil qui éclairait des émotions qui n'avaient pas vu le jour depuis plus de dix-huit ans. Il se sentait soudain plus léger, plus optimiste, comme si sa vision positive de la vie était communicative.

Il dut fournir un gros effort pour penser à autre chose qu'à sa nouvelle épouse et aux effets déstabilisants qu'elle avait sur lui, et il ne parvint à réfléchir à ce qui motivait son voyage en Caroline du Nord qu'une fois arrivé au parking de l'aéroport.

Plus tôt dans la matinée, son assistante lui avait réservé un vol Las Vegas-Charlotte : il préférait en effet recourir aux lignes commerciales plutôt qu'au jet privé de son père, qui l'aurait alors questionné sur les motifs de son déplacement sur la côte Est.

Comme il se dirigeait vers son terminal, son portable lui annonça l'arrivée d'un e-mail. Sa secrétaire lui envoyait son itinéraire pour la semaine : de Charlotte, il irait à Atlanta, puis à Louisville, et enfin à New York. Quatre villes en six jours ! Il espérait vivement que le jeu en vaudrait la chandelle.

5

De retour à Fontaine Chic, Violet regagna immédiatement son bureau. Personne ne l'ayant appelée en urgence, elle supposait qu'il ne s'était rien produit de dramatique pendant ses douze heures d'absence. Toutefois, elle souhaitait effectuer un point avec Patty, son assistante. Celle-ci lui apporta une tasse de thé et le rapport du jour précédent. Prenant place dans le coin-salon, près de la fenêtre, elle l'inspecta rapidement… Ouf, tout s'était passé normalement à l'hôtel. Il lui restait maintenant à convaincre ses sœurs qu'elle avait su placer ses billes en épousant JT. Elle leur envoya un message commun.

Je suis de retour.

Les réponses ne tardèrent pas à fuser.
Scarlett réagit la première.

Je suis en route, j'arrive.

Puis ce fut Harper.

Donne-moi trente minutes et ne raconte rien à Scarlett tant que je ne suis pas arrivée.

Poussant un soupir, elle reposa avec fatalisme son portable sur la table basse, et se sentit soudain submergée par la fatigue : elle avait si peu dormi, la nuit précédente… Elle s'étira, puis se laissa retomber sur le dossier de son confortable canapé en cuir. Et soudain, elle fut prise d'un rire presque hystérique. Avait-elle réellement épousé JT ? Et lui avait-elle demandé un vrai baiser de mariage ? Non que ce baiser passionné ait été désagréable… Elle en frissonnait d'ailleurs encore rien qu'en y repensant.

— Je te prie de me raconter tous les détails sur-le-champ, l'intima Scarlett sur le seuil de son bureau.

Violet ouvrit les yeux. Elle ne s'était pas rendu compte qu'elle les avait fermés.

— Harper m'a priée de l'attendre.

— Quoi ? Tu ne crois tout de même pas que je vais patienter pendant vingt minutes avant qu'elle arrive !

Scarlett se laissa tomber sur le canapé à côté d'elle et planta un regard d'acier dans ses yeux.

— Parle ! ordonna-t-elle.

Maintenant qu'elle était au pied du mur, Violet trouva soudain bien plus délicat qu'elle ne l'avait imaginé de justifier ses actions.

— Je t'assure, nous devrions l'attendre. Je n'ai pas envie de donner deux fois de suite les mêmes explications.

Elle n'était même pas certaine de vouloir les fournir une seule fois !

Scarlett rejeta bien vite son objection.

— Qu'y a-t-il à expliquer ? Tu as finalement cédé à l'alchimie qui existe entre JT et toi. C'est merveilleux, non ? Est-ce qu'il est un bon amant ? Il a un si beau corps ! Et des lèvres… A se damner !

— Scarlett ! s'exclama Violet en retenant un rire.

— Eh bien, quoi ? Tu peux bien me le dire, non ? Ce n'est pas devant Harper que tu vas pouvoir donner des détails croustillants, puisque tu peux être sûre qu'elle va te sermonner pour avoir agi sur une impulsion.

— Il n'y a rien de torride à raconter, tu sais.

— Ah bon ? fit Scarlett, visiblement déçue. Et moi qui croyais que ce serait explosif, entre vous.

— Non, ça ne l'était pas.

— Dans ces conditions, pourquoi est-ce que tu rougis ?

Elle posa machinalement ses mains sur ses joues : elles étaient en feu !

— Il m'a surprise en train de nager toute nue dans sa piscine.

— Et… ? l'encouragea Scarlett en se penchant vers elle.

— Il m'a tendu un Bikini et m'a priée de le porter la prochaine fois que je voudrais piquer une tête.

Scarlett recula et considéra sa sœur, visiblement confuse. Violet ne l'avait jamais vue aussi dépitée.

— Mais, dans ton texto, tu as écrit que tu avais passé la nuit avec JT !

— C'est vrai, seulement pas comme ton petit cerveau grivois l'imagine.

Ce fut l'instant que choisit Harper pour débouler en trombe dans le bureau.

— J'ai manqué des révélations ? demanda-t-elle tout essoufflée.

— Aucune, marmonna Scarlett d'un air écœuré. Apparemment, elle n'a rien à nous dire.

— Et ça, alors ? demanda Harper en désignant la bague qui brillait au doigt de Violet.

Aussitôt son autre sœur se saisit de sa main.

— Quoi ? Tu es fiancée ?

— Pas vraiment, répondit Violet d'une petite voix.

— Ça m'a pourtant tout l'air d'une bague de fiançailles !

— En fait, c'est une alliance. J'ai épousé JT hier soir, dans l'une des chapelles du Tunnel of Love.

— Epousé ? répéta machinalement Scarlett, ses yeux tout ronds dardant un regard stupéfait sur elle.

— JT Stone ? renchérit Harper d'un ton scandalisé. Est-ce que tu en as informé grand-père ? Tu ne t'inquiètes pas de la façon dont il va réagir en apprenant que tu t'es unie à la concurrence ?

— Je l'appellerai tout à l'heure, et il comprendra.

— Mais enfin, que s'est-il passé ? questionna Scarlett. La dernière fois que j'ai fait allusion à l'intérêt qu'il te portait, j'ai bien eu l'impression que tu n'avais pas l'intention de l'encourager.

— La situation n'a pas vraiment évolué comme tu le crois, dit Violet.

— Tu es mariée, souligna Harper. Il s'est donc forcément passé quelque chose entre vous.

— C'est un peu compliqué…

— Rick a-t-il versé un philtre particulier dans l'un de ses cocktails ? s'enquit Scarlett en plissant les yeux. En d'autres termes, étais-tu dans un état second ?

— Non, j'étais parfaitement sobre. Et lui aussi, s'empressa-t-elle d'ajouter devant la question muette qu'elle lut dans les yeux de Harper.

— Donc, tu n'as pas simplement passé la nuit chez JT, mais aussi avec lui, s'efforça de clarifier Harper.

— Non, il ne s'agit pas de ce genre de mariage.

Harper lui adressa un regard grave.

— Quelle sorte d'union est-ce donc ?

— C'est une alliance d'intérêts.

Ses deux sœurs écarquillèrent de grands yeux.

— Maman et moi sommes allées chez notre avocat, il y a quelques jours, enchaîna-t-elle bien vite, et il se trouve que Tiberius a racheté des actions de Stone Properties à certains membres de la famille.

— Je croyais qu'il ne voulait plus entendre parler de la société, après les turpitudes de Preston, observa Scarlett.

— Il était surtout dépité que son beau-frère ait fait main basse sur l'entreprise familiale, expliqua Violet. Preston avait hérité des parts de sa femme, à la mort de celle-ci, et il détenait celles de JT jusqu'aux trente ans de ce dernier. Or JT vient précisément de les fêter et ses parts lui sont donc revenues.

— Combien de parts Tiberius a-t-il pu racheter ? s'enquit Harper, maintenant que son esprit pratique avait repris le dessus.

— 18 %.

— Et à combien s'élèvent les parts de JT ?

— 30 %, tout comme celles de Preston, le reste étant réparti entre les différents membres de la famille qui sont en grande partie acquis à ce dernier.

— Quel rapport avec le fait que tu aies épousé JT ? objecta Scarlett qui voulait revenir à un sujet l'intéressant davantage.

— Visiblement, Tiberius lui a légué ses parts, intervint Harper.

— Merci, j'avais compris, répliqua Scarlett un rien irritée. Mais pourquoi a-t-elle épousé JT alors qu'elle pouvait tout simplement lui vendre ses parts ?

— Parce que, suivant la volonté exprimée par Tiberius dans son testament, je dois les garder jusqu'à la mort de Preston.

— Tu aurais pu lui apporter tes voix lors du vote sans l'épouser, souligna Harper.

Ce fut au tour de Violet de se sentir agacée. Sa sœur pensait décidément toujours qu'elle était la plus intelligente et se montrait parfois hautaine.

— Seuls les membres de la famille peuvent voter, expliqua-t-elle.

Scarlett frappa dans ses mains, l'air ravi.

— Donc maintenant, tu fais partie du clan ! Bravo !

— Merci, dit Violet, ravie d'avoir au moins le soutien de Scarlett.

Il était évident que Harper avait encore des objections à émettre.

— Mais, si tu possèdes 18 % des actions et JT 30…, commença cette dernière.

— Il nous faut encore en acquérir 3 % pour l'emporter, l'interrompit Violet.

Elle lança alors un coup d'œil à l'horloge de son téléphone : à l'heure actuelle, JT était probablement à bord de l'avion qui l'emmenait à Charlotte.

— JT est parti rencontrer certains membres de sa famille pour les persuader de lui vendre leurs actions, ou bien de lui apporter leurs votes lors du prochain conseil d'administration.

— Tu ne crois pas que tout est allé un peu trop vite ? questionna Harper. Vous auriez dû penser à défendre vos intérêts, avant de vous marier.

— Tu n'as pas vu les regards enflammés que lui lance JT ! objecta Scarlett. Je ne pense pas qu'il avait la patience d'attendre.

Violet se sentit affreusement rougir.

— Détrompe-toi, nous n'avons pas ce genre de relation, je te l'ai déjà dit. Par ailleurs, nous avons signé un contrat stipulant que chacun reprendra ses biens au moment du divorce. Il s'agit uniquement d'affaires, c'est un mariage blanc, rien de plus.

— Et combien de temps penses-tu qu'il le restera ? demanda Scarlett, un sourire aux lèvres. Vous allez vivre sous le même toit. Je vous donne une semaine pour craquer.

Elle inclina la tête de côté.

— Il se pourrait même que trois jours suffisent, ajouta-t-elle.

— Nous n'allons pas vivre ensemble, se défendit Violet.

Et elle ressentit un léger vertige la reprendre en se rappelant sa nuit blanche, après le baiser passionné que JT lui avait donné. Désormais, ils ne s'embrasseraient plus, ils en avaient d'ailleurs décidé ainsi d'un commun accord.

— Comment ça ? se récria Scarlett, indignée.

— Beaucoup de couples mariés ne vivent pas ensemble, renchérit Harper. Mes parents en sont un exemple patent.

Et leur séparation maritale avait conduit Ross à se lier à de nombreuses femmes et à concevoir deux filles qu'il n'avait jamais reconnues. A moins que ce ne soient précisément ces liaisons qui ne l'aient poussé à prendre ses distances avec son épouse, Violet n'ayant jamais questionné Harper à ce sujet. Même si ses deux sœurs et elle étaient devenues très proches au cours des cinq dernières années, certains sujets demeuraient peu aisés à aborder.

— J'espère que tu es sûre de savoir ce que tu fais, poursuivit Harper. Est-ce que tu connais bien JT ?

— Pas aussi bien que ce qu'elle s'apprête à découvrir sur lui, commenta Scarlett d'un air narquois.

Violet lui lança un regard réprobateur.

— Je ne saurais expliquer pourquoi, mais j'ai l'impression qu'il fait partie de ma famille, dit-elle. Sans doute parce que Tiberius m'a souvent parlé de lui, même s'ils ne se sont pas fréquentés pendant très longtemps.

Elle jaugea ses sœurs, espérant voir une confirmation du bien-fondé de ses propos, dans leur expression.

— Je comprends que l'on puisse avoir l'impression de connaître une personne que l'on n'a jamais rencontrée, déclara Harper d'une voix tendue. Mais la réalité est souvent différente de ce qu'on avait imaginé. Tu dois rester prudente, Violet.

Sa sœur pensait probablement à ses propres déboires avec Ashton Croft, un chef cuisinier charismatique qui aurait dû ouvrir, deux semaines plus tôt, son dernier restaurant à Fontaine Ciel Hotel, l'établissement qu'elle gérait. Croft était une célébrité de la télévision où il faisait sensation par son approche iconoclaste et passionnée de la nourriture et de l'aventure. Mais, depuis le début des négociations relatives au restaurant, il était une source constante d'irritation pour Harper et la harcelait de demandes plus exigeantes les unes que les autres.

Or Violet suspectait sa sœur d'être une admiratrice de longue date d'Ashton : sa bibliothèque était remplie de DVD de ses émissions culinaires, pour lesquelles il parcourait le monde à la recherche du repas parfait. Qu'un aventurier comme lui puisse attirer une personne aussi rigoureuse et pragmatique que Harper demeurait un mystère total pour elle.

— Il est vrai que je ne connais pas tous les aspects de la personnalité de JT, reprit-elle en repensant à leur conversation du petit déjeuner, mais je ne crois pas qu'il ait l'intention de me duper.

Et, si elle en ressortait le cœur brisé, ce serait sa propre faute.

Harper secoua la tête.

— J'espère que tu as bien réfléchi avant d'agir, répéta-t-elle.

— Oui, ne t'inquiète pas, marmonna Violet.

JT aurait dû se douter qu'il était imprudent de se laisser contaminer par l'optimisme de Violet, mais, avec ses sourires sincères et ses yeux lumineux, elle l'avait complètement séduit. Un verre de scotch à la main, il scrutait à présent le bureau en acajou de son cousin, et s'efforçait de masquer sa déception.

— Je suis désolé, JT, lui dit Brent comme si le poids du monde reposait sur ses épaules, mais mon père a vendu ses parts à Preston, il y a cinq mois. Je peux toujours te donner les quelques actions que j'ai reçues pour mes dix-huit ans, si cela t'est utile.

— Merci pour ton offre, toutefois je préfère que tu restes actionnaire de Stone Properties et que tu m'aides à convaincre le reste de la famille que mon père gère très mal la société.

Pas étonnant que Tiberius n'ait pas créé de fichiers sur le père de Brent, puisque la cause était déjà perdue.

— Sais-tu pourquoi ton père a vendu ses parts au mien ? renchérit-il. Ces deux-là ne se sont jamais vraiment bien entendus.

— C'est un euphémisme ! Mon père déteste le tien et l'estime responsable de la mort de ta mère.

Ted, le père de Brent, était le cousin germain de Tiberius et de Fiona. Enfants, ils avaient été aussi proches que des frères et sœur, mais sa relation avec Fiona s'était tendue après l'éviction de Tiberius. Quand le père de Brent avait déclaré à sa cousine que son mari avait passé les bornes, elle avait pris la défense de Preston. Cette dispute était restée un point douloureux entre Ted et elle, car ils s'aimaient tendrement.

— Dans ces conditions, pourquoi lui a-t-il vendu ses parts ?

— Preston l'a persuadé que telle aurait été la volonté de ta mère. Après la vente, mon père s'en est terriblement voulu.

Brent fit la grimace et poursuivit :

— Tu sais, il perd de plus en plus la tête. J'aurais dû le mettre sous tutelle depuis longtemps.

— Ah bon ? Son état s'est beaucoup détérioré ?

— Hélas, oui !

JT avait toujours été envieux de la relation forte qui existait entre Brent et Ted.

— Désolé, dit-il. Ce doit être terrible pour toi.

— Il est affreux de voir un homme d'affaires si

intelligent ne plus se rappeler le nom de son chien ou bien l'endroit où se trouve la cuisine dans sa propre maison, soupira Brent.

— Si je peux t'aider en quoi que ce soit, n'hésite pas, déclara JT, bouleversé.

Il était tellement obsédé par ses propres difficultés qu'il n'avait pas pris des nouvelles de son cousin depuis longtemps.

Brent s'éclaircit la voix.

— En fait, on ne peut rien faire pour empêcher sa dégradation, et c'est le pire de tout.

Il avala une ultime gorgée de scotch et ajouta :

— Mais j'apprécie ton offre. Tu n'es pas simplement un cousin, tu es aussi un ami.

Ils avaient juste un an de différence et, dans leur enfance, ils avaient passé beaucoup de temps ensemble, de sorte qu'un lien fort les unissait. Fiona Stone était souvent venue à Charlotte rendre visite à son cousin préféré, et dans cette maison accueillante, construite un siècle auparavant dans un style néo-classique, sa mère pouvait se passer d'alcool et de drogue pour supporter l'existence. Elle souriait tout le temps, le serrait fort dans ses bras, l'emmenait au zoo et au musée, lui achetait des glaces… Il retrouvait sa véritable mère, et c'était un miracle. Mais le bonheur prenait fin en même temps que le séjour.

— Eh bien, reprit Brent, pourquoi est-ce que tu veux subitement acquérir des nouvelles parts ?

— Je souhaite prendre le contrôle de Stone Properties.

— Tu es sérieux ? Et comment comptes-tu y arriver ?

Il lui résuma alors brièvement la situation.

— Ah, ce bon vieux Tiberius ! Donc ses parts et les tiennes s'élevant à 48 %, il ne te reste plus que 3 % à conquérir et…

— En réalité, c'est un peu plus compliqué que cela : Tiberius ne m'a pas légué directement ses parts.

— Ah bon ? fit Brent en leur resservant un verre. Mais alors, qui en a hérité ?

— Sa fille adoptive, répondit-il avant de brandir son index gauche : Nous nous sommes mariés, hier.

— Comment ? s'exclama Brent, stupéfait. Tu as épousé…

— Violet Fontaine, oui.

— Violet, c'est ça. Mais je croyais qu'elle s'appelait Allen.

— Elle est en réalité la fille illégitime de Ross Fontaine et, à la mort de celui-ci, le grand-père de Violet, Henry Fontaine, qui est à la tête de Fontaine Resorts and Hotels, a pris contact avec elle pour tenter de réparer les négligences de son fils. Elle va d'ailleurs peut-être lui succéder comme P-DG.

— Et tu as préféré l'épouser au lieu de lui racheter ses actions ? Si tu étais à court d'argent, tu aurais dû venir me trouver.

Un an plus tôt, Brent avait revendu la société qu'il avait fondée quelques années auparavant, et il n'avait pas encore réinvesti les quatre milliards qu'il en avait obtenus.

— Les conditions figurant dans le testament de Tiberius ne lui permettent pas de les vendre avant la mort de mon père.

— Quel vieux renard rusé, ce Tiberius ! s'exclama Brent d'un ton admiratif. Et elle ne pouvait pas voter pour toi si elle n'était pas un membre de la famille, c'est cela ?

— Tout à fait.

— Quand ton père va découvrir le pot aux roses, il va être furieux.

— C'est pourquoi je dois rencontrer le plus de monde possible avant qu'il ne se rende compte de la manœuvre.

Brent poussa un lourd soupir.

— Je regrette sincèrement de ne pouvoir t'aider.

— Oui, moi aussi.

Son cousin était un brillant homme d'affaires, formé par son père qui l'avait été tout autant. Encore une fois, il éprouva un pincement de jalousie envers Brent, et également un élan de tristesse concernant son père : pourquoi fallait-il que les gens respectables soient frappés d'injustices, alors que les manipulateurs comme son père menaient leur existence en toute impunité ?

— Chez qui vas-tu, ensuite ? s'enquit Brent.

— A Atlanta.

Son cousin roula des yeux.

— Oh ! chez le cousin Skip ! Bon courage, je ne t'envie pas.

- 6 -

Il était minuit lorsque Violet franchit le seuil du lounge. Les canapés et les tabourets du Baccarat étaient encore occupés par une vingtaine de clients dont les palais chevronnés appréciaient à leur juste valeur les cocktails de Rick. Son pouls s'accéléra malgré elle quand elle balaya la salle du regard, mais elle s'ordonna immédiatement de se calmer : même si JT était de retour à Las Vegas, il était trop tard pour qu'il soit encore au Baccarat. En général, elle faisait son apparition plus tôt, à 23 h 15 pour être exacte, mais ce soir elle avait été retenue par le comptable. Donc, à supposer qu'il soit venu, il aurait été découragé par son absence.

Ces derniers jours, les seuls contacts qu'elle avait eus avec lui s'étaient résumés à une série de SMS, dont l'optimisme était allé decrescendo. En effet, il n'arrivait pas à racheter des parts : soit son père l'avait devancé, soit Preston avait convaincu la famille de lui apporter son soutien.

Son téléphone vibra soudain, lui signalant un nouveau message : une personne l'attendait à la réception. Elle s'éclipsa immédiatement pour regagner le vestibule.

Accoudé au comptoir, l'homme lui tournait le dos. Soudain, il pivota un peu, attiré par l'écran accroché au mur, à sa gauche, et lui présenta son profil. Elle s'immobilisa… Preston Rhodes ? Qu'est-ce qu'il venait faire chez elle, bon sang ?

Le père de JT ne l'avait pas encore remarquée, mais elle ne pouvait plus rebrousser chemin sans attirer son attention. Prenant une profonde aspiration, elle redressa les épaules et s'avança vers lui.

— Bonsoir, dit-elle d'un ton détaché. Vous êtes Preston Rhodes, n'est-ce pas ?

Elle ne l'avait jamais rencontré, mais elle avait vu sa photo dans les journaux, et puis JT lui ressemblait.

Elle lui tendit la main, tandis que le réceptionniste s'effaçait et retournait à son poste. Rhodes lui donna une poignée de main plutôt brutale. Nul doute qu'il aurait préféré lui envoyer son poing dans la figure, mais qu'il se retenait parce qu'elle était une femme.

— Mademoiselle Fontaine ! s'exclama-t-il d'un ton doucereux qui ne masquait en rien sa nature profonde. Ou bien dois-je vous appeler Violet, puisque l'on fait partie de la même famille, à présent ?

Elle s'efforça de ne pas montrer sa surprise, mais, devant le rire sarcastique qui secoua alors Preston Rhodes, elle comprit qu'elle avait échoué. JT ne lui avait pas indiqué qu'il mettrait son père au courant. Elle sentit l'irritation la gagner. Rhodes aurait tout de même pu l'avertir de sa venue ! Il n'était pas aisé d'affronter un homme comme lui sans préparation ; seule Harper, avec son flegme légendaire, en aurait été capable.

— Monsieur Rhodes…

— Preston, corrigea-t-il avec un petit sourire mauvais. A moins que vous ne préfériez dire « père ». Je sais que vous n'avez jamais eu la chance d'appeler un homme comme cela.

— Preston, ce sera parfait, trancha-t-elle sèchement.

Elle se méfiait comme de la peste de cette brute qui

avait ruiné son cher Tiberius et qui se fichait pas mal de son fils.

— Allons prendre un verre, cela nous permettra de faire plus ample connaissance, décréta-t-il en la saisissant brutalement par le bras.

Sans attendre son avis, il l'entraîna dans la direction de Lalique, un bar design à deux étages dont un immense chandelier en cristal constituait le clou de Fontaine Chic. Soit dit en passant, son grand-père ne lui avait pas adressé le moindre reproche à propos de la somme de trois millions qu'elle avait dépensée pour acquérir cet article. Le cristal, c'était définitivement la signature de Violet, l'hôtel et le casino en regorgeaient : des lustres en cristal à multifacettes brillaient au-dessus des tables de jeu, des appliques en cristal tapissaient tous les murs, tandis que le personnel portait des uniformes noirs piqués de diamants fantaisie.

La poigne ferme de Preston la transformait en une enfant désobéissante qu'on allait punir. Fort agacée d'être malmenée dans son propre hôtel, elle n'en suivit pas moins le père de JT. Une scène lui aurait été plus préjudiciable qu'à lui, et il en avait bien évidemment conscience. Preston était un manipulateur de première catégorie ; c'était cet aplomb déloyal qui lui avait permis de tirer profit du jeune frère de sa femme.

Une fois qu'ils furent assis à une table tranquille au premier étage, près de la balustrade, Preston fit signe à la serveuse de venir.

— Une bouteille de Cristal, s'il vous plaît ! commanda-t-il avant de se tourner vers elle pour ajouter : Il faut bien que nous portions un toast à notre famille.

Elle tressaillit. La pensée d'être légalement liée à cet homme, même de façon éphémère, la rendait malade.

— Je ne bois jamais quand je travaille, protesta Violet.

— Eh bien, vous allez faire une exception pour cette occasion bien spéciale !

— Dans ces conditions, attendons JT pour la fêter.

— Mon fils parcourt le pays pour rendre visite à notre famille, déclara Preston avec un sourire qui n'atteignit pas ses yeux. Il est parti leur annoncer la bonne nouvelle, j'imagine.

Il planta alors ses yeux impitoyables dans les siens.

— Et il vous a laissée ici, vous, sa toute nouvelle femme. Pouvez-vous me dire pourquoi ?

Encore une fois, elle redouta que son visage n'en dévoile trop. Tiberius ne lui avait-il pas répété des centaines de fois qu'elle ferait une très mauvaise joueuse, au poker ? Elle était incapable de bluffer, même pour sauver son âme.

— Je ne pouvais pas m'absenter de l'hôtel.

— Donc vous n'aurez pas de lune de miel ? Stone Properties possède pourtant une villégiature cinq étoiles sur les îles Caïmans. Je peux les appeler et réserver une suite pour vous deux.

— Je vous en prie, ne prenez pas cette peine.

— Cela ne m'ennuie nullement.

La serveuse arriva avec leur bouteille de champagne et deux coupes, et Violet apprécia ce moment de distraction. Elle devait rassembler au plus vite ses idées. Pourquoi Preston était-il venu la voir ? Il était toujours mû par des motivations précises ; en l'occurrence, il savait que JT était en voyage et qu'elle serait seule à Las Vegas. Elle retint un frisson : pour puissant que soit cet homme, quel mal pouvait-il bien lui causer, à part chercher à l'intimider ?

Une fois le champagne servi, il lui tendit une coupe.

— Tous mes vœux de bonheur. Que votre vie auprès de mon fils soit aussi heureuse que celle que j'ai menée avec sa mère, déclara-t-il.

C'était davantage de l'ironie qu'une bénédiction. Elle porta la coupe à ses lèvres, qu'elle se contenta d'humecter de champagne.

— Merci, dit-elle en reposant la coupe. Et maintenant, si vous voulez bien m'excuser, j'ai des affaires urgentes à régler.

Mais, avant qu'elle ne se lève, Preston recouvrit sa main de la sienne.

— Depuis combien de temps sortiez-vous avec mon fils avant ces noces express ?

— Un certain temps.

— Vous êtes fort doués, tous les deux, pour cultiver le mystère, car personne n'était au courant de votre relation.

— JT est effectivement très secret et, comme nous gérons des hôtels concurrents, il préférait que nous taisions notre relation avant d'être certains de son sérieux.

— C'est réussi : personne ne savait que vous sortiez ensemble, encore moins que vous étiez amoureux, répliqua Preston, en la fixant intensément. Car vous êtes bien éprise de mon fils, n'est-ce pas ?

Elle hésita. De toute évidence, Preston flairait l'imposture, et ses yeux la mettaient clairement au défi de lui mentir.

— JT est l'homme le plus extraordinaire que je connaisse, dit-elle. Comment pourrais-je ne pas l'être ?

Il ne fut pas dupe de sa dérobade et un sourire calculateur éclaira aussitôt ses traits.

— Et je suis certain qu'il en va de même pour lui, dit-il. Parfait. J'aurais été peiné que vous l'ayez épousé pour de mauvaises raisons.

— Comme quoi ?

Elle se mordit la langue, comprenant qu'elle avait eu tort de ne pas protester de son amour pour JT.

— Pour son argent, par exemple.

Elle leva un sourcil et regarda autour d'elle.

— Ai-je l'air d'être aux abois ?

— D'après ce que j'ai compris, tout cela appartient à Fontaine Resorts and Hotels, ce n'est pas à vous.

— Peu importe. Je n'ai pas besoin de l'argent de JT.

— Parfait.

Preston termina sa coupe et se leva.

— Je suis très protecteur envers mon fils. Si je pensais que quelqu'un avait l'intention de le blesser, il me trouverait sur son chemin.

Lui, inquiet pour son fils ? Cela, elle ne pouvait pas l'avaler, alors qu'il lui avait bien plus nui que quiconque.

— Telle n'est pas mon intention, répliqua-t-elle. Bien au contraire.

— Tant mieux. A propos, avez-vous l'intention de quitter votre suite ici pour vous installer dans son ranch ?

Encore une fois, il la prenait au dépourvu.

— Nous n'avons encore rien décidé à ce sujet.

— Parce que deux jeunes mariés qui vivent séparément ne sont pas crédibles.

— Nous allons y réfléchir.

— Le plus vite sera le mieux ; sinon, on pourrait finir par croire qu'il s'agit d'un mariage blanc. Et cela soulèverait de nombreuses questions.

Il n'avait cessé de lui envoyer des messages subliminaux, lors de cet échange, et elle le soupçonnait d'avoir compris que JT et elle ne s'étaient pas mariés par amour.

— Qui s'en soucierait ?

— Moi ! rétorqua durement Preston, abandonnant son hypocrite politesse. Je sais pourquoi il vous a épousée : pour obtenir les parts de Tiberius et disposer ainsi de 48 % de Stone Properties. Mais cela ne suffit pas pour me tenir tête.

Elle fut surprise par la rapidité de ses déductions. Encore qu'elle n'aurait pas dû. Preston Rhodes était un homme si retors ! Comment allaient-ils pouvoir le doubler s'il anticipait chacun de leurs mouvements ?

— Vous avez l'air inquiète, Violet, constata-t-il d'un ton narquois.

Elle se ressaisit bien vite.

— Je ne vois pas ce qui pourrait m'inquiéter.

— Ah bon ? JT et vous ne vous êtes peut-être pas mariés pour utiliser les actions de Tiberius contre moi ?

Elle s'efforça de soutenir son regard, sans prêter garde aux frissons qui lui parcouraient la nuque.

— Je ne comprends pas du tout de quoi vous parlez.

— Bien sûr que si ! Et, quand j'aurai prouvé que vous avez contracté un faux mariage, je vous poursuivrai en justice et recouvrirai les actions en votre possession.

— Vous bluffez !

— Nous verrons bien. En tout cas, je pourrai entamer une très longue procédure qui gèlera la situation et me permettra de rester maître de Stone Properties. Je me suis déjà débarrassé de mon beau-frère, j'ai l'habitude.

Médusée par son arrogance et sa méchanceté, elle garda le silence, tandis que Preston vidait la coupe qu'elle avait à peine touchée.

— Vous feriez mieux de boire, Violet, ça donne du cœur au ventre, car mon fils et vous vous êtes embarqués dans une grande aventure qui risque de vous dépasser.

Sur ces paroles, il la frôla en passant devant elle et regagna la sortie à grands pas. Avant qu'elle ait le temps de se remettre de sa menace, son téléphone vibra. C'était JT qui lui annonçait qu'il venait d'atterrir et qu'il avait des nouvelles.

Elle lui répondit que la réciproque était vraie, et qu'elle le rejoignait volontiers chez lui, ainsi qu'il le lui demandait.

*
* *

Pour la première fois, le trajet entre Las Vegas et son ranch parut très long à JT. Mais il était indéniable aussi que jamais encore une femme comme Violet ne l'y avait attendu. Allons, il ne devait pas se monter la tête, c'était un rendez-vous d'affaires, rien de plus.

Violet avait utilisé la télécommande qu'il lui avait remise et était entrée dans la maison. Il la trouva recroquevillée sur le canapé, fixant l'âtre vide, et il dut l'appeler à deux reprises avant qu'elle réagisse. L'espace d'une seconde, un éclat de plaisir brilla dans ses beaux yeux, puis elle fronça bien vite les sourcils.

— Tu as l'air épuisé, dit-elle. Assieds-toi, je vais te préparer un thé.

— Je boirais plus volontiers une bonne bière.

— Le thé te détendra.

— La bière aussi, et je préfère son goût.

— Comme tu voudras.

Elle revint avec deux cannettes. Il leva un sourcil étonné, et elle haussa les épaules.

— Je ne peux pas te laisser boire seul, expliqua-t-elle.

Au lieu de lui répliquer qu'il en avait l'habitude, il lui prit le poignet et la fit asseoir à côté de lui, sur le canapé, puis il étendit le bras sur le dossier, derrière ses épaules. Son corps était tout près du sien, et cela lui plaisait. Avalant une gorgée de bière, il poussa un soupir d'aise.

— Comment s'est passée ta semaine ? questionna-t-il, résistant à la folle envie d'enfouir son visage dans sa chevelure soyeuse.

Ce soir, elle ne l'avait pas attachée et celle-ci retombait en cascade sur ses épaules.

— Il y a encore une heure, je pensais qu'elle s'était mieux déroulée que la tienne, déclara-t-elle d'un ton énigmatique avant d'enchaîner : Tu n'as pas eu de chance auprès de ta famille, n'est-ce pas ?

La première phrase de Violet l'avait alarmé.

— Que s'est-il passé, il y a une heure ? demanda-t-il sans répondre à sa question.

Elle se tendit et se mit à fixer sa bouteille de bière.

— Violet ? reprit-il, inquiet.

— Ton père est au courant de nos manœuvres.

— Qu'est-ce qui te fait penser cela ?

— Parce qu'il est venu me voir, à Fontaine Chic, et qu'il m'a annoncé sans ambages que, si notre mariage s'avérait blanc, il nous poursuivrait pour fraude.

La fureur le tétanisa. Comment son père avait-il osé menacer Violet ? C'était une bataille entre hommes d'affaires, elle n'avait rien à voir là-dedans. Pourtant, il aurait dû se douter de ses manigances, ce n'était pas la première fois que Preston Rhodes tentait d'intimider une personne qui prenait son parti.

— Je me charge de régler la question, trancha-t-il.

Puis il prit une bonne gorgée de bière.

Inutile d'impliquer davantage Violet dans cette histoire qui n'était pas la sienne ! Mais, si son père s'en prenait à elle plutôt qu'à lui, c'était malgré tout la preuve qu'il se sentait menacé.

— Il essaie de faire diversion, pendant qu'il rassemble son camp autour de lui.

— Il a affirmé qu'il s'arrangerait pour geler la situation par un long procès, afin de garder le contrôle de Stone Properties. Qu'il t'exclurait comme il avait évincé Tiberius.

— Nous n'en sommes pas là ! déclara-t-il avec une fermeté renforcée par sa colère. S'il m'écartait, il prendrait le risque de perdre des votes en sa faveur.

— Peut-être, mais pourquoi risquer un procès alors qu'il existe une solution très simple.

— C'est-à-dire ? demanda-t-il avec une soudaine appréhension.

— Mimons un couple marié. J'emménage chez toi, et nous nous affichons en ville en jouant les tourtereaux. Et, pendant ce temps, tu continues à essayer de convaincre ta famille de se rallier à ta cause.

Une solution très simple, avait-elle dit ! En apparence seulement, et juste pour elle. Si elle vivait sous son toit, il savait parfaitement qu'il finirait par fouler leur contrat aux pieds et chercherait à la faire sienne. Et ensuite, il devrait la laisser repartir ? Impossible. Une fois qu'il se serait uni à elle, tout retour en arrière serait exclu.

— Parfait, marmonna-t-il pourtant, tout en se demandant où ce nouveau développement allait les mener.

Sous le regard vigilant de Scarlett, Violet entreprit de faire sa valise.

— Réponds au moins à cette question : est-ce que tu vas le laisser chavirer ton monde ? demanda sa sœur.

Violet s'assit sur le lit, près d'elle.

— Si je franchis cette ligne rouge, je serai complètement amoureuse de lui quand nous divorcerons.

— Mais ne crois-tu pas que ça vaille la peine de vérifier si lui aussi est complètement fou de toi ?

— JT a raison, ton bonheur auprès de Logan t'incite à voir de l'amour partout ! Ce n'est pas ce que nous recherchons, JT et moi.

— Tu as peur, c'est tout ! C'était aussi mon cas, avant de rencontrer Logan. Mais lui accorder ma confiance m'a permis d'appréhender la vie à la fois avec mon cœur et ma tête. Je te conseille juste de recourir à la même méthode.

— JT ne souhaite pas que je fasse partie de son existence. Mes efforts seraient inutiles. Il a été trop traumatisé dans son enfance pour accepter l'amour.

— Si quelqu'un peut le faire changer d'avis, c'est bien toi !

La ferveur de Scarlett l'ébranla. Etait-il possible que ce qui avait commencé sous le signe d'une stratégie commerciale se termine en une union viable et satisfaisante ?

— Nous donnons une fête au ranch, mardi. J'ai besoin de ton soutien moral, ainsi que de celui de Logan et de Harper.

— Tu peux compter sur notre présence, même si JT et toi serez parfaitement à la hauteur. Vous formez un formidable duo, et je suis certaine que Tiberius le pensait aussi. C'est d'ailleurs sans doute pour cette raison qu'il t'a légué ses actions plutôt qu'à JT. Pour que vous vous rapprochiez l'un de l'autre ?

Depuis la lecture du testament, Violet s'était en effet interrogée plus d'une fois sur les motivations de Tiberius : pourquoi lui avait-il donné ses actions tout en l'empêchant de les revendre avant longtemps ?

Accablée de questions auxquelles elle ne pouvait pas répondre, elle arriva au ranch vers 15 heures. Le majordome de JT se chargea de ses bagages et lui indiqua que celui-ci se trouvait aux écuries. Curieuse, Violet partit à sa recherche.

La propriété de JT était bien plus qu'un ranch. Les écuries représentaient un modèle de design. Bref, le *nec plus ultra*. Des photos grand format de chevaux primés étaient accrochées aux murs ; dans l'entrée se dressait une sculpture en bronze représentant une cavalière et sa monture. Etait-ce sa grand-mère ?

Elle passa devant plusieurs bureaux vides avant d'arriver en face d'un écriteau indiquant la direction des stalles. Elle s'attendait à être frappée par la chaleur, le bruit, l'odeur… Mais il régnait une température agréable, avoisinant les 20 °C, et les quelques bruits qui lui parvenaient étaient pour la plupart étouffés. Quant aux éventuelles odeurs nauséabondes, elles étaient visiblement évacuées par un savant système d'aspiration.

Le sol entre les box était parfaitement propre. Plus elle avançait, et plus elle se sentait envahie par un calme qui la surprenait elle-même. Quand elle repéra enfin JT, accroupi devant un cheval auquel il appliquait une sorte de cataplasme au niveau du genou, elle se surprit même à chantonner.

— Salut, dit-elle en s'arrêtant à bonne distance de l'impressionnant étalon.

JT leva la tête vers elle et lui offrit un sourire en coin qui lui procura un petit pincement presque douloureux au cœur. Il portait un jodhpur couleur chameau et des bottes qui lui arrivaient à mi-genoux. Un polo bleu marine soulignait ses muscles impressionnants.

— J'aurai fini dans deux minutes, annonça-t-il. Après quoi, je te ferai visiter les lieux.

— Prends ton temps, lui dit-elle.

Le simple fait de le voir la ravissait. Depuis ses cinq jours d'absence, elle était presque parvenue à se convaincre que, si elle avait fondu sous ses baisers, c'était parce qu'elle ne s'était pas encore remise du choc concernant le legs de Tiberius, ni de sa réaction impulsive ayant conduit à leur mariage. Mais elle aurait beau nier devant Harper et Scarlett les sentiments qu'elle éprouvait, il lui était difficile de se mentir à elle-même.

En réalité, elle espérait que l'alchimie entre JT et elle pourrait enfin éclore. A cette pensée, elle ressentit un petit vertige : elle avait trop longtemps refusé la vérité, et celle-ci s'imposait à présent dans toute sa force. Oui, elle désirait JT et son inconscient l'avait poussée à agir en parfaite conformité avec ses sentiments.

— Prête ? demanda-t-il.

Tandis qu'elle méditait sur ses désirs, il en avait fini avec le cheval et l'avait remis à un palefrenier.

— Tout à fait !

Ils firent le tour des box et il lui raconta l'histoire de chacun des chevaux.

— Avant d'entrer ici, je ne me doutais pas qu'une écurie puisse être si moderne, déclara-t-elle. Combien de chevaux as-tu ?

— Une cinquantaine est destinée à l'entraînement et une quarantaine est réservée à la reproduction et à la vente.

— C'est donc bien plus qu'un hobby pour toi.

— Pas vraiment, puisque c'est Vic qui gère les relations avec les clients, et Ralph qui est en charge de l'entraînement. Il y a aussi Sid pour superviser les ventes et Bonnie qui veille quant à elle à la santé de nos chevaux. Tu vois, tout fonctionne sans moi.

En dépit de cette modestie, elle constata que tous les gens qu'ils croisaient lui demandaient son opinion ou lui donnaient des informations sur les occupants de l'écurie. Aussi en déduisit-elle qu'il incarnait bel et bien le cœur et l'âme de ce système parfaitement rodé.

— Je te présente Milo, dit-il en riant, car l'étalon en question tentait de mettre sa tête dans sa poche.

Il ajouta alors à l'adresse de l'animal :

— Tu auras ta récompense après le travail, pas avant.

— Il est à toi ?

— Non. Il appartient à une petite fille de dix ans que j'entraîne depuis deux ans.

Le naturel de JT renforçait son trouble et l'obligeait à fournir de prodigieux efforts pour ne pas lui réclamer un nouveau baiser. Au lieu de le regarder, elle se concentra sur Milo.

— N'est-il pas un peu imposant pour une fillette de cet âge ? s'enquit-elle alors.

— Elle monte à cheval depuis ses trois ans, elle est vraiment douée. J'imagine que ma grand-mère était comme cette petite. Avec Milo, elle forme une équipe remarquable. Elle vient prendre une leçon, demain, tu pourras y assister, si tu veux.

— Avec plaisir.

JT glissa un licol autour du cou de Milo et le fit sortir de son box. Puis il lui tendit la corde.

— Tu peux le tenir pendant que je vais chercher la selle et le harnais ?

— Moi ? Mais je ne me suis jamais occupée de chevaux ! s'écria-t-elle, paniquée.

— C'est comme un gros chat noir, la rassura JT en lui remettant d'autorité la corde dans les mains. Souffle-lui doucement dans les narines, il adore ça ! Cela vous permettra de faire connaissance.

Avec une tout autre personne que JT, elle aurait cru à une farce. Elle eut malgré tout l'impression d'être une vraie idiote quand elle suivit ses instructions, jusqu'à ce que l'étalon dresse les oreilles et se mette lui aussi à expirer lourdement dans sa direction. Une sorte de communication commença alors à s'établir entre eux, et, quand JT revint, elle s'était enhardie à lui caresser le museau.

— On dirait que vous avez noué un lien, tous les deux, observa-t-il en posant la selle sur le dos de l'animal.

Il lui tendit alors une brosse.

— Tu veux me donner un coup de main ? ajouta-t-il.

— Volontiers.

Elle devait renvoyer une image plus assurée d'elle-même qu'elle ne l'était en réalité, mais, quand elle posa la brosse sur la belle robe châtain de l'animal, un sentiment de plénitude l'envahit. Pas étonnant que JT apprécie les chevaux : ils vous permettaient de garder les pieds sur terre, de vous ancrer dans la réalité du moment. C'était le contrepoint parfait au Strip de Las Vegas.

— C'est un exercice très zen, constata-t-elle.

— C'est ici que je viens me ressourcer, répliqua-t-il. Après quelques heures passées auprès des chevaux, je suis capable de gérer n'importe quelle crise.

Tout en brossant Milo, il s'adressait à lui avec douceur. Elle se surprit à l'imiter, et se sentit soudain comme bercée, elle aussi.

— Tu peux tenir la bride ?

La question la fit sursauter et sortir de sa transe. Si elle continuait à passer du temps auprès de JT, elle allait réellement tomber sous son emprise et, quand le réel reprendrait ses droits, il serait trop tard. Ce qu'elle allait y trouver valait-il le risque d'en ressortir le cœur brisé ?

— Voilà, Milo, je vais te passer ton harnais, décréta-t-il.

La façon dont il fit glisser les accessoires sur l'animal la fascina. On aurait dit que ses mains étaient magiques, tant elles étaient efficaces et douces. Une fois que JT eut terminé, elle se sentit en nage, alors que la température de la pièce n'avait pas augmenté d'un degré.

— Tu peux regarder l'entraînement, si tu veux, proposa-t-il avant de désigner quelques chaises placées sur une estrade, et d'ajouter : Assieds-toi là-bas.

Elle baissa les yeux vers ses sandales et sa robe bleu pâle.

— Je ne porte pas vraiment les vêtements requis, dit-elle. La prochaine fois, je mettrai un jean.

— Et des bottes, renchérit-il. Il ne faudrait pas que Milo marche sur tes pieds délicats.

— Ah bon ? Tu trouves qu'ils sont délicats ?

— Et gracieux, tout comme le reste de ta personne.

Comment pouvait-il en juger ? Et tout à coup, elle se rappela l'épisode de la piscine.

— JT…

Comment lui exprimer ce qu'elle ressentait, sans trop en révéler ?

— C'était juste un compliment, trancha-t-il. Tu es belle, je te trouve séduisante, mais cela ne signifie pas que je ne sache pas me contrôler.

Ces mots lui firent l'effet d'une douche froide.

— Je ne sais pas si je dois me sentir flattée ou insultée.

Il se contenta de lui adresser un bref sourire, puis avança dans le manège avec Milo, la laissant gérer seule le tumulte d'émotions qui bouillonnaient en elle.

Jusque-là, elle pensait que JT était un ermite en raison de l'enfance qu'il avait vécue, et elle estimait qu'il aurait dû chercher à établir des relations avec les autres. Mais à le voir aujourd'hui dans son écurie, à constater les liens qu'il entretenait avec son personnel et ses chevaux, elle comprenait qu'il n'était pas l'homme en détresse qu'elle avait d'abord imaginé. Il avait une passion qui lui servait de soupape, un endroit où retrouver la sérénité. Sur quoi encore s'était-elle trompée, à son sujet ?

Lorsqu'elle le vit monter sur l'étalon avec une agilité incomparable, elle songea que son ego l'avait égarée en l'incitant à croire que JT avait besoin d'elle. Un mariage blanc ne s'imposait nullement pour venir à sa rescousse, pas plus qu'il n'était nécessaire, pour son propre salut, de le faire sortir de sa coquille. Il savait parfaitement mener sa barque. Et pourtant, il avait accepté son offre.

Milo effectua une série d'exercices qui lui parurent complexes, mais dont il s'acquitta avec aisance. JT avait l'air de le chevaucher tranquillement, comme un dilettante, mais elle s'aperçut qu'il était en réalité fort concentré ; sans qu'elle ne saisisse de quelle manière, il parvenait à lui faire exécuter des pas dans une direction, avant de le tourner abruptement dans une autre.

On aurait dit qu'il demandait au cheval de danser

pour lui, et le contrôle qu'il exerçait sur l'animal était à la fois fascinant et sensuel.

Au bout d'un quart d'heure, il lâcha la bride à Milo et lui flatta le cou ; après quoi, il leva la tête vers elle et lui adressa un large sourire qui lui coupa le souffle. C'était donc ce qu'on ressentait quand on était en admiration devant un homme. Elle n'avait jamais éprouvé une telle expérience, et elle n'était pas certaine de savoir se tenir, maintenant que son corps avait pris les commandes.

— C'était fantastique, lui dit-elle en le rejoignant.

JT descendit de cheval.

— C'est Milo qui a effectué tout le travail, affirma-t-il.

— Non, je ne pense pas.

Leurs regards se croisèrent et le sourire de JT s'évanouit.

— Je t'ai menti, déclara-t-il brusquement.

Son cœur se mit à battre à toute vitesse tandis qu'elle scrutait le visage à présent tendu de JT.

— A quel propos ?

— A propos de…

— Patron, si vous avez terminé avec Milo, je peux m'en occuper et le ramener dans son box.

Un palefrenier s'avança vers le manège.

— Bonnie est auprès de Bullet qui va mettre bas, poursuivit ce dernier. Est-ce que vous pouvez aller voir ? Elle se demande s'il ne vaut mieux pas appeler un vétérinaire.

Violet sauta sur l'occasion pour se dérober, n'ayant guère envie d'entendre ses aveux, quelle que soit leur nature.

— Tu es occupé, déclara-t-elle, nous reparlerons de tout cela plus tard.

Contre toute attente, il la saisit par le bras, l'empêchant de partir, tandis que le palefrenier se rapprochait d'eux. Son cœur cognait violemment dans sa poitrine quand JT approcha la bouche de son oreille.

— Ta sœur avait raison, murmura-t-il dans un souffle chaud qui glissa sur sa peau comme une caresse érotique. Je te désire ardemment.

Puis il remit la bride de Milo au palefrenier et s'éloigna. Elle garda les yeux rivés sur lui, genoux tremblants. Ses propos résonnaient en boucle dans son esprit.

Il la désirait ardemment ?

Mais que demander de mieux, puisque c'était réciproque !

7

Sa maison était silencieuse et plongée dans l'obscurité, quand JT y pénétra, à 2 heures du matin. Il était rentré plus tôt que d'ordinaire du Titanium, incapable de se concentrer, car Violet obsédait ses pensées. Il avait apprécié qu'elle vienne lui rendre visite à l'écurie, dans l'après-midi, et qu'elle ait pu surmonter la peur que lui inspirait Milo, ce qui prouvait que son intérêt n'était pas feint. Il avait aimé aussi qu'elle suive du regard le moindre de ses gestes et il en avait même rajouté pour l'impressionner, comme un adolescent.

Et puis, ce qu'il avait lu dans son regard lui avait donné la brusque envie de la jeter sur son épaule et de l'emmener dare-dare dans sa chambre. Avait-elle reconsidéré leur arrangement ? Il espérait bien que oui ! Mais, si elle avait encore besoin d'une petite démonstration, il n'allait pas manquer de la lui donner.

Montant les marches deux à deux, il se retrouva en un rien de temps devant la porte de la chambre de Violet. Elle était entrebâillée, et la pièce plongée dans l'obscurité… Le temps que sa vue s'ajuste à la pénombre, et il constata qu'elle était vide ! Non seulement Violet ne l'occupait pas, mais il n'y avait pas la moindre trace de ses effets à l'intérieur.

Pourtant, il venait de voir sa voiture dans le garage ! Elle était donc revenue de Fontaine Chic. Au fond, elle avait peut-être choisi une autre chambre, il y en avait quatre autres de libres. Il poussa les portes les unes après les autres… Rien ! Où était-elle ?

Il décida d'aller méditer sur sa terrasse, lorsqu'il entendit un plongeon. Elle était en train de prendre son habituel bain de minuit ! Il sortit un maillot du tiroir de sa commode, et ce fut quand il ouvrit son dressing pour y accrocher son costume qu'il remarqua quelle chambre elle avait choisie : la sienne.

La moitié de l'énorme placard qui avait abrité ses seules affaires jusque-là contenait désormais des robes et des sandales. Retournant vers sa commode, il en inspecta les tiroirs : là aussi, la moitié regorgeait de lingerie, de caracos et d'écharpes. Quant au comptoir de la salle de bains, il était envahi d'un arsenal de produits de beauté féminins.

Il se retrouvait dans un sacré guêpier.

Il se rendit d'un bon pas à la piscine, se préparant à lui dire son fait : certes, ils étaient convenus de perpétuer le mythe d'un mariage heureux en vivant ensemble, mais à aucun moment il n'avait été question de partager la même chambre. C'était pousser un peu loin la comédie.

Dans la piscine, Violet était en train d'effectuer de longues brasses régulières… et fascinantes, le spectacle de ses bras graciles émergeant et plongeant dans l'eau comme une belle mécanique était magnifique et reflétait une remarquable harmonie. Tout le contraire des sentiments qui le tenaillaient !

— J'ai trouvé toutes tes affaires dans ma chambre, lança-t-il soudain malgré lui, du bord de la piscine. Que se passe-t-il ?

— Il se pourrait que ton père ait recruté des espions parmi ton personnel, répliqua-t-elle tranquillement. Il ne faut pas lui donner des armes contre nous.

Elle ne leva pas les yeux vers lui, de sorte qu'il se demanda ce qu'elle lui cachait.

— Je crois que tu lui accordes plus de pouvoir qu'il n'en a.

— Viens nager, nous parlerons plus tard.

Plus tard ? Non, ils allaient s'expliquer maintenant. Fort de sa résolution, il plongea et nagea sous l'eau jusqu'elle. En raison des lumières de la piscine, il n'avait pas remarqué qu'elle était encore une fois entièrement nue. Il émergea en toussant.

— Tout va bien ? demanda-t-elle.

— Je croyais t'avoir dit que le port du maillot de bain était obligatoire dans cette piscine !

Alors, à son immense surprise, elle tira sur la ceinture élastique de son slip de bain avec ses orteils, et le fit glisser de quelques centimètres sur ses hanches. Le contact du pied de Violet contre sa peau alluma aussitôt un violent désir en lui ; il serra les dents et retint un grognement.

— Tu devrais essayer sans, c'est très agréable, rétorqua-t-elle d'une voix chuchotée, petit sourire à l'appui.

Puis elle relâcha l'élastique et s'éloigna en toute hâte à la nage, dans un grand éclaboussement d'eau qui l'aveugla. Secouant la tête, il s'élança derrière elle et la rattrapa alors qu'elle atteignait l'autre bord de la piscine. Il la plaqua contre le mur carrelé, avant de se rappeler qu'elle était nue… Elle enroula immédiatement ses jambes autour de lui.

— Embrasse-moi ! ordonna-t-elle en lui enfouissant les doigts dans les cheveux. Avec douceur ou violence, comme tu voudras, mais je ne peux plus attendre…

Sans se faire prier davantage, il captura sa bouche avec une fièvre indiquant qu'il n'y aurait cette fois aucune dérobade possible. Elle s'abandonna à la frénésie de son baiser, enfonçant ses ongles dans sa chair, poussant des petits gémissements qui attisaient son désir déjà intense. Puis elle se mit à chalouper contre lui, contre son érection. Elle le rendait fou !

Il aspira l'eau qui ruisselait dans son cou délicat, et elle pencha la tête en arrière pour lui donner un meilleur accès à son corps. Son audace lui coupa le souffle, mais il réagit rapidement à l'invitation et la souleva jusqu'à ce que sa poitrine soit à la hauteur de ses lèvres. Elle entoura sa taille de ses jambes semblables à des lianes au moment où il refermait la bouche sur l'un de ses seins. Puis il s'attaqua à l'autre, jusqu'à ce qu'il l'entende haleter. Son corps souple se mit à trembler quand il glissa les doigts le long de son dos pour atteindre le bas de ses reins, puis il plaqua les mains sur ses fesses. Prenant les devants, Violet se détacha alors de lui et tira de nouveau avec son pied sur la ceinture de son caleçon. Cette fois, elle libéra son érection et il poussa un grognement lorsqu'il sentit ses doigts se refermer sur lui.

Délaissant ses seins, il reprit sa bouche pour lui donner un baiser aussi torride que possessif. Elle le lui rendit avec fièvre.

— Donne-moi tout ce que tu peux, murmura-t-elle.

Puis elle guida son sexe vers le sien.

Mais un sursaut de raison le ramena à la réalité.

— Nous n'avons pas de préservatif, parvint-il à articuler, même s'il n'arrivait pas à imaginer comment il allait trouver la force de remonter dans sa chambre.

— Je prends la pilule, le rassura-t-elle tout en se cambrant contre lui. Et toi comme moi sommes en parfaite santé.

Sur cette déclaration, elle le happa en elle avant même que son cerveau ne comprenne ce qui lui arrivait. La merveilleuse sensation qui le submergea alors dépassa tout ce qu'il s'était figuré. Plaquant les mains sur ses hanches, il s'ancra profondément en elle pour reprendre le contrôle de la situation, et rendre ce moment inoubliable.

— Tu es fantastique, chuchota-t-il comme ils s'étreignaient avec passion dans l'eau.

Il lui sembla que le temps venait de suspendre son cours, que son monde s'était réduit aux élans de chaleur qui traversaient son sexe et à la peau soyeuse de Violet qui caressait la sienne.

— C'est encore mieux que ce que j'imaginais, murmura-t-elle contre son oreille.

— Parce que tu as déjà pensé à nos ébats ?

Il promenait les mains dans son dos, sur ses cuisses, tout en embrassant ses lèvres. De son côté, elle avait amarré ses chevilles aux siennes pour ne pas couler, ce qui lui permettait aussi d'imprimer son rythme à leurs étreintes. Et ce petit ondoiement menaçait tout simplement de lui faire perdre tout contrôle. Il serra les dents.

— Jour et nuit depuis que tu fréquentes le Baccarat, avoua-t-elle alors.

Confidence pour confidence, il déclara :

— Perdre Rick était le meilleur cadeau que la vie pouvait me faire.

— Ce n'est pas toujours ce que tu as dit, répliqua-t-elle en éclatant d'un rire sensuel qui agita ses deux adorables seins.

Leurs pointes turgescentes représentaient une puissante tentation.

— Tu vas voir ce que tu vas voir, petite impertinente !

Alors il accéléra ses coups de reins, jusqu'à ce qu'elle se mette à hurler de volupté. Puis il lâcha à son tour la bride à son plaisir.

L'orgasme qui le saisit fut foudroyant, le monde terrestre lui parut s'évanouir et il crut monter directement au paradis, guidé par une guirlande de lumières qui, telles des têtes d'épingles, picotaient tout son corps pour y laisser une empreinte inoubliable.

Quand il revint sur terre, il se rendit compte que ses poumons le brûlaient : soit de l'eau y était entrée, soit son cœur battait bien trop vite.

— Je n'ai jamais joui si fort, lui murmura Violet en lui enserrant le visage entre les mains, un large sourire aux lèvres.

Elle était tout aussi essoufflée que lui, mais semblait moins bouleversée par leurs tumultueuses étreintes.

— Je savais que ce serait formidable avec toi, pour-suivit-elle, mais à ce point…

Il ne parvenait pas à être aussi ouvert et direct : ce qu'il ressentait pour elle était bien trop intense, trop vif.

— Oui, fit-il sans éloquence. C'était vraiment…

Elle plissa les yeux, tout en lui adressant un sourire malicieux :

— La baignade sans maillot est-elle toujours interdite ?

Violet, qui était en train de se servir du jus d'orange, sentait le regard de Harper rivé sur elle.

— Tu as le sourire aux lèvres, ce matin, observa cette dernière.

C'était mardi matin, et elle avait retrouvé ses sœurs pour leur petit déjeuner hebdomadaire, qui avait lieu normalement le mercredi, dans le bureau de Scarlett, à Fontaine Richesse. Si elles avaient dérogé à leurs habitudes, c'était parce que le soir même JT et elle organisaient leur réception de mariage, au ranch, et que la fête se terminerait sans doute très tard.

— Tu trouves ? répliqua-t-elle en sirotant son thé vert d'un air qu'elle voulait nonchalant.

— Quoi de plus normal ? intervint Scarlett. Elle

vit à la colle depuis trois jours avec JT et elle flotte en plein rêve.

— Je te rappelle que nous sommes mariés, Scarlett, aussi ton expression « vivre à la colle » n'est pas du tout opportune.

Harper fronça les sourcils, l'air confus.

— Vous vivez ensemble maintenant ?

— Si tu n'étais pas obnubilée par ton hôtel, commença Scarlett, tu saurais que Preston est venu à Fontaine Chic menacer JT et Violet de les poursuivre pour fraude s'ils avaient contracté un mariage blanc.

— Sa plainte ne pourra pas aboutir, objecta Harper.

Scarlett eut un petit sourire narquois.

— Non, plus maintenant.

— Ce que je veux dire, poursuivit Harper sans se laisser perturber, c'est qu'il est écrit nul part qu'un mariage doit être consommé, il faut juste qu'il soit légal.

— Nous redoutions qu'en nous intentant un procès Preston ne gèle la situation de sorte que je ne puisse accorder mon vote à JT, lors de la prochaine réunion des actionnaires.

Harper prit un air soucieux.

— Il est vrai que cela n'est pas exclu.

— Nous ne voulions prendre aucun risque.

— Et c'est sous ce prétexte que vous vous êtes aussi unis… charnellement ?

Elle résista à l'envie de regarder Scarlett, par peur d'éclater de rire : le côté collet monté de Harper empêchait parfois cette dernière de goûter l'humour de certaines situations.

— Pas exactement…

— Il était fou d'elle et vice versa, expliqua alors Scarlett. Mais pas au sens où Ashton et toi vous rendez fous, si tu vois ce que je veux dire.

— J'ai toutes les raisons du monde d'être furieuse

contre lui, souligna Harper. Le restaurant croule sous les dettes car il n'a pas pris les décisions nécessaires au moment voulu. Et, quand il s'y est résolu, il a encore alourdi la facture parce qu'il a décidé de tout changer.

Scarlett adressa un regard dubitatif à sa sœur.

— Mais il est malgré tout séduisant et sexy, vu que tu possèdes tous ses DVD, glissa-t-elle.

— Si ma mémoire est bonne, répliqua vivement Harper, Logan et toi ne pouviez plus vous supporter, il y a à peine un mois.

Scarlett et son fiancé expert en sécurité étaient aujourd'hui tellement énamourés l'un de l'autre qu'il était difficile de se rappeler le temps où ils ne cessaient de se quereller.

— Nous sommes passés à un autre stade de notre relation, et à présent c'est la passion qui nous dévore, déclara Scarlett avec force.

Harper se contenta d'un petit reniflement sceptique bien peu élégant de sa part, tandis que cette fois Violet se mit à rire aux éclats. Elle adorait ses sœurs ! De l'extérieur, certains pouvaient penser qu'elles ne s'entendaient pas, alors qu'en réalité, pour trois femmes qui ne se connaissaient que depuis cinq ans, c'est-à-dire depuis que leur grand-père les avait présentées les unes aux autres, elles avaient noué des liens aussi étroits que si elles avaient passé toute leur enfance ensemble. Et ils étaient peut-être d'autant plus solides qu'il n'existait aucune cicatrice de l'enfance, entre elles.

— Bon, finissons-en avec la folie et la passion, trancha Violet en se tournant vers Scarlett. Tu m'avais dit que tu voulais discuter d'une question importante avec moi. De quoi s'agit-il ?

L'intéressée échangea un rapide coup d'œil entendu avec Harper, puis se dirigea vers sa table de travail d'où elle revint avec deux dossiers. Elle en tendit un à Violet.

— Je t'ai déjà parlé des dossiers que j'ai hérités de Tiberius, commença-t-elle. Eh bien, celui-ci concerne Preston Rhodes.

Curieuse, Violet s'en empara et le feuilleta rapidement. Il comportait de vieilles coupures de journal au sujet d'une crue subite dans le désert, près de Las Vegas, ainsi que la photo jaunie de sept jeunes gens assez jeunes. Il y avait aussi une feuille sur laquelle figuraient les coordonnées d'une certaine Charity Rimes, à contacter pour de plus amples informations.

— Je ne comprends pas. De quoi s'agit-il, au juste ? demanda Violet.

— Je pense que l'homme que nous connaissons sous le nom de Preston Rhodes est en réalité un gamin d'une localité de la région, censé être mort par noyade au moment de cette crue, qui remonte à 1970.

Violet lança un regard sceptique à sa sœur.

— Ce qui veut dire que le journaliste se serait trompé ? Ce n'était pas George Barnes, comme c'est écrit ici, mais Preston Rhodes qui serait mort ? Comment est-ce possible ?

— Selon moi, le père de JT, dont le véritable nom est George Barnes, a usurpé l'identité de Preston Rhodes une fois que celui-ci a été emporté par la crue.

— C'est tout de même une théorie très osée, intervint Harper.

— Pourquoi aurait-il fait une chose pareille ? questionna Violet, intriguée.

— D'après les informations assemblées par Tiberius, George Barnes aurait été un délinquant juvénile, qui risquait de très mal finir. Preston Rhodes avait en revanche un avenir brillant devant lui : riche jeune homme sans famille, il avait quitté la Californie, où il avait grandi, afin d'aller étudier sur la côte Est. C'était un jeu d'enfant pour George d'enfiler les souliers de Preston.

Violet parcourut de nouveau le dossier et se rendit compte que le raisonnement de Scarlett était finalement tout à fait plausible. D'autant qu'après sa rencontre avec Rhodes elle ne doutait pas un instant qu'un individu dans son genre soit assez peu scrupuleux pour s'emparer de l'identité et de la fortune d'un autre. La nouvelle ne manquerait pas de dévaster JT : découvrir que son père était un imposteur lui causerait en effet bien plus de soucis que de se rendre compte qu'il avait pris des décisions commerciales peu judicieuses.

L'estomac noué, elle reposa le dossier.

— Je ne sais pas ce que je dois en faire…

— Tu devrais contacter Charity Rimes. Ce n'est pas par hasard que Tiberius a laissé ses coordonnées dans ce dossier.

— Qui est-ce ? demanda Harper.

— C'est une auteure qui écrit un livre sur une série de meurtres qui se sont déroulés à Los Angeles dans les années 1960. Je ne sais pas grand-chose de l'affaire, si ce n'est que le coupable n'a jamais été arrêté. Je n'ai pas cherché à en savoir davantage car, en réalité, cela ne me regardait pas. Toutefois, maintenant que tu as épousé JT, la donne a changé. Il fait partie de la famille.

Scarlett lui tendit alors un second dossier.

— Ce qui me conduit à te remettre également celui-ci, poursuivit-elle. Je ne sais pas si tu as envie de le lire ou non, mais, comme tu es désormais liée à JT, je pense que tu dois au moins pouvoir en décider.

— Tiberius avait un dossier sur JT ? s'étonna Violet. Tu l'as lu ?

— Je t'avoue que j'ai été tentée, puis je me suis dit que ce n'était pas à moi de connaître ses secrets.

Violet saisit le dossier, stupéfaite du nombre de documents que contenait la chemise cartonnée. Tiberius avait consacré beaucoup de temps et d'énergie à enquêter sur son neveu, sans doute dans l'objectif de renouer avec lui.

La lecture de ce dossier lui aurait sans aucun doute permis d'apprendre d'un coup énormément d'informations sur ce qui avait forgé le caractère de JT, mais aussi des choses dont il n'aurait peut-être pas apprécié qu'elle prenne connaissance. Non, il valait mieux attendre qu'il guérisse enfin de ses traumatismes d'enfance et puisse s'ouvrir à elle et à l'amour.

A cette pensée, elle se raidit.

Qu'espérait-elle, au juste ? L'aider à surmonter le passé pour qu'il lui soit éternellement reconnaissant et ne veuille plus divorcer ? Ils étaient mariés depuis deux semaines et voilà qu'elle envisageait déjà de le transformer ! Assez !

En tout état de cause, il était largement préférable de laisser à JT le soin de lui raconter ce qu'il souhaitait, au moment où il le désirerait.

— Je n'en veux pas, répondit-elle en tendant le dossier à Scarlett.

— Garde-le ! répliqua cette dernière sans le prendre. Brûle-le ou remets-le à JT, je m'en fiche, mais je ne veux plus l'avoir en ma possession.

Jetant un coup d'œil à Harper qui louchait vers son smartphone, elle ajouta entre ses dents :

— Je suis déjà détentrice de plus de secrets que je ne le voudrais.

Scarlett faisait allusion à un autre dossier concernant la mère de Harper et susceptible de chambouler complètement l'univers de cette dernière. Violet comprit qu'elle n'avait pas encore décidé si elle devait en faire part ou non à leur demi-sœur.

— Je dois partir, annonça Harper, déjà sur le pied de guerre. Je viens d'envoyer à Ashton la nouvelle liste des chefs qui ont postulé, et il a quinze minutes pour me dire ce qu'il en pense.

Dès qu'elle fut sortie, Scarlett s'empara du dossier qu'elle venait de mentionner.

— Je t'assure que détenir tous ces secrets ne m'amuse guère, reprit-elle.

— Est-ce que tu vas parler à Harper de ce que tu as découvert sur sa mère ?

— Je préfère d'abord en discuter avec toi pour que tu me donnes ton avis, déclara Scarlett.

— Entendu.

Quand sa sœur lui avait exposé son dilemme au sujet de ce dossier, elle avait compati, et voilà qu'aujourd'hui elle connaissait le même conflit intérieur vis-à-vis de JT. Mais pour l'heure, elle devait se concentrer sur ce que Scarlett tenait à lui confier.

— Eh bien, qu'a fait la mère de Harper ? reprit-elle.

— Elle a eu une liaison extraconjugale autrefois, pendant que son mari était en voyage d'affaires.

— Voilà qui ne ressemble guère à Pénélope ! s'écria Violet.

Mais Scarlett ouvrit un fichier d'où elle sortit des photos en noir et blanc qui montraient la jeune Pénélope Fontaine et un séduisant jeune homme enlacés de manière fort peu ambiguë.

— Apparemment, être l'épouse de notre père n'était pas une sinécure puisqu'il a poussé la plus conservatrice des femmes à fauter, observa Scarlett avec une ironie désabusée.

— Je suis sûre que Harper serait choquée et confuse de l'apprendre mais, par ailleurs, cela remonte à si longtemps qu'il y a prescription, observa Violet. Pourquoi penses-tu qu'elle serait anéantie ?

— Parce qu'elle est née neuf mois plus tard.

Il fallut quelques secondes à Violet pour absorber le choc de la nouvelle.

— Ce qui veut dire que…

— Que Harper n'est pas une Fontaine.

— Tu en es certaine ?

— Malheureusement, oui, répondit Scarlett d'un air très peiné. Tu comprends mieux mon embarras, à présent : comment lui apprendre une telle nouvelle ?

— A mon avis, il est préférable de ne rien dire.

Harper ne s'en serait pas remise. Elle avait reçu l'éducation et la formation qui s'imposaient pour gérer Fontaine Resorts and Hotels ; par ailleurs, elle nourrissait une ambition et une énergie incomparables, et elle s'était préparée depuis l'enfance à régner sur l'empire familial. Elle n'avait nul besoin d'apprendre une nouvelle aussi tragique sur ses origines, qui aurait profondément ébranlé sa raison de vivre. Sans compter qu'elle devait à présent affronter l'éventuelle concurrence de ses deux sœurs au poste de P-DG, ce qui n'était sans doute pas une mince affaire pour elle, même si elle savait donner le change.

Il était vrai qu'elle n'avait rien à craindre de Scarlett qui ne briguait pas le poste. Quant à Violet, sa vie personnelle était en train de prendre le pas sur ses ambitions professionnelles.

Sa sœur hocha la tête d'un air sombre, et replaça les photos dans le dossier.

— C'est ce que je pense, moi aussi. La vérité n'est pas toujours bonne à dire.

Les épaules alourdies de bien trop de secrets, Violet regagna sa suite afin de choisir une tenue pour sa réception. Elle avait été si absorbée par les détails à régler pour la soirée qu'elle s'en était oubliée.

Elle sortit sans hésiter du dressing une robe rose rehaussée de paillettes rouges et argentées sur le corsage. Trois ans plus tôt, elle l'avait achetée pour se rendre à un gala de charité auquel elle n'avait finalement pas pu assister. Bien que la tenue lui ait coûté une fortune, ainsi que les escarpins assortis, elle n'avait pas eu le cœur de la rendre. Elle finirait par trouver une opportunité à la hauteur, s'était-elle dit, et de fait, la réception donnée à l'occasion de son mariage en était une.

La question de sa tenue vestimentaire étant arrangée, que devait-elle faire à présent des dossiers que Scarlett lui avait donnés ?

Elle soupira. Elle n'avait pas encore décidé de l'attitude à adopter envers JT qui avait déjà traversé tant d'épreuves ! Mais elle ne voulait pas non plus lui cacher une information aussi sérieuse que l'usurpation par son père de l'identité d'un autre. Elle glissa le dossier de Preston dans son bagage et sortit de sa suite.

8

— Tu es magnifique ! s'écria JT.

Impatient de passer une dernière minute seul avec Violet, il emmêla ses doigts aux siens et l'entraîna vers l'escalier. Ils disposaient d'un quart d'heure avant l'arrivée des invités.

— C'est idiot, mais je suis nerveuse, dit-elle en lissant la jupe de sa robe.

— Allons, tu n'as aucun souci à te faire ! répliqua-t-il en portant sa main jusqu'à ses lèvres pour y déposer un baiser. Ce soir, il n'y aura que des amis, et je serai à tes côtés.

Il se réjouit du regard rassuré qu'elle lui adressa alors.

— Et tu es certain que ma tenue convient ?

— Tu es parfaite, lui certifia-t-il.

Il n'était pas habitué à la voir manquer de confiance en elle. Comment une femme aussi belle et charmante que Violet pouvait-elle douter d'elle-même ?

— Seulement, cette robe a trois ans.

— Mais elle a l'air toute neuve.

— Parce qu'elle l'est. Je ne l'ai jamais portée.

Décidément, il ne comprendrait jamais les subtilités du cerveau féminin concernant la mode.

— Allons boire une coupe de champagne, suggéra-t-il. Je veux que nous portions un toast.

Et il la conduisit au bord de la piscine. En raison du

grand nombre de convives qu'ils attendaient, ils avaient décidé d'ouvrir les baies du salon afin que les gens puissent profiter de l'air de la nuit. Les palmiers et les arbustes étaient constellés de petites lumières blanches, ce qui donnait une touche festive à l'ensemble. Une bouteille de champagne les attendait sur une table, à l'extérieur.

Il la déboucha et les bulles pétillèrent bientôt dans deux flûtes en cristal. Il en tendit une à Violet et s'éclaircit la voix.

— A toi, lui dit-il. Merci de m'avoir épousé. Personne depuis longtemps n'avait fait passer mes intérêts avant les siens. Ton optimisme et ton talent pour l'innovation m'ont permis de me secouer et ont fait entrer le soleil dans ma vie. Peu importe ce qui se passera dans un mois, je suis prêt à accepter ce que l'avenir m'apportera.

Son discours était un peu laborieux, mais Violet ne parut pas s'en apercevoir. Ses yeux restaient rivés à lui tandis qu'il parlait. La foi qu'elle lui témoignait lui avait donné des ailes, et il avait la sensation que son père et son mauvais œil n'avaient plus de prise sur lui. Il était impossible de lui exprimer l'immense gratitude qu'il éprouvait pour elle.

— Je suis ravie de t'entendre tenir de tels propos, déclara-t-elle tandis qu'ils trinquaient. Et j'espère pouvoir continuer à faire en sorte qu'il t'arrive de belles choses.

— Tout ce dont j'ai besoin, c'est que tu…

— Et voici le couple du jour ! annonça une voix d'homme, du salon.

C'était Brent. Arrivé de Charlotte dans l'après-midi, il était descendu au Titanium.

Retenant un soupir, JT passa le bras sous celui de Violet et s'avança vers son cousin afin d'effectuer les présentations. Il vit alors briller une subtile lumière d'approbation dans les yeux de Brent et se détendit :

l'opinion de ce dernier revêtait une grande importance à ses yeux.

Peu après l'arrivée de Brent, les invités se déversèrent à flots. Outre la famille et les amis, ils avaient convié beaucoup d'associés de Las Vegas.

Le personnel circulait entre les convives pour leur présenter des plateaux garnis de coupes de champagne et d'une grande variété de petits-fours. Avec l'aide d'un traiteur, Violet avait organisé la fête en une semaine ; l'affaire avait été rondement menée, et la soirée se déroula sans le moindre problème. A chaque heure qui s'écoulait, JT était un peu plus séduit par sa charmante épouse, au bras de qui il était heureux de parader.

Tout le monde était d'ailleurs sous le charme de son rire facile et de sa beauté exceptionnelle.

La fragrance fleurie qui se dégageait de sa personne lui faisait littéralement tourner la tête et alimentait en lui des fantasmes qu'il avait bien l'intention de mettre en pratique avec elle, plus tard. Il lui était difficile de détacher les mains de ses bras nus.

— Tu as monopolisé ta femme toute la soirée, vint se plaindre Scarlett. Harper et moi, nous avons besoin de lui parler un peu aussi.

Il la leur concéda, mais soudain la fête lui parut éclatante et il espérait à présent que chacun allait rentrer bien vite chez lui, étant donné l'heure tardive.

Après ce qui lui parut une éternité mais qui n'avait en réalité duré qu'un quart d'heure, Violet lui revint.

— Tu m'as manqué, murmura-t-il en lui donnant un bref baiser.

A la fin de la soirée, il s'estima l'homme le plus comblé de la terre tandis qu'en compagnie de Violet ils prenaient congé de leurs convives, dans le vestibule. Dès qu'elle eut refermé la porte derrière le dernier d'entre eux, elle poussa un gros soupir de soulagement, et sans hésitation il la prit dans ses bras et gravit les marches qui menaient à l'étage.

Tout d'abord trop surprise pour protester, elle retrouva sa voix quand ils arrivèrent sur le palier.

— Aurais-tu perdu la tête ? s'exclama-t-elle. Il y a encore des choses à ranger et je veux remercier les traiteurs. Repose-moi par terre.

— Ils sont partis il y a environ vingt minutes et les domestiques se chargeront du ménage demain matin. Nous sommes enfin seuls…

Et, sur ces mots, il la déposa sur le lit.

— Cela fait quatre jours que nous sommes seuls, lui rappela-t-elle en déboutonnant sa chemise.

Il fit glisser la fine bretelle de sa robe sur son épaule et enfouit son visage dans sa nuque. Décidément, son parfum le rendait fou ! Cela lui rappelait deux jours auparavant lorsque…

Il poussa un grognement et eut la brusque sensation que son cerveau venait de disjoncter : Violet avait en effet saisi son sexe en érection, après avoir subrepticement défait sa braguette et coulé la main dans son caleçon.

— Du calme ! ordonna-t-il en lui saisissant les poignets qu'il plaqua au-dessus de sa tête, sur l'oreiller. Nous avons toute la nuit devant nous.

— Mais j'ai envie de toi maintenant, répliqua-t-elle, cependant qu'elle ondulait lentement des hanches. Et nous sommes tous les deux prêts. Pourquoi attendre ?

Parce que cela faisait quatre jours qu'ils s'étreignaient de façon frénétique et qu'il avait envie de prendre le temps d'explorer son corps pour savoir ce qu'elle aimait vraiment. L'alchimie entre eux était explosive : il n'était jamais sorti avec une femme aussi passionnée et sexy. Il suffisait qu'elle pénètre dans la pièce où il se trouvait pour qu'il ait envie de lui faire l'amour. Elle l'obsédait chaque jour un peu plus, il n'arrivait plus à se concentrer sur son travail et surtout il en venait à oublier l'objectif premier de leur mariage, à savoir regagner des parts de Stone Properties pour évincer son père.

— Donc, tu veux que je te prenne sans attendre ? demanda-t-il tandis qu'il se déshabillait entièrement.

— Oui ! dit-elle en l'observant avec convoitise.

Sans se lever du lit, elle retira elle aussi sa robe de soirée et se retrouva en soutien-gorge sans bretelles et en culotte de soie.

— Très bien, dit-il, un petit sourire aux lèvres. Allonge-toi sur le ventre.

Elle parut d'abord surprise de cet ordre inopiné et, après une courte hésitation, lui obéit.

— Comme ça ?

— C'est parfait.

Son dos était superbement cambré, et il pouvait enfin l'admirer à son aise. Il détacha son soutien-gorge pour pouvoir jouir du spectacle sans entrave, puis se baissa afin de déposer un baiser sur la marque laissée par l'agrafe, tout en promenant les doigts sur ses épaules. Elle frissonna à son contact et poussa un petit soupir.

Peu à peu, il perçut qu'elle se relaxait alors qu'il redessinait les contours de son dos, lui massait légèrement la nuque… Quand il se mit à lui lécher la peau, elle se cala contre lui de sorte que son membre vint toucher ses fesses.

— Mmm, susurra-t-elle. Et moi, qu'est-ce que je peux faire pour toi ?

— Contente-toi d'apprécier mes caresses, c'est tout ce que je demande.

Violet ne le questionna pas plus avant. Elle se sentait à la fois langoureuse et excitée, ravie des attentions qu'il lui prodiguait ; elle espérait que toutes les parcelles de son corps allaient recevoir le même traitement.

— Tu as un dos superbe, déclara-t-il. J'adore ses fossettes, à droite.

Et il posa le doigt sur l'endroit en question.

— Tu sais qu'il y a d'autres parties de mon corps qui apprécieraient que tu t'intéresses aussi à elles, dit-elle alors.

— Lesquelles ?

— Mes seins par exemple.

Obtempérant immédiatement, il glissa les mains sous son corps et se mit à caresser ses mamelons très sensibles, qui durcirent en un instant.

— C'est mieux ?

— Bien mieux.

— Où veux-tu encore que je te caresse ? Ici ?

Elle se mordit la lèvre quand elle sentit la main de JT palper son ventre et caresser son pubis. Alors elle se tourna légèrement, le désir montant en elle.

— Un peu plus bas…

Sans un mot, il lui écarta légèrement les cuisses. Elle retint un petit cri en sentant l'air frais sur sa chair. L'attente la rendait folle.

— JT, ce n'est pas juste.

— Qu'est-ce qui n'est pas juste, exactement ? demanda-t-il en lui donnant un petit baiser dans le cou.

— Pourquoi est-ce que tu ne profites pas de moi dans cette position ?

— Et qu'est-ce que je devrais faire, à ton avis ?

Elle se cambra et, enfin, il glissa ses doigts entre ses cuisses. Elle retint un cri de plaisir.

— Ce que tu es excitée ! constata-t-il d'une voix rauque. Cela me rend complètement fou.

— Prouve-le-moi.

Plaquant subitement les mains sur ses hanches, il la

124

pénétra d'un coup et commença aussitôt à aller et venir dans son dos.

— Ça va ? demanda-t-il.

Quelle question ! La position lui offrait de toutes nouvelles sensations. Des sensations prodigieuses… Bien plus vite qu'elle ne l'avait imaginé, le voile de la volupté envahit tout son être et un orgasme puissant la submergea, tandis que JT continuait à la chevaucher avec ardeur. Elle n'eut pas le temps de redescendre sur terre que déjà, légèrement paniquée, elle sentait un nouvel élan de plaisir se former en elle, encore plus violent que le premier ! Aux prises avec des spasmes incroyablement délicieux, elle se mit à hurler son prénom. Puis elle l'entendit pousser un lourd grognement et comprit que lui aussi avait joui ; il se laissa retomber sur son dos.

Se ressaisissant rapidement, il l'attrapa par les hanches, et les fit rouler sur le matelas, tout enchevêtrés l'un à l'autre.

— Tu as eu deux orgasmes d'affilée ? s'enquit-il en repoussant sur son front ses longues mèches enchevêtrées.

Elle lui sourit.

— Je crois que oui.

— Tu es la femme la plus incroyable que je connaisse.

Ses paroles lui firent l'effet d'un nectar. Jamais un homme n'avait su apprécier son corps comme JT ; dans ses bras, elle avait l'impression d'être une déesse, ce qui était inédit pour elle, qui s'était toujours cru gauche, au lit.

— C'est parce que tu es un amant incroyable, lui dit-elle.

— Non, ne cherche pas à te sous-estimer.

— Tu sais bien que je suis mal à l'aise quand on me fait un compliment.

— Pourquoi ?

— Sans doute parce que j'ai l'impression de ne pas les mériter.

— C'est ridicule.

— Dès l'âge de trois ans, on m'a dit que mon père ne voulait pas entendre parler de moi, et je me suis mise à penser que c'était ma faute.

— Mais tu sais bien que ce n'était pas le cas !

Heureusement que les yeux de JT étaient rivés à sa bouche et non à ses yeux, cela lui permettait de s'exprimer plus librement.

— Aujourd'hui, oui, bien sûr… Mais cela m'a longtemps blessée, et je me suis forgé une armure que j'endosse quand je me sens vulnérable.

— Tu n'as pas besoin de l'enfiler avec moi.

Il l'embrassa alors avec une grande tendresse, et elle sentit son cœur se serrer. Il aurait été si facile de tomber complètement amoureuse de lui.

Ils restèrent longtemps blottis l'un contre l'autre sans mot dire, à savourer les merveilleux moments qu'ils venaient de vivre. Puis, à sa respiration régulière, elle constata que JT avait glissé dans le sommeil. Incapable pour sa part de dormir, elle se releva.

L'air tiède de la nuit glissa comme une caresse sur son corps quand elle retira son peignoir pour plonger. Nager représentait pour elle à la fois un exercice physique et une façon de réfléchir.

Elle avait pratiqué la natation au lycée, puis à la faculté. Elle n'avait jamais été la meilleure en sport, mais en revanche elle avait constamment travaillé dur pour attirer l'attention de son père. En vain, bien sûr, car il avait toujours refusé de la rencontrer. Elle avait fini par admettre qu'au fond c'était lui le perdant, et elle avait également compris que la loyauté constituait une valeur inestimable. Jamais elle ne laisserait tomber quelqu'un : une fois qu'elle avait donné sa parole, elle remuait ciel et terre pour le tenir.

Le fil de ses pensées la ramena au dossier concernant

Preston Rhodes : elle n'avait pas encore abordé le sujet avec JT mais demain elle le lui montrerait. La réunion des actionnaires approchait et son père tenait encore toutes les cartes en main, aussi ne devaient-ils pas manquer l'opportunité qui s'offrait à eux de le discréditer pour de bon. Toutefois, JT était-il prêt à détruire le dernier membre de sa famille proche ?

Après avoir bien nagé, elle sortit de l'eau et prit rapidement une douche avant de regagner la chambre et de se glisser entre les draps. Convaincue qu'elle était sortie et revenue sans avoir réveillé JT, elle fut surprise quand il l'enlaça par la taille pour l'attirer à lui.

— Tu sens le chlore, murmura-t-il, la tête enfouie dans son épaule.

— Impossible, je viens de me doucher.

— C'est à peine détectable, mais c'est bien là. Et moi qui croyais t'avoir épuisée !

Elle se mit à rire.

— A vrai dire, je n'avais pas d'énergie à dépenser, c'était plutôt une façon de méditer.

— Sur quoi ?

Elle hésita, peu désireuse de le voir changer d'humeur.

— J'ai pensé au conseil d'administration, et aux actions qui nous manquent.

Il cessa de lui titiller la nuque et s'immobilisa.

— Je ne veux pas que tu t'inquiètes pour cela, déclara-t-il. C'est ma bataille, tu en as assez fait.

— C'est aussi la mienne, répliqua-t-elle. Ne me laisse pas de côté, je peux t'aider.

— C'est mon père ; donc, c'est mon problème.

— Nous sommes mariés ; par conséquent, je suis également concernée.

— Je te rappelle qu'il s'agit d'un mariage blanc.

— S'il te plaît, JT, ne m'exclus pas ! le supplia-t-elle, sentant un nœud se former dans sa gorge.

Il poussa un soupir et la relâcha pour rouler sur le dos. Alors elle se redressa et vint planter ses yeux dans les siens.

— Tu ne désarmes décidément jamais ? demanda-t-il.

Sans répondre, elle posa la main gauche sur son torse et la bague de sa grand-mère brilla de tous ses feux dans la lumière de l'aube qui entrait par la fenêtre entrouverte. Tous deux la regardèrent, fascinés.

— C'est ce que tu attends de moi ? rétorqua-t-elle.

Tous deux savaient quel était le sens de la question : voulait-il qu'elle retire la bague et renonce à leur mariage ? Ou bien souhaitait-il qu'elle reste et que tous deux allient leurs forces pour consolider leur relation ?

— Il ne m'est pas facile de te donner ce que tu me demandes, commença-t-il.

— Je sais, souffla-t-elle, soulagée qu'il ne l'ait pas repoussée. Mais nous formons une bonne équipe et nous avons besoin l'un de l'autre.

— Toi, tu as besoin de moi ? reprit-il d'un ton sceptique.

— Ne fais pas l'étonné. Je ne suis pas aussi égoïste que tu sembles le penser.

Elle se lova contre lui et ajouta :

— Avec toi, je me sens rassurée, en sécurité. Je sais que je peux compter sur toi.

— A te voir, on ne croirait pas que tu aies besoin de l'aide des autres.

— C'est souvent moi qui joue les meneuses, je te l'accorde, mais j'apprécie aussi de pouvoir me reposer sur les épaules d'un homme.

Elle releva la tête et croisa son regard.

— Et il me plaît que cet homme, ce soit précisément toi.

— Je serai toujours là pour toi, déclara-t-il dans un souffle.

Elle lui adressa un sourire mélancolique. Ce n'était pas une déclaration d'amour enflammée, mais une promesse sincère, qui venait du cœur, et elle comprit que pour l'instant c'était tout ce qu'il était capable de lui donner.

JT se trouvait dans le salon d'hiver attenant à la cuisine. Il utilisait rarement cette pièce, avalant la plupart du temps un petit déjeuner éclair avant de filer au Titanium ou aux écuries. Mais, depuis que Violet avait emménagé chez lui, il s'y attardait plus souvent, et en appréciait tout le confort.

Ce matin, la table était des plus appétissantes : fruits frais, bacon frit, œufs brouillés, gaufres, il ne manquait rien. Pourtant, dès qu'il eut terminé de lire le dossier concernant son père, il fut incapable d'avaler quoi que ce soit.

— Ce n'est pas possible, marmonna-t-il en repoussant le document loin de lui.

— Peut-être que si, peut-être que non.

— Tu l'as lu en entier ?

— Oui, deux fois.

— C'est ridicule. Mon père a grandi en Californie. Il m'a parlé de ses parents et de son enfance à Los Angeles. Ce n'est pas un voyou de Las Vegas, ni un imposteur.

— J'ai réagi de la même façon quand Scarlett m'a remis le dossier. Je pensais que c'était impossible.

Un frisson lui parcourut le dos.

— Combien de personnes sont au courant, au juste ?

— A part Scarlett et moi, juste Harper, s'empressa-t-elle de dire. Elle était présente quand Scarlett m'a remis le dossier, mais ne t'inquiète pas, elle ne dira rien.

— Est-ce qu'il est vraiment nécessaire que tu racontes tout de ma vie à tes sœurs ?

Il vit que son reproche l'avait contrariée, mais lui-même l'était bien trop pour lui présenter des excuses. Déjà qu'il lui était difficile de partager ses secrets avec elle, si en plus il fallait que ses sœurs soient au courant de tout ! Les informations au sujet de son père pouvaient être très dévastatrices.

— Je t'assure qu'elles sont la discrétion même, assura-t-elle en piquant une gaufre avec une fourchette.

— C'est toi qui le dis, mais moi, je n'en sais rien.

Il se rendit compte que, s'il donnait l'impression de ne pas lui accorder sa confiance, des problèmes allaient inévitablement surgir entre eux. Mais il ne pouvait tout de même pas faire abstraction du ressentiment et de l'inquiétude qui s'étaient emparés de lui.

— Moi si.

Face à la conviction de son ton, il n'insista pas. Il était bien conscient que la source de son inconfort, ce n'était pas Violet et ses sœurs, mais cette incroyable histoire d'usurpation d'identité. Il refusait de croire son père capable d'un tel délit.

Car si celui-ci était non seulement cupide et ambitieux, mais aussi vil au-delà du concevable, des traces de cette ignominie ne coulaient-elles pas dans ses veines ?

D'ailleurs, n'avait-il pas causé le décès de sa propre mère ? Il n'avait cessé de faire les quatre cents coups, de la défier, de sorte qu'elle avait fini par succomber à une overdose. Evidemment, c'était elle qui avait choisi de prendre de la drogue, mais il était hanté par la question de sa responsabilité : l'avait-il bouleversée au point qu'elle avait fini par dépasser la dose ? Il était indéniable que, s'il était rentré directement de l'école, ce soir-là, elle aurait encore été en vie.

Il regarda les documents relatifs à George Barnes et Preston Rhodes. Que savait donc la journaliste de L.A. ?

— Quand avais-tu l'intention d'appeler cette Charity Rimes ? demanda-t-il.

— Je pensais que nous pourrions lui téléphoner

ensemble. Peut-être même aller jusqu'à Los Angeles pour la rencontrer.

Elle haussa les épaules et poursuivit :

— Mais, si tu préfères, nous pouvons aussi bien ne pas donner suite. Comme tu l'as dit, il est ridicule que ton père ait volé l'identité d'un autre en 1970.

— J'ai besoin d'un peu de temps pour réfléchir, marmonna-t-il alors.

Si son père était vraiment George Barnes, que ferait-il ? L'enverrait-il derrière les barreaux ou utiliserait-il l'information comme une arme de chantage, pour qu'il lui cède sa place à la tête de Stone Properties ? Aucune des deux solutions ne lui convenait ; il préférait battre son père de façon classique, c'est-à-dire en étant meilleur homme d'affaires que lui.

Violet mit la touche finale à son maquillage et se regarda dans le miroir de la salle de bains. Elle avait réussi à masquer les cernes que lui avait valu sa nuit sans sommeil ; en revanche, elle n'avait pas pu surmonter ses crampes à l'estomac.

Après le petit déjeuner, JT s'était rendu aux écuries où il avait passé la journée. Il lui avait été fort difficile de lui laisser l'espace vital dont il avait visiblement besoin alors que ses instincts la poussaient vers lui mais, au prix d'un gros effort, elle était restée à la maison, en priant pour qu'il lui pardonne de lui avoir remis un dossier si délicat. Car elle avait nettement perçu sa contrariété.

A 15 heures, elle avait découvert qu'il était parti pour le Titanium sans l'en informer. Il ne lui restait donc plus qu'à se ronger les sangs.

Au lieu de se rendre tout de suite à Fontaine Chic où mille décisions à prendre l'attendaient, elle fit un détour par l'hôtel de Scarlett, et trouva sa sœur au casino. Tant mieux, car elle avait besoin d'une oreille compatissante.

— J'avais raison de craindre la réaction de JT face aux suspicions de Tiberius concernant Preston, déclara Violet, tandis qu'elles se rendaient au bar à desserts, au deuxième étage. Et je ne peux pas non plus le blâmer de m'en vouloir.

— Tu n'as rien à te reprocher, lui rappela Scarlett.

— Pourtant, j'ai l'impression que si. Il était mécontent que toi et Harper soyez au courant : il redoute que vous ne répandiez la nouvelle, et il n'a pas paru me croire quand je lui ai assuré que vous n'en feriez rien. Ah, si seulement il pouvait me faire confiance !

— Je suis sûre que c'est le cas. Seulement, tu lui as annoncé une information affreuse et, même s'il a des relations très tendues avec Preston, celui-ci n'en demeure pas moins son père.

— C'est tout de même un peu fou d'avoir l'impression que tous les progrès que nous avions réalisés depuis le début ont été pulvérisés en un instant aujourd'hui, non ?

— Allons, Violet, je pense que tu t'inquiètes pour rien.

Scarlett passa son bras sous le sien et la conduisit devant une vitrine remplie de gâteaux tout plus appétissants les uns que les autres.

— Nous allons prendre deux parts de cette mousse au chocolat blanc sur son socle praliné, avec de la sauce au chocolat noir, déclara sa sœur à la serveuse derrière le comptoir.

Puis, devant le regard stupéfait de Violet, elle ajouta :

— Eh bien quoi ? Le chocolat est le meilleur remède contre les chagrins.

Elles s'installèrent près d'une fenêtre qui leur offrait une vue magnifique sur les jardins de l'hôtel, et on leur apporta sans délai leurs gâteaux ainsi que deux expressos.

— Je ne sais pas pourquoi j'ai été tellement prise de

court par la réaction de JT, déclara Violet en plongeant sa cuillère dans la mousse blanche. Il y a à peine deux semaines, nous n'étions que des connaissances et, aujourd'hui, je lui annonce que son père est peut-être un criminel.

— Tu es certaine que vous n'étiez pas depuis longtemps déjà attirés l'un par l'autre ? En tout cas, c'est l'impression que vous me donniez.

— OK, j'avoue que j'ai été captivée par lui dès la première fois que je l'ai vu.

— Et je parierais qu'il en va de même pour lui. D'ailleurs, je soupçonne que Tiberius l'avait enjoint de ne pas t'approcher.

— Non, je suis certaine que le sujet n'a jamais été évoqué entre eux.

— Bon, qu'avez-vous décidé ?

— JT va réfléchir pour savoir si nous devons prendre contact avec Charity Rimes.

— Et, à ton avis, est-ce qu'il va l'appeler ?

Violet secoua la tête.

— Selon moi, il souhaite agir au mieux, mais la notion de loyauté est primordiale pour lui : il ne veut pas avoir la sensation de trahir son père.

Elle savoura deux bouchées de mousse et poursuivit :

— Tu sais, il m'a semblé qu'il était aussi choqué par la nouvelle que par le fait que ce soit moi qui la lui aie annoncée.

— C'est compréhensible, rétorqua Scarlett. Ce n'est pas un homme qui affiche ses sentiments. A vous voir tous les deux, hier soir, il était pourtant évident que tu as capturé son cœur si bien gardé. Il a confiance en toi, c'est indiscutable, mais il n'arrive toujours pas à surmonter les traumatismes qu'il a subis dans son enfance. Plus il se sentira vulnérable, et plus sa réaction sera vive face à ce qui lui fait peur.

Scarlett se mordit alors la lèvre.

— Et je peux te dire, ma chérie, que tu le terrifies, ajouta-t-elle.

— Mais je ne veux pas l'effrayer. Tout ce que je désire, c'est son bonheur.

— Je sais, et lui aussi finira par le comprendre.

Et si cela n'arrivait pas ?

La réunion des actionnaires avait lieu dans un mois. S'il ne l'avait pas acceptée dans sa vie d'ici là, il demanderait probablement le divorce dont ils étaient convenus au départ. Ce qui serait vraiment regrettable. Il avait besoin d'elle, tout comme elle de lui. Elle lui rappelait qu'il savait encore rire ; de son côté, elle appréciait son âme romantique. Et puis, il lui avait fait l'amour avec une fièvre qu'elle n'avait connue dans les bras d'aucun autre homme. Avec lui, elle n'était pas simplement une partenaire, elle était une star.

Regonflée par les paroles de Scarlett et une bonne dose de sucre, elle continua sa journée le cœur plutôt léger. Il n'était pas dans sa nature de s'inquiéter pour ce qui n'était pas encore arrivé.

A 17 heures, son téléphone sonna, et pour son plus grand bonheur elle vit le nom de JT s'afficher sur l'écran. Elle s'empressa de répondre, en priant pour que sa voix ne trahisse pas son émotion.

— Bonjour, mon petit mari, dit-elle d'un ton engageant.

— Bonjour, ma petite femme, répondit-il. J'appelle pour te présenter mes excuses.

Elle s'appuya contre le pilier le plus proche et ferma les yeux, pour se remettre.

— C'est inutile.

— Comme toujours, tu es patiente et compréhensive, mais je tiens vraiment à te dire que je regrette ma réaction, ce matin.

— Quels sont tes projets ?

— Room service dans ta suite. Dans un quart d'heure ?

— Parfait.

Après cette communication, elle appela son assistante pour lui demander de reprogrammer les rendez-vous prévus durant les trois heures suivantes. Puis elle se dirigea d'un bon pas vers l'ascenseur en vue de regagner sa suite.

Elle commanda alors un dîner pour deux, à livrer une heure plus tard. Puis elle se parfuma partout où JT aimait l'explorer et, un sourire aux lèvres, l'attendit sagement dans une nuisette qui recouvrait le minimum.

Deux secondes après avoir refermé la porte derrière lui, JT l'enlaça et l'entraîna directement dans sa chambre. Une demi-heure plus tard, elle se trouvait juchée sur lui, la respiration bruyante, se délectant encore de l'orgasme qu'elle venait de vivre.

— Je pourrais vite m'habituer à cette vie, déclara-t-il en lui prenant le visage entre les mains pour lui donner un long baiser sensuel.

— Avec moi sur toi ? demanda-t-elle d'un air malicieux.

— Avec toi, point.

Elle sentit son cœur fléchir. C'était la première fois qu'il évoquait un avenir. Elle se mordit la lèvre tout en sentant le torse de JT se soulever et s'affaisser sous elle de façon irrégulière.

— Rien ne t'en empêche, murmura-t-elle.

— C'est une question dont nous devrons débattre, trancha-t-il.

A cet instant, la sonnette résonna. JT enfila rapidement un pantalon et alla ouvrir au serveur. Elle revêtit alors un peignoir et brossa ses cheveux décoiffés. Lorsqu'elle pénétra dans le salon, la table était mise pour un dîner intime et rien ne manquait : bougies, cristal, porcelaine…

— Cela sent rudement bon, commenta JT en tirant une chaise pour qu'elle s'assoie.

Elle souleva les cloches en argent et les mit de côté.

— De la viande récemment primée, accompagnée d'asperges saupoudrées de parmesan vieilli et de pommes de terre rissolées dans du beurre noir, annonça-t-elle avec une solennité feinte.

— Et ça, qu'est-ce que c'est ? demanda-t-il en désignant trois petits bols.

— Une sauce au vin, une béarnaise, et une autre aux truffes que je n'ai pas encore goûtée.

— Tout cela m'a l'air délicieux.

— Tu mérites le meilleur, décréta-t-elle. Et en dessert…

— Tu es le seul dessert dont j'ai besoin.

— Des fruits rouges à la crème anglaise, parvint-elle à articuler au prix d'un gros effort.

Quelques instants plus tard, elle le regardait savourer sa première bouchée de viande.

— Délicieux ! décréta-t-il en détachant chaque syllabe. Nous n'avons rien de comparable au Titanium.

Il était de si belle humeur qu'elle n'avait nulle envie de gâcher l'atmosphère en lui posant la question qui l'avait tourmentée toute la journée : que comptait-il faire des informations que Tiberius avait déterrées sur George Barnes ?

— J'ai eu de la chance qu'un chef aussi réputé que Baron ait accepté d'ouvrir son troisième restaurant chez nous, déclara-t-elle, ravalant sa curiosité.

— Cela n'a rien à voir avec la chance, rétorqua JT. Tu possèdes d'indéniables talents de persuasion.

Le compliment la réchauffa bien plus efficacement qu'un soleil de juillet sur le Strip.

— Quand je sais ce que je veux, je me bats pour l'obtenir, dit-elle.

— Je m'en suis rendu compte.

Un petit sourire en coin éclaira son visage.

— En réalité, je suis surpris que tu ne m'aies pas encore demandé quelles étaient mes intentions concernant Charity Rimes, car j'imagine que tu brûles d'envie de savoir.

— Je mentirais en affirmant que c'est le cadet de mes soucis, avoua-t-elle, tout en choisissant ses mots avec prudence. Mais j'ai bien conscience du choix cornélien auquel tu dois faire face.

— Si tu avais découvert que Tiberius avait commis une action abominable, comment aurais-tu réagi ?

C'était de bonne guerre et pourtant elle était incapable de se représenter une telle situation, car elle avait toujours eu la plus grande foi en l'honnêteté de Tiberius.

— S'il avait été un imposteur, je l'aurais sans aucun doute dénoncé, commença-t-elle en lui étreignant la main. Mais je crois que je ne me serais jamais pardonné ma déloyauté.

JT porta sa main à ses lèvres et lui embrassa la paume.

— Après le dîner, nous appellerons Charity Rimes, décréta-t-il.

— Entendu, dit-elle, rassérénée qu'il suive ses conseils. Heureusement que j'ai commandé un dessert léger, car il y a longtemps que je n'ai pas autant mangé.

— Tout est si délectable qu'il est difficile d'être raisonnable, enchaîna-t-il.

Après le dessert, JT l'entraîna sur le canapé, passa un bras autour de ses épaules et se mit à jouer distraitement avec la ceinture de son peignoir. Elle attendit qu'il relance le sujet de Charity Rimes.

— Est-ce que tu penses que mon père mérite la prison ? questionna-t-il tout à trac.

— S'il a volé l'identité d'un autre, oui.

JT ferma les yeux et la tristesse envahit ses traits. Elle sentit alors son cœur se serrer : elle aurait tant aimé la faire disparaître comme par magie. Mais JT était le seul à pouvoir surmonter ses sentiments ambivalents.

— Appelons cette journaliste, décréta-t-il tout d'un coup d'une voix dure et déterminée.

Quittant à regret la chaleur de ses bras, elle se saisit de son portable et chercha le numéro de Charity qu'elle avait enregistré. Elle appuya dessus et mit le haut-parleur afin que tous deux puissent suivre la communication.

— Oui ? répondit une voix masculine.

Violet et JT échangèrent un regard étonné.

— Bonjour, je cherche à joindre Charity Rimes, dit-elle.

— Vous êtes une amie ?

La question l'alarma légèrement.

— Pas exactement. Je suis Violet Fontaine et elle s'est entretenue il y a quelques mois avec mon beau-père au sujet d'un livre qu'elle était en train d'écrire. J'aimerais savoir ce qu'ils se sont dit.

— Interrogez votre beau-père.

— Il est mort.

Un silence s'ensuivit.

— Mes condoléances, reprit leur interlocuteur d'un ton sobre. Ecoutez, je suis désolé, mais Charity ne peut pas vous parler. Elle a eu dernièrement un accident de voiture, et souffre de côtes cassées et d'une blessure à la tête.

JT fronça les sourcils et se mit à faire les cent pas, tendu. Il devait être terriblement déçu…

— Dites-lui que j'espère qu'elle se remettra au plus vite. J'essaierai peut-être de la rappeler à une date ultérieure.

— Donnez-moi votre numéro. Elle pourra vous téléphoner, si vous voulez.

— C'est très gentil.

Elle donna deux numéros, son portable et son fixe, puis raccrocha.

— C'est tout de même incroyable ! s'exclama-t-elle, aspirant une large bouffée d'air.

— Il faut croire que le destin est contre moi, commenta JT d'un ton frustré.

— Il nous reste encore trois semaines jusqu'au conseil d'administration et ton cousin Phil a promis de nous donner son vote.

— Ce qui porte nos parts à 49,5 %. Mon père va gagner.

Sur ces mots, il se dirigea vers la chambre pour se rhabiller et poursuivit :

— Il est préférable que je retourne au Titanium. Il y a encore une parente que je peux appeler. J'hésitais à le faire en raison de la contrepartie qu'elle va sans doute exiger, mais au fond cela en vaut peut-être la peine.

Elle voyait bien qu'il ne parvenait pas à se remettre de la déception liée à leur coup de téléphone.

— Entendu, dit-elle. On se retrouve à la maison.

Quelques minutes plus tard, elle se dirigeait elle-même vers son bureau pour reprendre le fil de ses rendez-vous interrompus. Elle s'efforça de se concentrer sur son travail. Les problèmes de JT finiraient bien par se résoudre d'une façon ou d'une autre. Tout ce qu'il devait faire, c'était avoir foi en sa capacité à prendre les bonnes décisions en temps opportun.

Et elle ? Quel rôle jouerait-elle exactement ? Accepterait-il qu'elle soit à ses côtés ?

En tout état de cause, elle ne devrait pas s'effondrer, s'il la laissait sur le bas-côté.

9

— Il se penche en avant, il faut que tu tires sa bride, déclara JT. Fais-le trotter dans un cercle étroit.

La jeune cavalière obtempéra et il hocha la tête.

— Est-ce que tu sens qu'il est dans une position équilibrée ?

Le large sourire qu'elle lui adressa alors apporta la réponse qu'il attendait.

Il continua à suivre les progrès de son élève dans le manège, sans parvenir à lui prêter toute son attention. Il pensait notamment à la réunion des actionnaires qui aurait lieu dans une semaine, mais aussi à sa relation avec Violet, et à la façon dont elle allait évoluer.

Il était tellement aisé de baisser la garde en sa compagnie : elle était si peu calculatrice et tellement positive. Elle versait du baume sur son âme troublée.

Elle semblait par ailleurs comprendre, sans pour autant apprécier, qu'il possède des secrets qu'il ne souhaitait pas partager. Evidemment, c'était injuste car elle lui donnait tant. Aussi finirait-elle sans doute par se lasser et le quitter.

Il avait envie de lui demander de prolonger leur mariage au-delà du conseil d'administration ; seulement, il ne savait comment s'y prendre. Il était si heureux avec elle. Mais elle, l'était-elle ? Ne tirait-il pas avantage d'elle, alors qu'il lui offrait si peu en retour ?

Ces questions le tourmentèrent tout le reste de l'après-midi. Il s'efforça de réfléchir en toute objectivité à leur mariage et, après avoir pesé le pour et le contre, il se rendit compte que ce à quoi il aspirait vraiment, c'était le bonheur, et que celui-ci passait par Violet.

Ce soir-là, alors qu'il attendait son habituelle apparition au Baccarat, il prit conscience d'une réalité bien troublante : il était en train de tomber amoureux de sa femme.

— Bonsoir, mon petit mari, susurra Violet en se glissant près de lui sur le canapé. Qu'est-ce que Rick a concocté pour toi, ce soir ?

Il jaugea alors le verre à moitié vide qu'il tenait à la main, et constata qu'il n'avait pas du tout enregistré le goût de ce qu'il avait bu.

— Je l'ignore, déclara-t-il, en toute sincérité.

— Donne-moi ton verre, dit-elle en le lui prenant d'autorité.

Elle en avala une petite gorgée et enchaîna :

— « Magnifique Ignorance ». Un mélange de gin, de sirop de raisin, blanc d'œuf, jus de citron, eau de rose et balsamique. Un de mes préférés.

Il cligna des yeux, surpris par sa mémoire si précise, et bouleversé par la façon qu'elle avait eue de se lécher les lèvres et de lui sourire. Tout en elle attisait son désir : dire qu'elle le fascinait était un euphémisme.

— Une cliente du Kentucky aimerait que je lui donne mon opinion sur un étalon qu'elle souhaite acquérir, déclara-t-il tout à trac. J'ai pensé que je pourrais faire un saut là-bas et en profiter pour rendre une visite éclair à la partie de ma famille qui habite à Louisville. Tu m'accompagnes ?

Un petit dépaysement leur ferait à tous deux le plus grand bien, et il serait ravi de lui montrer l'endroit où il avait passé les plus beaux moments de son enfance.

— Avec plaisir, renchérit-elle sans hésiter. Quand pars-tu ?

— Demain.

— Très bien, je vais modifier mon agenda en conséquence, déclara-t-elle aussitôt. La perspective a l'air de t'enchanter, je ne t'ai jamais vu aussi heureux.

— Jamais ? répéta-t-il d'un ton rêveur en lui caressant la joue, un sourire de convoitise aux lèvres. Dans ces conditions, sois un peu plus attentive, ce soir.

— Je n'y manquerai pas, répondit-elle d'un air malicieux.

Et le lendemain, ils embarquaient pour le Kentucky, à bord du jet privé que sa cliente avait mis à leur disposition.

— Merci, dit Violet à l'intention de l'hôtesse qui venait de lui offrir une fleur de mimosa, avant de se tourner vers lui : Qui est cette cliente si prestigieuse ?

— Un membre de la famille royale de Dubaï. Une princesse éprise d'équitation.

— Je ne savais pas que tu côtoyais le gratin.

— Nous nous sommes rencontrés à Miami, elle connaissait la réputation de ma grand-mère et nous avons sympathisé. Elle souhaite avoir mon avis sur une transaction à six chiffres, concernant un cheval.

— Waouh ! Je suis impressionnée.

— C'était le but du jeu, s'esclaffa-t-il.

A l'aéroport, Samantha, sa cousine, les attendait. Elle s'élança dans ses bras et l'enlaça tendrement. Elle était grande et mince, avait les cheveux blond foncé et un rire contagieux. Une femme débordante d'énergie.

— Je suis si heureuse de te revoir, lui dit-elle avant de se tourner vers Violet et d'ajouter : Je suis Samantha.

— Et moi, Violet. JT m'a beaucoup parlé de vous, je suis ravie de vous rencontrer.

— Même chose, répondit-elle en l'entraînant vers son SUV.

JT leur emboîta le pas. Il était à peine arrivé que déjà il se sentait l'âme toute légère.

— Comment vont les affaires ? demanda-t-il à sa cousine.

— Merveilleusement bien. Dancing Diva vient d'avoir un poulain et maman est convaincue que c'est le meilleur que nous ayons produit depuis dix ans.

— Ce qui n'est pas peu dire !

Trois champions nationaux avaient en effet vu le jour à Briton Green, la ferme de sa cousine.

— J'ai hâte de l'admirer, ajouta-t-il.

Et ils continuèrent à discuter à bâtons rompus de poulains et d'étalons.

Une fois à la ferme, ils retrouvèrent Phyllis, la mère de Samantha. La grand-mère de JT et d'Adèle, la mère de Phyllis, étaient sœurs. Quand cette première s'était mariée avant de partir vivre à Miami, sa sœur avait alors repris la ferme. La famille avait possédé des parts de Stone Properties que Tiberius leur avait rachetées, quelques mois plus tôt.

Il embrassa sa tante, puis lui présenta Violet.

— Samantha m'a dit qu'un futur étalon venait de naître.

— Tout à fait, renchérit Phyllis avec enthousiasme, et elle meurt d'envie de te le montrer. Le déjeuner sera servi dans une demi-heure. Voulez-vous boire quelque chose en attendant ?

Violet accepta un verre de thé glacé et s'assit sur une chaise en soie damassée. La maison avait été construite dans les années 1850 et contenait encore ses meubles d'origine. Quel contraste avec l'hôtel qu'elle possédait ! Elle semblait impressionnée par le souffle de l'histoire qui se dégageait de l'endroit.

— J'ai vu que vous portiez la bague de ma tante, observa Phyllis, d'un ton amical. Quand JT nous a dit qu'il viendrait nous voir avec sa femme, nous étions tous très excités à l'idée de faire votre connaissance.

Elle était trop bien élevée pour demander des explications au sujet de ce mariage éclair, mais il voyait de la curiosité pétiller dans ses yeux.

— Je me réjouis moi aussi de vous rencontrer, renchérit Violet. Je sais que JT a passé beaucoup de temps ici, enfant.

— Tout à fait. Et vous, où avez-vous grandi ?

— A Las Vegas, où je vis encore.

— Qu'y faites-vous ?

— Je gère un hôtel-casino sur le Strip. Le Fontaine Chic. Mon grand-père est le P-DG de Fontaine Resorts and Hotels.

Phyllis était visiblement surprise de son choix, sachant que, jusque-là, il avait préféré les femmes sans grande substance, afin de ne pas s'attacher. Or Violet n'avait rien à voir avec celles qui l'avaient précédée… Et il était fou d'elle.

— Vous devez être très occupée, renchérit Phyllis. Tout comme JT.

— Il est vrai qu'entre le Titanium et son ranch, il a beaucoup à faire, reconnut Violet en posant la main sur la sienne. Il y a des jours où l'on ne fait que se croiser.

— Il doit pourtant savoir qu'il ne faut en aucun cas négliger sa femme, décréta alors Phyllis d'une voix dure.

Tout le monde comprit à quoi elle faisait allusion. Un ange passa et Violet reprit la parole :

— Par chance, nous avons un travail similaire.

Phyllis lui lança un regard plein d'empathie, puis elle changea de sujet.

Après le déjeuner, Samantha leur fit visiter les écuries.

*
* *

Au bout d'un moment, Violet finit par perdre le fil de la généalogie chevaline, mais elle était complètement sous le charme. Non seulement Briton Green était un haras, mais c'était aussi un centre équestre.

— Est-ce que tu montes ? lui demanda Samantha.

— J'apprends, dit-elle. JT me donne des leçons.

— Et je dois dire qu'elle est douée, pour une débutante, commenta-t-il.

— Et si nous faisions une promenade à cheval ?

Il regarda sa montre.

— Désolé, Samantha, mais j'ai un rendez-vous à 16 heures.

— Et toi, Violet ? s'enquit-elle alors.

— Je peux parfaitement m'y rendre seul, renchérit-il alors.

Elle aurait certes aimé découvrir le reste de la ferme à dos de cheval, mais elle était avant tout venue pour passer du temps avec JT.

— Reportons la promenade à demain, avant notre départ, suggéra-t-elle.

L'affaire étant tranchée, JT et Violet quittèrent Briton Green.

— Je comprends pourquoi tu as les chevaux dans le sang, lui dit-elle tandis qu'ils parcouraient la campagne au volant du SUV qu'ils avaient emprunté à Samantha. Leur présence est rassurante.

— Tout à fait. Et puis, ils nous ancrent dans le présent.

— Ça, c'est sans doute nécessaire à l'équilibre.

— Que veux-tu dire au juste ?

— Eh bien, je crois que je pense trop à l'avenir en ce moment. A notre avenir.

— Moi aussi, j'y pense. Le conseil d'administration

aura lieu dans une semaine et je n'oublie pas que nous sommes convenus de nous séparer, après.

Violet retint son souffle puis, priant pour qu'il ne l'a repousse pas, déclara d'un trait :

— Je ne veux plus divorcer.

A cet instant, il détourna les yeux de la route et lui lança un regard éperdu.

— Moi non plus, répondit-il. Tu es le meilleur cadeau que la vie m'ait fait.

— Toi aussi, murmura-t-elle.

Et elle se rendit enfin compte que, si elle n'avait pas déjà été amoureuse de JT, elle ne lui aurait pas proposé ce mariage blanc.

— Tu es bien certaine que tu sais ce qui t'attend avec moi ? demanda JT en mêlant ses doigts aux siens. Je ne suis pas très facile à vivre.

— Je sais.

Peut-être ne lui livrerait-il jamais tous ses mystères, mais elle saurait s'en accommoder.

Après s'être admis le désir mutuel qui habitait leur cœur, ils demeurèrent silencieux durant le reste du trajet. Elle s'était absorbée dans la contemplation du paysage qui défilait derrière la vitre, et priait pour que les battements de son cœur reviennent bien vite à la normale.

JT voulait rester son mari, il la rendait heureuse, c'était très grisant et, pourtant, elle n'était pas une incorrigible romantique. Elle n'était pas dupe des difficultés qui les attendaient : elle devrait notamment gagner toute sa confiance.

En attendant, cette conversation semblait avoir détendu l'atmosphère entre eux, et JT ne cessait de lui adresser des sourires engageants.

Le soir, quand ils se retrouvèrent sous la couette

dans la chambre d'amis de Briton Green, elle poussa un soupir de satisfaction.

— J'aimerais vraiment revenir ici et rester un peu plus longtemps, déclara-t-elle. Ta famille est charmante, et l'endroit magnifique.

— Tu as conquis Samantha et Phyllis ; elles seront ravies de nous accueillir de nouveau.

— Tu as de la chance de les avoir, dit-elle en pensant à sa famille si restreinte. Moi, avant que Scarlett et Harper n'entrent dans ma vie, je n'avais que ma mère et Tiberius.

— Je comprends que tu n'aies pas eu de lien avec les Fontaine, mais qu'en est-il de la famille de ta mère ?

— Elle a coupé les ponts avec les siens quand elle s'est installée à Las Vegas et, chaque fois que j'ai voulu la questionner à leur sujet, j'ai bien vu que cela la bouleversait. Alors j'ai cessé de l'interroger.

Elle soupçonnait que sa mère avait fui une maison où elle avait été malheureuse.

— Je suis désolée que tu aies grandi ainsi.

— En réalité, l'absence de famille ne m'a manqué que lorsque je suis allée au mariage d'une amie, après mes études, et que je me suis rendu compte que, parmi la centaine d'invités, j'étais presque la seule à ne pas faire partie de la famille !

— Est-ce que cela t'ennuie que ta mère et tes sœurs n'aient pas assisté à notre mariage ?

— Un peu. Mais ce qui me tourmente vraiment, c'est que Tiberius n'ait pas pu me donner sa bénédiction.

— Après le conseil d'administration, nous pourrons inviter nos amis et notre famille pour une seconde cérémonie.

— Tu crois ? demanda-t-elle d'un ton détaché, alors qu'en réalité elle était complètement excitée par sa suggestion.

— Oui, nous repartirons de zéro, dit-il en lui baisant le front. Un vrai mariage mérite de vraies noces, tu ne crois pas ?

Elle inclina la tête pour le jauger, et le tendre sourire qu'il lui adressa alors lui donna un petit coup au cœur.

— Excellente idée !

10

JT était en train de vérifier une commande assez onéreuse lorsque son assistante l'appela sur l'Interphone.

— M. Rhodes est en ligne, annonça-t-elle.

La réunion des actionnaires avait lieu dans trois jours et il lui manquait encore les votes nécessaires pour chasser son père de son fauteuil de P-DG. Ce dernier l'appelait-il pour jubiler ?

— Bonjour, papa.

— Tu n'espérais quand même pas me battre, fils ? Je te rappelle que j'ai eu affaire à des joueurs bien plus doués que toi, déclara Preston sans préambule.

— Sans aucun doute.

— Tu ne seras donc pas surpris d'apprendre que je suis en pleines négociations pour revendre le Titanium.

— Non, cela ne m'étonne pas, répondit-il du ton le plus naturel possible.

Il savait parfaitement que défier son père lui vaudrait des représailles : soit il évinçait Preston, soit c'était lui qui partait. Cette dernière perspective ne l'effrayait guère. Avant que Violet n'hérite des actions de Tiberius, il s'était en effet préparé moralement à renoncer au sauvetage de Stone Properties.

— Je suis certain que nous te trouverons sans peine un autre hôtel à gérer, déclara Preston. Il me semble que le manager général du Platinum Macao va prendre sa retraite, cette année.

JT préféra ne pas réagir à la raillerie de son père.

— Ne t'inquiète pas pour moi, je ne suis pas à court d'opportunités.

— Il est vrai que ta femme pourra te trouver du travail chez Fontaine Resorts and Hotels.

— Oui, nous en avons déjà discuté, mentit-il.

Pourquoi son père cherchait-il à le faire sortir de ses gonds ?

— Fontaine envisage de racheter le Lucky Heart et de le restaurer, poursuivit-il. Ils ont besoin d'une personne pour superviser le projet.

Un mensonge de plus, car il ignorait ce qu'il adviendrait du Lucky Heart maintenant que Tiberius était mort, mais cela donnerait du grain à moudre à Preston.

— On peut dire que tu as eu de la chance d'épouser une héritière.

— Tu as encore des choses à me dire ? demanda-t-il alors d'un ton dégagé en regardant sa montre, car son rendez-vous avec Violet approchait.

Tous deux appréciaient de plus en plus les dîners romantiques dans sa suite.

— Non, c'est tout ! Rendez-vous à Miami dans trois jours.

— J'ai hâte d'y être ! répondit JT.

Et il raccrocha sans dire au revoir, peu certain toutefois que son père en ait été déstabilisé.

Il signa le bon de commande qu'il avait vérifié et sortit de son bureau. Il décida de passer par le casino pour regagner la sortie. Même s'il aimait ce lieu et qu'il était fier des transformations qu'il lui avait apportées, il avait toujours su que son temps ici serait limité. En tant que P-DG, c'était son père qui menait la barque. Soit il continuerait à travailler pour Stone Properties et obéirait à Preston, soit il volerait de ses propres ailes. Cette dernière option aurait été plus enrichissante au sens propre comme au figuré, mais, au nom de son grand-père, il lui coûtait de renoncer définitivement à Stone Properties. La loyauté faisait profondément partie de sa personnalité.

Même à 21 heures, l'air était encore très chaud sur le Strip, et lourd des pots d'échappement et de la sueur des milliers de gens qui y circulaient, constata-t-il une fois à l'extérieur. Décidément, il avait envie de quitter Las Vegas et, comme il avait réalisé de nombreux investissements immobiliers en Californie, en Arizona et aux Caraïbes, il serait amené à beaucoup voyager, ce qui tombait bien.

Toutefois... quelles répercussions son nouveau mode de vie aurait-il sur son couple ? Peut-être avait-il manqué de discernement en acceptant de rester marié. L'optimisme de Violet avait-il finalement altéré ses facultés de jugement ? Ils devraient évoquer toutes ces questions ce soir et les éventuels changements que ses décisions allaient apporter dans leur vie.

Violet lui envoya un texto alors qu'il entrait dans la suite, pour le prévenir qu'elle aurait un quart d'heure de retard et que le dîner qu'elle avait commandé arriverait avant elle. Il vit alors que la table à manger était recouverte des dossiers que Tiberius avait établis sur sa famille et qu'ils avaient encore consultés la veille au soir. Ç'avait vraiment été une perte de temps, car il faudrait à présent un miracle pour qu'ils parviennent à renverser la vapeur en leur faveur.

Evidemment, il y avait la possibilité que son père soit en réalité Georges Barnes, c'est-à-dire un dangereux imposteur, selon la théorie de Scarlett.

Etait-il naïf d'avoir cherché à l'écarter jusque-là sans approfondir cette éventualité ? S'il regardait la vérité en face, Preston avait manipulé son beau-père pour qu'il se retourne contre son propre fils. Il avait exercé une influence psychologique malsaine sur sa femme, jusqu'à ce qu'elle s'en remette aux drogues et à l'alcool et meure d'une overdose. Enfin, il avait forcé par le chantage un actionnaire de Stone Properties à lui apporter son soutien lors du prochain vote.

N'était-il pas temps de sonner l'alarme ? Et qui mieux que lui, son fils, aurait pu le faire, lui qui était la prochaine victime sur la liste de Preston ?

Peu désireux de commencer cette soirée en évoquant son père, il rassembla rapidement les dossiers éparpillés sur la table et les porta dans le bureau de Violet. Alors qu'il allait en sortir, un fichier posé à l'écart attira son attention.

Il se figea en lisant son propre nom écrit de la main de Tiberius.

Violet était en possession d'un dossier sur lui !

Si Tiberius avait mené l'enquête sur le passé de Preston, n'était-il pas logique qu'il l'ait inclus dans ses investigations ? Et, comme il avait remis ces pièces à Scarlett, cette dernière avait logiquement donné à Violet celles qui le concernaient.

L'estomac noué, il ouvrit la chemise.

Le premier document correspondait au rapport de police sur le décès de sa mère : il concluait à une overdose accidentelle, mais là, noir sur blanc, figurait son secret le plus sombre.

Depuis combien de temps au juste Violet feignait-elle d'ignorer ce qu'il avait fait ? L'avait-elle pris pour un imbécile dès le début, en affirmant que le plus important était qu'il s'ouvre à elle, alors qu'elle était parfaitement au courant de la vérité déchirante de son enfance ? Il sentit une affreuse colère monter en lui à l'idée de cette trahison.

Au-dessous se trouvait la copie d'un rapport psychiatrique sur sa personne, établi lorsqu'il s'était retrouvé à l'hôpital pour de graves commotions et des côtes cassées après qu'il avait voulu sauter à vélo par-dessus la décapotable jaune de son père. Il avait tenté cet exploit dangereux, voire suicidaire, un mois après la disparition de sa mère. Le médecin avait alors diagnostiqué une dépression liée au deuil, et lui avait prescrit un traitement. Mais aucun médicament n'avait été en mesure d'effacer son sentiment de culpabilité.

Un coup frappé à la porte le ramena à la réalité. Pendant de longues minutes, il avait eu de nouveau douze ans et entendu la nouvelle de la mort de sa mère. Tout étourdi, il s'écarta du bureau de Violet et de ses terribles souvenirs d'enfance.

Son cœur cognait comme un fou tandis qu'il secouait la tête pour se remettre les idées en place. On frappa de nouveau à la porte, et il hâta le pas pour aller ouvrir au serveur. L'odeur de la nourriture lui soulevant le cœur, il attendit dans le couloir que l'homme en uniforme dispose le dîner sur la table. De manière automatique, il signa le reçu de leur dîner et s'apprêtait à refermer la porte lorsque Violet surgit de l'ascenseur.

— Mmm, ça sent rudement bon, dit-elle d'un ton enjoué, en se hissant sur la pointe des pieds pour l'embrasser sur la bouche.

Mains sur les hanches, il ne lui rendit pas son baiser. Elle s'écarta alors de lui et fronça les sourcils, tout en l'observant attentivement.

— Qu'est-ce qui t'arrive ?

— Tu as un dossier sur moi.

La culpabilité traversa aussitôt son adorable visage et il lui sembla qu'on lui enfonçait un couteau dans le cœur.

— Tiberius en détenait un sur nous tous.

— Tu m'as menti pendant tout ce temps, déclara-t-il

alors avec une note de tristesse qui l'emportait sur la colère.

— Non, c'est faux.

— Tu savais tout de moi et tu as prétendu tout ignorer.

— C'est Scarlett qui m'a donné ce fichier, expliqua Violet, mais je ne l'ai pas ouvert. Le seul tort que j'ai eu, c'est de ne pas te l'avoir remis dès qu'il a été en ma possession.

— Tu espères vraiment que je vais avaler ça ? Tu t'es certainement précipitée dessus pour assouvir ta curiosité.

— Si ç'avait été le cas, pourquoi aurais-je insisté pour que tu me racontes ton passé ?

— Pour me faire croire que tu étais la femme parfaite ! Toute ma vie est dans ce dossier. Le rapport du psychologue explique clairement qu'avant la mort de ma mère j'étais désespérément en quête de son amour ; or, quand j'ai compris qu'elle me préférait mon père, cela m'a révolté et j'ai alors commencé à mal me comporter. Plus je serais mauvais, et plus mon entourage aurait des raisons de me détester, tel était mon calcul et ce qui a motivé ma conduite bien longtemps après son décès. Et toi, tu es venue te greffer au tableau, sachant que ce que je désirais le plus, à savoir l'amour, était aussi ce qui m'effrayait par-dessus tout. Et bien sûr, connaissant ma vulnérabilité, tu as tout fait pour que je te fasse confiance.

Violet paraissait dévastée.

— Tu ne me connais absolument pas si tu crois que je suis capable de te manipuler.

— Ah bon ? N'est-ce pas toi qui as proposé que nous nous mariions ? Et puis qui a affirmé que mon père allait nous intenter un procès si nous ne consommions pas ce mariage ?

— Je t'ai épousé pour t'aider, déclara-t-elle d'une voix subitement furieuse.

— Faux ! C'est toi que cette alliance arrangeait.

Il aurait aimé la croire, mais c'était au-dessus de ses forces.

— J'ai eu une discussion avec mon père, ce soir, poursuivit-il, et il m'a annoncé qu'il allait vendre le Titanium. Je vais donc être amené à quitter Las Vegas pour des raisons professionnelles.

Il ne comptait pas l'en informer de façon si brutale, mais, étant donné ses ultimes découvertes, il ne parvenait pas à se raisonner.

— Pour combien de temps ? demanda-t-elle, tendue.

— Tu ne m'as pas bien entendu : je quitte définitivement la ville, je vends mon ranch et je vais m'installer ailleurs.

Violet tressaillit comme s'il venait de la frapper.

— Et tu as pris cette décision sans m'en parler ?

— A quoi bon ? Selon notre accord original, nous divorcerons après la réunion annuelle des actionnaires.

— Et ne peut-on pas en discuter ?

— Inutile. Ta vie et ta carrière sont à Las Vegas. Pour ma part, je n'ai aucune raison d'y demeurer.

— Tu n'as donc pas encore compris ? demanda-t-elle d'une voix douce où résonnait de la compassion.

Son cœur l'élança alors terriblement.

— Compris quoi ? répliqua-t-il d'un ton froid.

— Que je t'aime.

Violet plongea ses yeux dans ceux de JT.

— Je suis désolé pour toi, dit-il d'une voix basse et monocorde.

— Je n'en doute pas, murmura-t-elle.

Il venait de lui briser le cœur, bien sûr, mais elle ne s'avouait pas vaincue. Le masque d'indifférence qu'il affectait ne fonctionnait plus avec elle. Par ailleurs, elle savait qu'il préférait mille fois être l'homme le plus haï de la planète que d'afficher sa vulnérabilité.

Elle n'ignorait pas non plus que, mû par le chagrin et la déception, il allait se refermer sur lui-même.

— Je ne vais pas rester dîner, déclara-t-il.

— Avant de partir, attends une minute…

Et elle se rendit dans son bureau pour y prendre le maudit dossier. Etait-il possible qu'il ait aboli toute chance de bonheur entre eux ? Elle n'arrivait pas à le croire. Quelques instants après, elle le lui tendait.

— Cela te revient, dit-elle.

Il parut sur le point de laisser de nouveau éclater sa colère, mais se saisit finalement de la chemise sans rien dire.

— Si tu as besoin de quoi que ce soit, appelle-moi, ajouta-t-elle alors qu'il ouvrait la porte.

Il s'immobilisa comme si elle venait de l'injurier.

— Au revoir, Violet, lança-t-il avec froideur.

Et il disparut.

Une fois la porte refermée, elle s'y adossa et éclata en sanglots, avant de se laisser glisser à terre et de refermer les bras autour de ses genoux. Elle était toute tremblante, pouvait à peine respirer. Il fallait que l'orage passe… Quand elle se sentit suffisamment calme pour se relever, une bonne demi-heure s'était écoulée.

D'un pas hésitant, elle se rendit dans le salon et s'écroula sur le canapé. Incapable de supporter le silence, elle se saisit de son portable et envoya des messages à ses sœurs.

J'ai tout gâché. Je suis dans ma suite, j'aurais besoin de réconfort.

Harper lui répondit la première.

J'apporte du vin.

156

Puis ce fut le tour de Scarlett.

Je prends du chocolat.

Un triste sourire tremblant aux lèvres, elle essuya les larmes sur ses joues. Ce qu'elle avait de la chance d'avoir deux sœurs aussi merveilleuses, qui laissaient tout tomber séance tenante pour venir la consoler. Quinze minutes plus tard, calme en apparence, elle alla ouvrir à Harper.

— Par laquelle commençons-nous ? demanda celle-ci en brandissant deux bouteilles de vin, l'une de rouge et l'autre de blanc.

— Du vin rouge, décréta Violet sans hésitation.

— Pourquoi personne n'a-t-il touché à ce dîner ? demanda Harper en sourcillant, tandis qu'elles se rendaient dans la cuisine en quête d'un tire-bouchon et de verres.

— JT et moi avons rompu avant d'avoir le temps de dîner.

— Comment ? s'écria Scarlett qui venait d'arriver. Mais vous formiez un couple si bien assorti.

Au moment où elle pénétra dans la cuisine, Harper lui lança un regard déconfit.

— Mais qu'est-ce que tu fais dans cette minitenue ?

— C'est le costume de harem que porte la princesse Leia dans *L'Empire contre-attaque* ! s'exclama-t-elle sur le ton de l'évidence.

— Et tu viens au casino affublée de la sorte ?

— Mais non, c'est juste pour Logan.

— Je suis désolée d'avoir interrompu votre soirée ! s'exclama alors Violet.

— Ne t'inquiète pas, Logan comprend tout à fait.

Violet sentit de nouveau les larmes lui monter aux yeux.

— Je vous adore, murmura-t-elle gorge nouée.

Harper servit le vin et elles allèrent s'installer dans

le salon, où une énorme boîte de chocolats trônait sur la table basse. Alors, tout en sirotant l'excellent vin rouge de sa sœur, elle leur raconta la scène qui venait d'avoir lieu entre JT et elle.

— Comment est-il possible qu'il ne comprenne pas que ce mariage sert avant tout ses intérêts ? s'insurgea Harper.

— Il a été manipulé toute sa vie, de sorte qu'il est toujours sur ses gardes.

— Quoi ? Tu le défends encore ? renchérit sa sœur d'un air consterné.

— Elle est amoureuse de lui, intervint Scarlett en posant une main sur son genou. Tout ça, c'est ma faute. Je n'aurais jamais dû te remettre ce dossier.

— Non, c'est moi qui ai eu tort de ne pas le transmettre immédiatement à JT.

— Tu ne peux tout de même pas te reprocher la façon dont il a réagi, insista Harper.

— C'est curieux, mais, même si je n'ai jamais ouvert ce dossier, j'ai la sensation de l'avoir trompé.

Scarlett secoua la tête.

— Tu réagis de façon bien trop raisonnable. Mets-toi en colère contre lui, hurle, traite-le de tous les noms ! Je t'assure qu'il le mérite.

Violet lui adressa un petit sourire triste.

— Tu sais bien que ce n'est pas mon genre.

— Tu ne crois pas qu'il va se calmer ? questionna Harper.

— A mon avis non, il se sent trop trahi. Nous étions devenus très intimes ces derniers temps, nous avions évoqué l'avenir et nous voulions rester mariés.

— C'est encore possible, déclara Scarlett.

— Preston va vendre le Titanium, et JT n'a plus aucune raison de demeurer à Las Vegas.

— L'infâme ! marmonna Scarlett. Pour le salut de

JT, nous ferions mieux de découvrir la vérité au sujet de son père.

— Charity Rimes m'a appelée, en début d'après-midi, déclara alors Violet. J'allais justement en parler à JT ce soir…

— Et que t'a-t-elle dit ? s'enquit vivement Scarlett.

— Vous vous souvenez qu'elle enquêtait sur un tueur en série qui avait sévi à Los Angeles dans les années 1960 ?

— Oui, mais quel rapport avec Preston ?

— L'une des familles assassinées s'appelait Rhodes. Leur petit garçon de dix ans, Preston, passait la nuit chez un ami, quand le drame est arrivé.

Harper s'adossa au canapé.

— Quelle affreuse histoire !

— Charity enquêtait sur ces familles tandis que Tiberius menait des recherches sur internet concernant Preston. Il est logiquement tombé sur elle.

— Et alors ? fit Harper.

— Après avoir discuté avec Tiberius, Charity s'est intéressée elle aussi à Preston, et a retrouvé son dossier scolaire. Elle a promis de m'envoyer la photo qui y figurait.

— Et elle l'a fait ?

— Après ce qui s'est passé avec JT, je n'ai pas encore vérifié…

— Où est ton smartphone ? demanda Harper.

— Je l'ai laissé dans mon bureau quand je suis allée chercher le dossier de JT.

Toutes trois y foncèrent. Violet ouvrit sa boîte e-mail : il y avait bel et bien une photo envoyée par Charity.

— Ce n'est pas le père de JT, décréta Harper avec force.

— Non, ce n'est pas lui, confirma Scarlett.

Violet ressentit un léger vertige. Elle tenait désormais

en main une carte qui lui permettait de sauver JT. Seulement, ce dernier souhaitait-il l'être ? Et qui plus était, grâce à elle ?

— Il faut le dénoncer aux autorités, déclara Harper.

— Mais il réside à Miami ! Ça ne sert à rien d'alerter la police de Las Vegas, objecta Scarlett en prenant son téléphone à Violet. Je vais appeler Logan, il sera de bon conseil.

Un quart d'heure plus tard, ce dernier était assis sur la table du salon et regardait tour à tour les trois sœurs d'un air irrité. Son regard se posa alors sur Scarlett.

— Je croyais t'avoir demandé de ne plus t'occuper de cette affaire.

— Mais c'est ce que j'ai fait, répondit-elle avec un beau sourire. Juste après avoir donné le numéro de Charity Rimes à Violet.

Logan soupira et se tourna vers elle.

— Tu en as discuté avec JT ?

— Nous ne nous parlons plus en ce moment.

Il parut surpris.

— Il doit savoir ce que vous avez découvert.

— Il ne prendra pas mon appel. Tu veux lui téléphoner à ma place ?

— Tu es sa femme ! Il est préférable qu'il l'apprenne de ta bouche.

— Je suis celle qu'il a épousée pour pouvoir disposer d'une bonne partie des actions de la famille, corrigea-t-elle. Et ce soir, il a découvert que j'avais un dossier sur lui, celui que Tiberius avait constitué. Mais je ne l'ai jamais ouvert.

— On aurait dû brûler tous ces fichus documents, s'exclama Logan, en lançant un regard contrarié à sa fiancée.

— Ce qui est fait est fait, décréta Scarlett sans

s'excuser. Il faut aller de l'avant. Preston Rhodes est un imposteur et il est temps que son passé le rattrape.

Un drap de bain noué autour de la taille, JT se tenait devant son imposant dressing et contemplait les vêtements féminins qui occupaient la moitié de l'espace. Il y avait de surcroît une vingtaine de chaussures et de sacs assortis, sans compter tous les bijoux sur la commode ainsi que la lingerie dans les tiroirs. L'odeur de Violet imprégnait encore les draps, tout comme ses produits de toilette garnissaient toujours le comptoir de la salle de bains.

Sa présence était palpable.

— Bon sang ! marmonna-t-il.

Il avait été incapable de trouver le sommeil, aussi s'était-il relevé et avait-il passé la nuit à fixer la piscine vide et à relire le dossier que Tiberius avait constitué sur Preston. Le malaise l'avait peu à peu envahi, et il avait été tenté de refermer tout simplement la chemise. Puis les exhortations de Violet avaient résonné à ses oreilles et il avait compris qu'il ne pouvait plus prétendre que son père était innocent, alors qu'il semblait plutôt le diable incarné.

Avant l'aube, il avait fini par s'assoupir et, quand il s'était réveillé, à 6 heures, il venait de faire un rêve dans lequel il poursuivait Violet à travers un casino et l'appelait sans pouvoir la rattraper. Cela lui laissa un goût amer dans la bouche et un affreux mal au crâne.

Son grand lit vide lui rappelait à présent toutes les joies qu'il ne connaîtrait plus. Le corps de Violet ondoyant sous le sien, ses doux gémissements, ses ongles dans sa chair quand elle jouissait. Son sourire radieux après l'amour. La paix qui l'envahissait quand elle se lovait contre lui…

Il pourrait bien brûler les draps, changer de matelas, il ne pourrait jamais se pardonner les erreurs qui l'avaient conduit à la rejeter. D'autant qu'il la soupçonnait de l'avoir déjà absous… De toute façon, lui livrer le secret qui pesait sur sa conscience depuis de si longues années était au-dessus de ses forces.

Pour un peu, il aurait été reconnaissant à son père d'avoir vendu le Titanium, car demeurer à Las Vegas aurait été insupportable pour lui. Il avait réellement besoin d'un changement de décor pour continuer à vivre sans elle. Et encore, il savait pertinemment que ce ne serait pas facile.

Soudain, son téléphone sonna, sur la table de chevet. Il serra les dents et prit la communication.

— Oui ? dit-il d'un ton peu aimable.

— JT ? C'est Logan Wolfe.

Cet appel de l'expert en sécurité de la famille Fontaine l'alarma immédiatement.

— Que puis-je faire pour vous ? questionna-t-il.

— Serait-il possible que l'on se rencontre ? J'ai des informations à vous communiquer, qui ne peuvent l'être par téléphone.

— S'il s'agit de Violet, ce n'est pas la peine. C'est fini entre nous. L'histoire s'arrête ici.

Un silence s'ensuivit.

— En réalité, il s'agit de votre père.

— Je ne sais pas ce qu'il manigance, mais il peut aller au diable. J'en ai fini avec lui aussi, ainsi qu'avec Stone Properties, d'ailleurs.

Conscient qu'il était en train de s'échauffer, il s'efforça de reprendre son souffle, en même temps que le contrôle de ses émotions.

— Désolé, ajouta-t-il d'un ton plus calme. Je viens de vivre vingt-quatre heures de folie.

— Je suis au courant, et je peux vous assurer qu'une

femme aussi remarquable que Violet ne mérite pas ce qui lui arrive.

— Vous n'imaginez pas ce que je traverse, articula-t-il.

— Si, je peux me le figurer, répliqua son interlocuteur d'un ton sincère qui le frappa. Il m'est arrivé la même histoire avec Scarlett, je me suis énervé de façon injuste et j'aurais été le plus malheureux des hommes si elle ne m'avait pas pardonné.

Il sentit sa colère régresser, remplacée par une immense tristesse.

— Non, c'est trop tard, dit-il alors. C'est vraiment terminé.

— Vous le pensez réellement, ou avez-vous juste peur de parler ?

JT ne répondit pas.

Au bout d'un moment, Logan reprit :

— Je sais que vous avez des problèmes avec Preston Rhodes, mais il n'en reste pas moins votre père. Est-ce que vous voulez en discuter avec moi et écouter ce que j'ai à vous dire ?

— Non ! Il a beau être mon père, je ne lui dois rien, trancha-t-il.

— Comme vous voudrez. Prenez soin de vous, JT.

Une fois que Logan eut raccroché, il se demanda s'il en avait vraiment fini avec tout, ainsi qu'il venait de l'affirmer.

11

La voiture noire que le grand-père de Violet avait envoyée à son intention à l'aéroport de LaGuardia s'arrêta devant le siège de Fontaine Resorts and Hotels, à New York. Sans attendre que le chauffeur vienne lui ouvrir, elle en descendit et se dirigea vers l'entrée.

Son cœur battait à toute allure quand elle passa devant la sécurité et prit l'ascenseur qui menait au vingtième étage. Elle était souvent venue dans les lieux, au cours des cinq dernières années, mais jamais dans un objectif professionnel. La plupart des conférences avec les grands patrons de la société se déroulaient en effet via des vidéoconférences.

— Vous pouvez entrer, mademoiselle Fontaine, lui annonça l'assistante de son grand-père. Il vous attend.

— Bonjour, grand-père, dit-elle en pénétrant dans le bureau de ce dernier.

Il avait déjà contourné son énorme table de travail pour venir la prendre dans ses bras.

— Ma chère Violet, dit-il en la relâchant, tu semblais bouleversée, au téléphone. Que se passe-t-il ?

— J'ai commis tant d'erreurs que je ne sais pas par quoi commencer.

— Lance-toi, j'essaierai de suivre.

Il l'entraîna alors vers le coin-salon de son bureau, tout en priant sa secrétaire de leur servir un thé. Il la regardait avec une grande sollicitude et un air inquiet, comme si elle était en porcelaine.

Trois minutes plus tard, elle enserrait entre ses mains un mug dont la chaleur l'apaisa.

— Merci, murmura-t-elle. Je ne suis pas au meilleur de ma forme, en effet.

— Dis-moi ce qui s'est passé, ma chérie.

— Comme tu le sais, j'ai épousé JT Stone afin de pouvoir voter lors de la réunion des actionnaires de Stone Properties, puisque Tiberius m'a légué 18 % des actions de la société.

Elle vit que son grand-père fournissait un gros effort pour ne pas commenter ce mariage expéditif.

— Cela a commencé comme un contrat d'affaires, reprit-elle.

— Et puis, tu es tombée amoureuse, enchaîna son grand-père.

Violet acquiesça d'un hochement de tête.

— JT est très réservé et n'arrive pas à accorder sa confiance à autrui, en raison de la façon dont son père le malmène depuis l'enfance. Toutefois, je pensais que je pourrais venir à bout de ses inhibitions.

— Et maintenant, tu ne le crois plus ?

— Scarlett m'a remis des dossiers qu'elle a hérités de Tiberius. Apparemment, il en avait constitué des milliers en cinquante ans. Il en détenait même un sur toi.

Henry arbora un bref sourire.

— Cela ne m'étonne pas. Il voulait s'assurer que je ne te porterais pas préjudice, en entrant dans ta vie. Ce côté protecteur était tout à son honneur. Cela me rassure que tu aies grandi au côté d'un homme si bien attentionné.

Et il avait pallié les carences de son propre fils. Même si son grand-père ne l'avait pas souligné, c'était une évidence qui l'affectait terriblement.

— Parmi les dossiers, Scarlett en a découvert un sur JT et un sur son père. Il voulait s'assurer, je crois, que son neveu n'était pas comme son beau-frère, car il souhaitait s'allier à lui pour récupérer Stone Properties.

— Et JT a découvert que tu étais en possession de ce document ?

— Oui, avant que je n'aie eu le temps de l'en informer. Il m'a alors accusée de l'avoir manipulé, mais je t'assure que je n'ai jamais lu ce que contenait cette chemise !

Sa voix tremblait, elle était comme essoufflée.

— J'en suis désolé, reprit Henry. Que puis-je faire pour toi, ma chérie ?

— JT est en train de perdre le Titanium. Preston veut le vendre en guise de représailles, parce que son fils a voulu le doubler en cherchant à acquérir plus de voix que lui. Et, si le Titanium est vendu, JT va quitter Las Vegas !

— Violet, je ne vois toujours pas en quoi je peux t'aider, répondit gentiment Henry.

— J'espérais que, parmi tes relations, tu connaîtrais une personne qui aurait envie de racheter le Titanium et que tu trouverais un moyen… un moyen d'interférer afin que la transaction n'ait pas lieu tout de suite. C'est un peu compliqué, je sais, mais j'ai besoin de retenir JT à Las Vegas le plus longtemps possible pour sauver notre mariage.

— Mais s'il est malgré tout déterminé à partir ?

— Alors je le suivrai, ma place est à ses côtés, où qu'il aille !

Son grand-père parut surpris par sa déclaration à l'emporte-pièce.

— Tu en es bien sûre ?

— Tout à fait ! Je l'aime, grand-père, et qu'il le croie ou non, il a besoin de moi.

— Tu sais ce que tu mets en jeu, si tu quittes Fontaine Chic ?

— Oui, toute chance de devenir P-DG, mais j'ai bien réfléchi, ces derniers temps, et je crois sincèrement que c'est à Harper que revient cette fonction. Elle en rêve depuis toujours, et je crois que tu ne trouveras jamais une personne aussi dévouée et motivée.

— Je dois avouer que tes propos me surprennent.

— Je ne renonce pas parce que je ne me sens pas à la hauteur de la tâche, mais parce que ce poste requiert des sacrifices auxquels je ne suis peut-être pas prête à consentir.

— J'apprécie ton honnêteté, déclara son grand-père. Tu as raison, ce poste requiert tout le temps et l'énergie de celui qui l'occupe. Depuis que je suis P-DG de Fontaine, j'ai perdu ma femme et mon fils, et je me rends compte rétrospectivement que je n'ai pas eu avec eux la relation que j'aurais souhaitée.

— Merci pour ta compréhension, dit-elle, la gorge nouée par l'émotion. Je redoutais qu'après m'avoir offert une opportunité si fantastique tu sois déçu par ma décision.

— Tu es une jeune femme intelligente et pleine de compassion, dotée d'un sacré esprit d'entreprise. Dès le début, j'ai compris que tu serais un atout pour notre société. Et je suis fier que tu sois ma petite-fille. Sache que, quoi qu'il se passe avec JT, tu resteras toujours une Fontaine.

Ces paroles lui réchauffèrent le cœur, et elle lui adressa un sourire reconnaissant.

— Merci.

Elle ne put s'empêcher de comparer sa famille à celle de JT : si elle n'avait reçu que des sarcasmes et des rejets de la part de ceux qui étaient censés l'aimer, se réveillerait-elle chaque matin avec ce bel optimisme qui était le sien ? Serait-elle capable de se créer un havre de paix où se retirer pour se protéger des ondes négatives, quand elle en rencontrait ?

— Quels sont tes plans pour le reste de la journée ? demanda Henry.

— Je compte faire un peu de shopping pour l'enterrement de la vie de jeune fille de Scarlett.

— Je vais passer quelques coups de téléphone pour me renseigner sur la transaction concernant le Titanium, et je te propose que l'on se rejoigne à 18 heures à la maison, et de t'emmener dîner à l'extérieur. Je voudrais que tu me donnes ton opinion sur un restaurant tenu par un chef avec qui j'envisage une éventuelle collaboration, pour Fontaine Richesse.

— Tu es sûr, grand-père ? s'esclaffa-t-elle. Le dernier chef que tu as trouvé a transformé l'existence de Harper en enfer. Je ne suis pas certaine que la nourriture vaille autant de drame.

— J'ignorais qu'elle avait des ennuis, dit-il alors.

Oh ! oh ! Elle avait peut-être été indiscrète, mais il était trop tard à présent pour faire machine arrière.

— Ce sont leurs personnalités qui s'opposent. Ashton est créatif et spontané, et encore plus perfectionniste que Harper, alors tu imagines ! Il veut tout contrôler, et il est obsédé par le spectaculaire. Je me demande s'ils vont parvenir à ouvrir ce restaurant.

— C'est donc pour cette raison que l'ouverture en a été repoussée par deux fois ? Harper a prétendu que la livraison des appareils électroménagers avait été retardée.

— C'est exact, parce que Ashton change toujours d'avis et commande de nouveaux éléments à la dernière minute.

Elle posa alors le bras sur celui de son grand-père.

— Je t'en supplie, ne lui dis pas ce que je viens de te raconter. Elle m'en voudrait terriblement.

— Elle souffre d'avoir été négligée par son père, et elle est toujours en quête de reconnaissance. Je trouverai un moyen d'aborder le sujet avec elle sans te mentionner, lui assura Henry.

Alors qu'elle embrassait tendrement son grand-père, Violet sentit son téléphone vibrer, dans sa poche. Son estomac se contracta violemment quand elle vit le numéro qui s'affichait : elle attendait cet appel depuis trois semaines… Ce qu'elle avait entrepris ne résoudrait peut-être pas son problème avec JT, mais c'était la meilleure façon de lui prouver qu'elle n'avait nulle intention de renoncer à lui sans lutter.

JT descendit de l'avion qui l'avait amené à Miami et se dirigea vers la Porsche qui l'attendait dans le hangar. Quelle ne fut pas sa surprise de voir son cousin Brent adossé contre le coupé sport, bras croisés, l'air plutôt détendu et amusé !

— Qu'est-ce que tu fiches là ? s'écria-t-il en l'enlaçant, à la fois heureux et stupéfait.

— Je me suis dit que tu aurais besoin d'un peu de soutien moral, pour demain. Violet n'est pas venue ?

Il hésita un instant, puis opta pour la vérité.

— C'est fini entre nous.

— Je ne te crois pas ! Vous êtes bien trop épris l'un de l'autre.

Ces paroles l'ébranlèrent, car elles renforçaient ses propres doutes.

— Que s'est-il passé ? ajouta Brent.

— C'est une longue histoire que je préfère te raconter autour d'un verre de scotch. Allons-y, j'ai réservé au Marriott.

— Tu ne séjournes pas au Cobalt ? demanda son cousin en glissant sa longue silhouette derrière le volant.

C'était un hôtel qui appartenait à Stone Properties et où la réunion des actionnaires devait se tenir, le lendemain.

— C'est une autre histoire qui nécessitera un deuxième scotch.

— Je sens que la soirée va être longue, commenta Brent en démarrant.

Les explications commencèrent lorsque les deux hommes furent enfin installés dans un box, au bar de l'hôtel.

Brent ne parut pas surpris quand JT lui annonça que Preston comptait revendre le Titanium.

— C'est son seul hôtel sans dette significative, observa son cousin. Il a besoin de capitaux pour faire face aux autres échéances.

— C'est curieux, constata JT. En dépit de l'acharnement avec lequel j'ai lutté pour évincer mon père, au fond, je ne regrette pas de quitter Stone Properties.

— Vraiment ? La dernière fois que je t'ai vu, tu tenais réellement à contrôler la société. C'est ton héritage.

— Un héritage vicié. Mon père a détruit trop de vies pour que je puisse me réjouir d'en prendre les rênes. Comment pourrais-je m'asseoir dans le fauteuil de P-DG et ne pas être hanté par ce qu'il a fait subir à mon oncle et à de nombreux autres ?

— Donc tu renonces ?

— Je déménage, dit-il en adressant un bref sourire à Brent. Tu as envie de racheter 30 % de Stone Properties ?

— Tu possèdes 48 %, non ?

— 18 appartiennent à Violet, observa-t-il.

— Et, si tu divorces, elle ne peut plus voter.

— Exact… Est-ce que tu es en train de me dire que cela t'intéresse ?

— Une fois restructurée, la société pourrait encore rapporter beaucoup. Je pensais que tu voulais t'en charger.

— Et comme ce n'est plus le cas…

— Eh bien, je le ferai à ta place, compléta Brent.

Cette perspective le satisfaisait pleinement, même si le problème demeurait entier : comment son cousin pourrait-il récupérer assez d'actions pour écarter Preston ? Toutefois, il ne souhaitait pas altérer la belle humeur de ce dernier.

Après plusieurs verres, Brent demanda soudain :

— Es-tu assez ivre pour me parler de ce qui vous est arrivé, à Violet et toi ?

— Non, mais je vais tout de même te le dire.

Prenant sa respiration, il lui apprit l'existence des dossiers de Tiberius et la manière dont Violet était entrée en possession de documents le concernant.

— En gros, elle s'est jouée de moi, conclut-il.

— Comment ça ?

— Tous mes secrets les plus sombres y figuraient.

Tous sauf un… Non, personne ne saurait jamais ce qui était arrivé le jour du décès de sa mère, ni comment il aurait pu la sauver, s'il ne lui avait pas désobéi.

— Elle a su s'y prendre pour que…

Il s'arrêta net. Il était prêt à dire : « Pour que je tombe amoureux d'elle. » Car c'était exactement ce qui s'était produit ! Soudain, il se sentit très mal.

— Pour quoi ? l'encouragea Brent.

— Pour que je lui fasse confiance.

— Elle me semble au contraire une personne à qui l'on peut précisément se fier. Elle a aussi l'air loyale.

— Oui, elle l'est…

De fait, Violet n'avait rien fait pour le blesser ; bien au contraire, elle l'avait toujours soutenu.

Il se recouvrit soudain le visage avec les mains.

— Oh ! mon Dieu ! marmonna-t-il.

— On dirait que tu viens de te rendre compte que tu as tout gâché.

C'était le moins que l'on puisse dire ! Comme il avait

dû la stresser avec ses mystères, elle qui était si ouverte. Et puis, si elle avait consulté ce dossier, qu'est-ce que cela pouvait bien faire ? Ne l'y avait-il pas incitée à jouer les énigmatiques ?

Il ne la méritait pas. Il était égoïste et pétri d'une colère amère. Les cicatrices de son enfance étaient encore trop vives pour qu'une femme puisse l'aimer, même si elle était aussi remarquable que Violet.

— Il faut que je rentre, déclara-t-il.

Il devait garder les idées claires pour le lendemain, afin que son père ne le dévore pas tout cru.

— Bien sûr, dit son cousin d'un air soucieux. Tu es certain que tout va bien ?

— Non, mais, avec une aspirine et quelques heures de sommeil, je pourrai faire front, demain.

Après, il ignorait ce qui se passerait.

Grâce au Golfstream G500 de son grand-père, Violet était arrivée à Miami une heure avant le début de la réunion. JT ne s'attendait pas à l'y voir et elle n'était pas certaine de la réception qu'il lui réserverait. Au volant de sa voiture de location, elle sentait l'anxiété monter en elle ; et puis le Cobalt se profila.

L'hôtel était une tour de trente étages qui surplombait, tel un phare, les eaux bleues de la baie de Biscayne. De la végétation luxuriante qui l'entourait à l'immense entrée de verre, tout était conçu pour impressionner le visiteur. Toutefois, le comportement du personnel n'était pas aussi irréprochable qu'on aurait pu s'y attendre, et elle aperçut de surcroît de la poussière sur les moulures décoratives. Il était difficile de tromper les yeux d'une professionnelle comme elle !

D'un pas résolu, elle se dirigea vers la salle de conférences.

Une douzaine de personnes s'y trouvaient déjà, ayant pris place sur des chaises installées en face d'une estrade. A son arrivée, plusieurs têtes se tournèrent vers elle, mais un seul regard l'intéressait. Assis à côté de son cousin, JT semblait mourir d'ennui. Il ne parut pas particulièrement réjoui de la voir, mais elle espérait que son état d'esprit changerait quand il connaîtrait les raisons de sa présence. Elle s'assit dans la rangée du fond et, quelques minutes après, la réunion commença. Preston énuméra d'abord l'ordre du jour : il s'agissait d'accepter les comptes annuels de l'entreprise ainsi que les amendements aux arrêtés. Les participants l'avaient reçu des semaines à l'avance de sorte que personne n'avait besoin de cette présentation, mais il était clair que Preston aimait s'entendre parler et vanter le succès de la société sous sa direction.

Elle regarda JT. Il était figé comme une statue de marbre, et aussi impénétrable. Si les choses en étaient allées autrement entre eux, elle aurait été assise à ses côtés, et lui aurait sans doute caressé la main pour lui témoigner son soutien. Elle sentit son cœur se serrer.

Le vote eut enfin lieu et on invita ensuite les participants à se retrouver autour d'un buffet, au rez-de-chaussée, tandis qu'un huissier compterait les voix. Tout le monde savait qu'il n'y aurait pas de surprise, étant donné que Preston détenait la majorité des voix.

Violet attendit que JT aille voter, espérant qu'il viendrait ensuite la rejoindre. De fait, il s'avança vers elle, mâchoires serrées.

— Je pensais que tu enverrais ton vote par courrier, marmonna-t-il avant de lui faire la bise.

Ce bref contact accéléra vivement les battements de son pouls. Elle aurait tant aimé nouer les bras autour de son cou et lui certifier que tout allait bien se passer. Mais il était sur ses gardes.

— Je tenais à être là pour toi.

— C'est gentil, dit-il en se détendant un peu.

Mais, au même instant, le rire de Preston retentit dans la salle et l'expression de JT se figea de nouveau.

Elle regarda alors son mari et crut, l'espace d'un instant, qu'il allait lui avouer qu'elle lui avait manqué : c'était dans cet espoir qu'elle avait traversé tout le pays. Comme elle avait été idiote de croire que leurs retrouvailles seraient joyeuses et romantiques.

— Je vais aller voter, déclara-t-elle.

JT la regarda s'éloigner, les yeux rivés à ses reins si troublants. Il aurait dû s'élancer derrière elle, la supplier de l'aimer encore. Sa présence ici aujourd'hui ne prouvait-elle pas qu'elle n'avait pas renoncé à lui ? Mais était-il juste que la relation ne fonctionne que dans un sens et qu'il soit incapable de lui donner quoi que ce soit en retour ?

— JT, j'espérais bien te voir ! déclara un homme plutôt corpulent en lui tapant sur l'épaule. Désolé de ne pas t'avoir donné mon vote, mais ton père gère la société avec succès depuis des années.

Clive Ringwald était concessionnaire automobile dans le Midwest, et il était marié à l'une des cousines de JT. C'était un homme affable qui soutenait résolument Preston, et croyait toutes les demi-vérités et les vrais mensonges que ce dernier proférait.

— Je comprends, répondit-il à Clive.

Mais toute son attention était concentrée sur Violet qui était à présent en train de voter. Elle se dirigea ensuite vers la sortie, lui lançant un dernier regard. Quand elle referma la porte derrière elle, il eut l'impression que son monde sombrait dans la nuit. Bon sang ! Mais pourquoi continuait-il à discuter de futilités avec Clive ?

Il aimait Violet et il se fichait pas mal qu'elle ait lu le dossier et pris connaissance de tous les éléments honteux le concernant. Il devait cesser de jouer les entêtés et lutter pour ramener dans sa vie la femme qui l'avait précisément transformée.

Coupant brusquement court à sa conversation avec Clive, il s'élança dans le hall, derrière Violet, mais elle avait déjà disparu. Supposant qu'elle s'était rendue au buffet, il prit l'Escalator qui menait au rez-de-chaussée, et l'aperçut alors en train de quitter l'hôtel. Tellement accaparé par son obsession de la rattraper, il ne vit pas Brent qui l'attendait au bas de l'escalier mécanique, avant que ce dernier ne se plante résolument devant lui.

— Le FBI est ici, déclara-t-il. Ils sont en train d'interroger ton père. Tu sais ce qui se passe ?

Immédiatement, le nom de George Barnes resurgit dans son cerveau.

— Je crois que oui. Où sont-ils ?

Brent n'eut pas le temps de répondre que son père surgit alors, encadré de deux hommes en costume. Tout étourdi, il se rendit alors compte que Preston était menotté. Mais ce dernier ne se laissait pas intimider pour autant.

— Est-ce que vous savez qui je suis ? hurlait-il.

Un des deux hommes arbora un petit sourire.

— C'est précisément de quoi nous aimerions vous entretenir, répondit-il.

Ce fut alors que son père l'aperçut.

— J'imagine que c'est ton œuvre, lança-t-il avec dédain.

JT secoua la tête.

— Non, et je le regrette. Il semblerait que toutes tes mauvaises décisions te rattrapent enfin.

— Dis à mon assistante d'appeler mon avocat, vociféra Preston avant d'être entraîné à l'extérieur.

— Tu vas rester en dehors de tout ça, n'est-ce pas ? lui dit son cousin.

— Assurément. Ce que j'ai l'intention de faire, c'est de rattraper ma femme.

— Vas-y, et appelle-moi plus tard.

Mais il fut de nouveau arrêté dans son action par la personne qui s'était occupée du décompte des voix.

— Excusez-moi, mais était-ce M. Rhodes que j'ai vu partir ?

— Tout à fait.

— Je dois pourtant lui communiquer les résultats de l'élection !

— Les actionnaires sont en train de déjeuner. Allez le leur annoncer.

Il s'apprêtait à partir, quand l'huissier déclara tout à trac :

— Je tenais à vous apprendre que votre père a été écarté de la direction.

Il se retourna avec lenteur et jaugea son interlocuteur, se demandant s'il l'avait bien compris. Puis il se rendit compte qu'il était en train de sourire bêtement.

— Expliquez la situation à ce monsieur, dit-il en désignant Brent. J'ai des choses plus importantes à régler.

- 12 -

Violet était en train de défaire le dernier bagage qu'elle avait apporté de Fontaine Chic et qui contenait d'ultimes effets personnels, quand JT entra en trombe dans la chambre. Elle leva les yeux vers lui et sentit tout de suite que l'air venait de se charger d'électricité.

— Bonjour, lança-t-elle d'un ton neutre. Ton voyage s'est bien passé ?

— Tu sais bien que oui ! répondit-il d'un ton enjoué tout en défaisant sa cravate.

Elle comprit alors que tout allait rentrer dans l'ordre. Il ne lui avait pas demandé ce qu'elle faisait chez lui, comme si sa présence était une évidence. Elle sentit un poids lui glisser des épaules.

Elle accrocha une robe dans le dressing et se tourna vers lui. Il avait retiré sa chemise et enlevait à présent ses chaussures. Son corps était décidément parfait, pensa-t-elle en sentant l'eau lui monter à la bouche. Cela faisait une semaine qu'ils n'avaient pas fait l'amour, mais il lui semblait que c'était une éternité, tant le désir qu'elle éprouvait pour lui était intense.

— Mon père a été arrêté par le FBI, déclara-t-il en lançant une chaussette sur la pile de vêtements déjà par terre. Je n'en connais pas le motif.

— Tu n'es pas resté pour te renseigner ?

— Je devais retrouver ma femme.

A cet instant, il retira à la fois son pantalon et son caleçon, et se trouva entièrement nu devant elle.

— Mais tu vas peut-être pouvoir m'éclairer, toi, ajouta-t-il.

Difficile de se concentrer avec cet adonis dans son plus simple appareil à quelques centimètres ! Pensait-il en toute honnêteté qu'ils allaient pouvoir discuter sérieusement ?

Elle sentit sa température intérieure monter d'un degré en admirant sa musculature parfaite.

— Tu souhaites peut-être te doucher d'abord ? Nous pourrons discuter ensuite, suggéra-t-elle.

N'allait-il donc pas comprendre qu'il était préférable pour la conversation qu'elle ne soit pas trop distraite ? S'il se douchait, il enfilerait forcément un peignoir !

— Non, je préfère d'abord entendre ce que tu as à me dire.

OK, elle aussi pouvait jouer à ce petit jeu.

Passant la main derrière le dos, elle défit la fermeture Eclair de sa robe qui tomba bientôt à ses pieds. L'espace d'une seconde, elle vit ses yeux s'écarquiller.

— Charity Rimes a fini par nous rappeler, expliqua-t-elle en dégrafant son soutien-gorge avant de se débarrasser dans la foulée de sa culotte. Après sa discussion avec Tiberius, elle avait effectué des recherches sur George Barnes et avait retrouvé son dossier scolaire.

JT ne la lâchait pas du regard, apparemment très concentré sur ses propos, sauf qu'une partie de son anatomie semblait avoir pris son autonomie. Elle se rapprocha alors de lui et leva les bras pour retirer les épingles de son chignon. Ses cheveux tombèrent en cascade sur ses épaules et frôlèrent ses seins, qui se durcirent immédiatement.

Elle vit sa pomme d'Adam saillir.

— Elle m'a envoyé la photo qui figurait dans le dossier : il était évident que ton père n'était pas Preston Rhodes.

— Alors tu as appelé le FBI ?

— Non. Scarlett m'a invitée à remettre le tout entre les mains de Logan. Il a un ami qui travaille au FBI.

Elle se pencha pour ramasser sa robe et crut entendre un bruit étrange en provenance de JT. Mais, quand elle posa de nouveau les yeux sur lui, il restait impassible. Elle nota toutefois que son érection avait encore grandi.

— Il m'a appelé il y a quelques jours, reconnut-il. Je n'ai pas voulu entendre ce qu'il avait à me dire.

— C'est moi qui lui ai demandé de te téléphoner afin que tu saches ce que nous nous apprêtions à faire.

— Je comprends, mais j'étais alors trop en colère contre toi, dit-il d'un ton déterminé.

Elle se sentit soudain fléchir.

— Je sais…

Elle lui tourna alors le dos pour poser sa robe sur une chaise, ce qui lui permit de reprendre contenance tandis qu'elle défroissait sa tenue. Ce fut alors qu'elle le sentit, plutôt qu'elle ne l'entendit, se rapprocher d'elle.

— Tu avais un fichier sur moi, je me sentais trahi.

— C'est légitime, approuva-t-elle sans se retourner, toujours honteuse à cette pensée. Le FBI a été plus rapide que je ne le pensais.

Quand il posa les doigts sur ses épaules, elle perçut la tension qui les animait. Alarmée, elle s'empressa d'expliquer :

— Je sais que c'est ton père, mais il n'a nullement le droit d'être P-DG de l'entreprise familiale.

— Je n'avais pas besoin de ton intervention, ni de celle de personne d'ailleurs !

A ces mots, il la força à se retourner.

— C'est bien tout ton problème, JT, lui assena-t-elle.

Tu crois que tu vas protéger ton cœur en t'isolant des autres.

Lui assenant une chiquenaude sur le torse, elle le regarda avec intensité et poursuivit :

— Mais tu as tort, tu as besoin de moi ! clamat-t-elle en se rapprochant de lui tandis qu'il reculait. Reconnais-le, bon sang.

Il s'immobilisa alors... et prit son visage dans une main.

— Je n'ai pas juste besoin de toi, Violet, commença-t-il.

Puis, sans prévenir, il la souleva de terre et la déposa sur le lit, avant de la recouvrir de son corps. Un petit cri de surprise lui échappa. A moins que ce ne soit d'émotion... Le regard que JT rivait à elle était d'une intensité extraordinaire, elle se faisait l'impression d'être la femme la plus belle qu'il ait jamais admirée.

— Je ne peux pas vivre sans toi ! poursuivit-il. Et je jure que je ferai tout ce qui est en mon pouvoir pour te garder à mes côtés.

Sur cette assurance, il l'embrassa avec passion et sans retenue.

Elle sentit une joie immense l'envahir à la pensée qu'il avait enfin cessé de la fuir. Evidemment, la souffrance tapie en lui ne s'était pas évaporée comme par magie, mais il acceptait désormais son aide.

Une vague de chaleur la submergea quand la bouche de JT se referma sur l'un de ses seins. Elle s'agita sous lui puis déclara d'une voix haletante :

— Maintenant ! Ne me fais pas attendre plus longtemps !

— Moi aussi, j'ai vécu l'enfer, murmura-t-il.

Et il la pénétra... Quelques instants plus tard, un puissant orgasme la soulevait, la laissant sans voix ni volonté.

180

Elle eut la sensation que son cœur allait éclater de bonheur.

— Je t'aime, lui dit-elle en croisant son regard, tandis qu'ils se reprenaient, incapables de se rassasier l'un de l'autre.

Il enlaça ses doigts aux siens et plaça leurs mains des deux côtés de son visage, sur l'oreiller. Puis il l'embrassa, sans cesser de chalouper sur elle.

— Tu représentes tout pour moi, chuchota-t-il en écartant légèrement sa bouche de la sienne.

Elle ferma les yeux. Son aveu lui valut immédiatement un nouvel orgasme tout doux, comme de petites vagues de plaisir roulant sur son corps. Quand elle rouvrit les paupières, elle se heurta aux prunelles de JT. Un petit sourire aux lèvres, il se remit à aller et venir plus violemment en elle jusqu'à ce que son corps soit aux prises avec les spasmes de la jouissance. Il se garda pourtant d'enfouir son visage dans son épaule, la laissant contempler toutes les émotions qui le traversaient.

Haletant, il se laissa ensuite tomber à côté d'elle.

— Violet ! déclara-t-il. Comme j'ai eu tort de te repousser ! Je suis sincère quand je te dis que je compte passer le reste de ma vie avec toi.

Elle lui adressa un sourire radieux.

— Je pense que tu as fait le bon choix.

— Moi aussi.

JT roula sur le côté et se rendit compte que son cœur battait moins fort, mais de façon encore irrégulière. Comme s'il était mû par des petits bonds de joie. Il se sentait soudain si heureux !

— Tu veux me dire comment s'est passé le vote ? demanda-t-elle alors.

— Curieusement, il a tourné en notre faveur.

— C'est vrai ? s'exclama-t-elle, feignant mal la surprise. Comment est-ce possible ?

— D'après ce que Brent a compris après mon départ, Casey n'a pas voté.

— C'est curieux. Et pourquoi ?

A la lueur amusée qu'il vit alors briller dans ses yeux, il comprit qu'elle ne ferait pas encore une grande joueuse de poker, même si elle s'était améliorée.

— Je ne sais pas si tu te souviens, mais il était en train de divorcer et cela ne se passait pas très bien.

— Oui, ça me dit quelque chose.

Forcément, puisqu'il devinait qu'elle était derrière la manœuvre. D'ailleurs, n'était-ce pas elle qui avait souligné le fait qu'ils pourraient éventuellement tirer parti de la situation ?

— Il a laissé à sa femme 4 % de ses parts.

— Seulement, ce n'est plus sa femme puisqu'ils ont divorcé. Donc elle n'a pas pu voter.

— Exact, approuva-t-il tout en la suspectant de tout savoir. Sans les 4 % de Casey, mon père et moi contrôlions un nombre égal de parts.

— Alors comment se fait-il que nous ayons gagné ?

— Excellente question ! Et sans doute vas-tu y répondre.

— Moi ? fit-elle en ouvrant de grands yeux innocents, sourire malicieux à l'appui. Pourquoi penses-tu que j'ai quelque chose à voir dans tout ça ?

— Parce que j'ai rencontré l'ex-Mme Casey Stone, qui est cupide et belle, mais pas particulièrement intelligente. Je ne comprends pas pourquoi elle tenait tellement à acquérir ces parts.

— Eh bien, commença Violet en soupirant mais visiblement ravie, il y a un an, Casey a acheté un grand nid d'amour à sa nouvelle maîtresse et il ne l'a pas déclaré lors du divorce. J'en ai informé Brittany, et je lui ai suggéré de réclamer à Casey les parts de Stone Properties, en dédommagement de la maison.

— Et il a accepté ?

— Il n'avait pas vraiment le choix, il risquait beaucoup pour avoir caché cette propriété, expliqua Violet en secouant la tête. Après quoi, Brittany a été ravie de me les vendre. Après tout, je lui ai rendu un grand service. Son divorce l'a enrichie.

— Donc, c'est toi qui possèdes les 4 % ?

— Tout à fait.

— Cela ne s'est pas fait en une nuit. Bien que je t'aie dit que ce n'était pas la peine de continuer, tu as agi derrière mon dos, c'est bien ça ?

— Tu refusais mon aide !

— C'est vrai, et j'ai eu tort. Mais à présent, il va falloir écouter mes conseils.

— S'ils sont sages, pourquoi pas ? répliqua-t-elle d'un ton impertinent.

Il l'attira alors dans ses bras et enfouit le visage dans son cou. Elle sentait l'herbe fraîchement coupée et le soleil du matin, ses deux odeurs préférées au temps où il se rendait régulièrement dans le Kentucky. Apaisé par les battements réguliers de son cœur, il sentit que la porte de ses secrets les mieux gardés était en train de s'ouvrir.

— Je ne sais pas comment te remercier, murmura-t-il, étrangement calme alors qu'il s'apprêtait à lui révéler le pire moment de sa vie.

— Tu n'as pas à me remercier, je suis ta femme, je te soutiendrai toujours.

— Alors tu dois savoir avec qui tu vis.

— Je n'ai pas lu ton dossier, dit-elle tandis que son souffle doux caressait sa peau, mais je sais que tu es un homme bien plus torturé que la moyenne et que les traumatismes liés à ton enfance risquent de ne jamais te lâcher.

— Parce que j'ai commis des fautes impardonnables.

— Non, je ne te crois pas.

Sa foi en lui ne cesserait jamais de le surprendre, mais elle devait savoir.

— Le jour où ma mère est morte…

— JT, tu n'es pas obligé de me dire quoi que ce soit.

— Mais je le veux ! Il faut que je me libère du passé…

Il embrassa alors la paume de sa main et ferma les yeux.

— C'est à cause de moi qu'elle est morte.

Violet tressaillit mais, au lieu de s'écarter de lui, elle se blottit tout contre lui.

— Ce matin-là, elle m'avait reproché d'avoir utilisé sa carte de crédit sans son autorisation et d'avoir commandé pour cinq cents dollars de jeux vidéo. Ce n'était pas la dépense qui la préoccupait, mais ma sournoiserie. Pour me punir, elle m'avait alors interdit d'aller passer, comme prévu, le week-end aux Universal Studios d'Orlando, avec mes amis. Nous étions censés partir après l'école. J'étais dans une colère monstrueuse.

Il reprit sa respiration tandis que les souvenirs de cette matinée l'envahissaient, aussi tranchants qu'une lame de rasoir, comme si la dispute avait eu lieu la veille.

— Je comprends qu'elle t'avait puni et que tu étais bouleversé, déclara Violet. Mais je ne vois pas en quoi tu es responsable de son décès. Elle est morte d'une overdose, tu n'as rien à voir avec ça.

— Je l'ai déstabilisée. Je lui ai dit que je la détestais et que je comprenais pourquoi mon père l'avait quittée.

Il secoua la tête, la gorge affreusement nouée. C'était la première fois qu'il racontait le rôle qu'il avait joué dans la mort de sa mère ; pour cela, il avait dû plonger aux sources les plus noires de son être, celles qu'il haïssait, et il en était épuisé.

Il reprit d'une voix lourde d'angoisse :

— Ensuite, j'ai pris mon sac à dos et j'ai fait comme si je partais pour l'école, mais en réalité je suis revenu discrètement dans ma chambre chercher ce dont j'aurais besoin pour le week-end.

— Tu es donc parti malgré son interdiction ?

— Je me suis dit qu'elle serait tellement shootée dans l'après-midi qu'elle ne se souviendrait même plus de la punition. A 17 heures, elle s'est éteinte… C'est la femme de ménage qui l'a découverte, le lendemain matin.

— Tu avais 12 ans, JT, déclara Violet. Ta mère se détruisait avec les drogues et l'alcool parce que son mari lui avait rendu la vie impossible. Comment peux-tu te reprocher d'être responsable de sa mort ?

— J'ai entendu les gens parler, à l'enterrement… Et je me suis rendu compte que, si j'étais rentré comme elle me l'avait demandé après l'école, j'aurais pu la trouver en vie et appeler les secours.

Une larme roula sur sa joue, et Violet lui enserra le visage entre les mains.

— JT, ta mère se droguait sévèrement, elle aurait pu avoir une overdose n'importe quand. Tu n'étais pas responsable de son état.

Il sentit que sa respiration devenait saccadée… Une partie de lui commençait à comprendre qu'elle avait raison, et il sentait que l'amour qu'elle lui portait et le soutien qu'elle lui fournirait finiraient par lui permettre de se pardonner à lui-même.

— Je t'aime, lui dit-il à voix haute pour la première fois.

Les yeux de Violet se remplirent de larmes, et le sourire qu'elle lui adressa était plus radieux qu'un soleil d'été. Elle le serra très fort dans ses bras.

— Tu ne peux pas savoir comme j'avais besoin de l'entendre, murmura-t-elle.

— Il m'a fallu du temps pour comprendre ce que je ressentais pour toi, chuchota-t-il à son tour, le visage enfoui dans ses cheveux. Avant que tu n'entres dans ma vie, les émotions qui m'étaient familières étaient toujours négatives.

— Tout cela, c'est derrière nous à présent, déclara-t-elle d'un ton énergique.

Elle se redressa contre la tête du lit et le regarda avec détermination avant de poursuivre :

— A partir d'aujourd'hui, une nouvelle vie commence ! Nous avons tant à faire, notamment acheter une propriété à Miami et ouvrir là-bas un hôtel Fontaine. J'en ai déjà discuté avec mon grand-père.

— On ne part plus pour Miami, répliqua-t-il, étonné qu'elle soit prompte à quitter Las Vegas et redoutant pour le coup de la décevoir.

— Ah bon, et pourquoi ? Maintenant que ton père n'est plus P-DG et qu'il va sûrement aller croupir en prison, la société a besoin de toi.

— J'ai longuement discuté avec Brent, la veille du soir de la réunion des actionnaires, et nous en sommes venus à la conclusion qu'il était préférable que ce soit lui qui chapeaute la société.

— Mais… mais c'est ton grand-père qui a créé Stone Properties.

— Et si Brent la gère, elle restera entre les mains de la famille !

Elle inclina la tête de côté comme pour mieux le jauger.

— Qu'est-ce que tu comptes faire alors ?

— Nous restons à Las Vegas. J'ai décidé de vendre mes actions Stone Properties et de racheter le Titanium.

A ces mots, elle lui adressa un sourire éblouissant.

— Quelle merveilleuse idée ! Mais tu es sûr que tu veux te décider pour un seul hôtel, alors que tu pourrais en avoir des douzaines ?

— Avec Brent à sa tête, Stone Properties est réellement entre de bonnes mains. Et je ne suis pas vraiment fait pour le travail administratif que ce poste implique. J'aime Las Vegas, en sentir le pouls, la nuit. C'est ici que je veux vivre.

Violet fronça les sourcils.

— Et qu'arrivera-t-il si on me confie la tête de Fontaine Resorts and Hotels ? Je devrai m'installer à New York. M'y suivras-tu ?

A vrai dire, il n'avait jamais réfléchi à la question. Non qu'il doutait des capacités de Violet ou qu'il pensait que son grand-père n'avait pas repéré ses talents, mais il ne la voyait pas ailleurs que sur le Strip : elle semblait tellement faire corps avec l'endroit.

— Eh bien, je devrai revoir mes projets.

Le regard de Violet s'adoucit.

— C'est vrai ? Tu ferais ça pour moi ?

Elle se recroquevilla contre lui et lui donna un baiser.

— Alors tu seras heureux d'apprendre que nous ne quitterons pas Las Vegas, car j'ai annoncé à mon grand-père que je me retirais de la course.

— Pourquoi ?

— Parce que ma priorité, c'est toi. Et que, quoi tu fasses, je veux pouvoir être à tes côtés.

— Sache que je suis animé des mêmes intentions.

Elle se mit à rire.

— Alors c'est merveilleux que nous aimions tous deux Las Vegas, car c'est là que nous allons élever nos enfants et vieillir ensemble.

L'avenir tel que sa femme l'imaginait dépassait ses rêves les plus fous. Envolées, les ombres qui l'empêchaient d'accéder au bonheur : l'amour que Violet lui portait les avait toutes chassées.

Il la pressa étroitement contre lui.

— Je ne peux pas me figurer un avenir plus radieux, lui dit-il en embrassant ses cheveux.

Si vous avez aimé *Une simple alliance ?*

ne manquez pas les autres romans de la saga
Les sœurs Fontaine de Cat Schield
dans votre collection **Passions :**

- *Une innocente séduction ?* disponible dès à présent
sur www.harlequin.fr

- *Une attirance interdite ?* à paraître en juin 2015

BRENDA JACKSON

Le désir d'un Westmoreland

Passions

◆ HARLEQUIN

Titre original : THE SECRET AFFAIR

Traduction française de EDOUARD DIAZ

© 2014, Brenda Streater Jackson. © 2015, Harlequin.
83-85, boulevard Vincent-Auriol, 75646 PARIS CEDEX 13.
Service Lectrices — Tél. : 01 45 82 47 47
www.harlequin.fr

Prologue

Reposant son verre de vin sur la table, Jillian Novak dévisagea sa sœur, incrédule.

— Quoi ? Tu ne viens pas avec moi ? C'est absurde, Paige ! Je te signale que c'est toi qui as eu l'idée de cette croisière.

— Inutile de me le rappeler, répondit Paige d'un ton mélancolique. Mais essaie de comprendre mon dilemme, je t'en prie ! Ce rôle, c'est le rêve de ma vie ! Steven Spielberg, Jillian ! Ce n'est pas rien… Tu ne peux pas imaginer ce que j'ai ressenti — d'abord le bonheur absolu d'avoir été choisie et, la minute suivante, l'horrible déception, lorsque j'ai appris que le tournage débutait précisément la semaine où j'étais censée partir en croisière avec toi.

— Et ton bonheur a été plus fort que ta déception, si je comprends bien ?

Jillian sentait la migraine lui vriller les tempes, et elle savait exactement pourquoi. Elle avait — pour de multiples raisons — attendu avec impatience cette croisière en Méditerranée, et elle allait devoir y renoncer.

— Je suis désolée, Jillian. Je sais que tu n'as jamais participé à une croisière, et que tu en avais très envie.

Les excuses de Paige achevèrent de la démoraliser. Elle n'avait pas le droit d'en vouloir à sa sœur d'avoir fait un choix qu'elle-même aurait fait dans les mêmes circonstances.

Elle se pencha au-dessus de la table pour serrer la main de Paige dans la sienne.

— C'est à moi de te faire des excuses, Paige. J'ai été égoïste. J'ai conscience que ce rôle est une opportunité fabuleuse, et tu serais folle de le refuser. Je suis très heureuse pour toi. Toutes mes félicitations.

— Merci, répondit Paige avec un sourire rayonnant. Je me faisais une joie de faire cette croisière avec toi, je t'assure. Ça fait une éternité que Pam, Nadia, toi et moi n'avons pas passé un bon moment entre sœurs.

Nadia, qui terminait sa dernière année à l'université, était la plus jeune de la fratrie. Elle avait vingt et un ans — deux ans de moins que Paige, et quatre de moins que Jillian. Pamela, leur sœur aînée — que Jillian, Nadia et Paige considéraient comme la meilleure d'entre elles —, était de dix ans plus âgée que Jillian. Elle avait renoncé à une brillante carrière d'actrice à Hollywood pour rentrer chez elles, à Gamble, dans le Wyoming, et s'occuper d'elles après le décès de leur père. Aujourd'hui, elle vivait à Denver. Elle était mariée, mère de deux enfants et directrice de deux écoles de théâtre, l'une à Denver, l'autre à Gamble. Marchant sur ses traces, Paige poursuivait une carrière d'actrice, et vivait à Los Angeles.

Pam s'était excusée, expliquant qu'avec son emploi du temps frénétique il lui serait impossible de les accompagner dans cette croisière. Nadia avait très envie de venir, mais elle avait ses examens de fin d'année à préparer. Jillian venait de terminer ses études de médecine, et elle avait désespérément besoin de cette croisière de deux semaines pour se détendre un peu, avant de commencer son internat. Elle avait espéré qu'au moins l'une de ses sœurs l'accompagnerait. Elle avait également une autre raison de vouloir partir…

Aidan Westmoreland.

Elle avait rompu avec lui depuis un peu plus d'un an. Mais, chaque fois qu'elle songeait aux raisons de cette rupture, son cœur se remettait à saigner. Elle avait besoin d'une distraction pour refouler les vieux souvenirs.

— Tout va bien, Jillian ?

Jillian releva les yeux vers Paige et s'efforça de sourire.

— Oui, bien sûr. Pourquoi cette question ?

— Tu avais l'air ailleurs. Je te parlais, et j'ai soudain eu l'impression que tu étais à des années-lumière d'ici. Depuis mon arrivée à La Nouvelle-Orléans, j'ai remarqué que tu n'étais plus toi-même, comme si quelque chose te préoccupait. Tu es certaine que tout va bien ?

— Mais oui, lui assura Jillian, peu désireuse de l'inquiéter et d'avoir à répondre à une avalanche de questions.

— Hum…, fit Paige, visiblement peu convaincue. Je devrais peut-être refuser ce rôle et t'accompagner.

— Ne dis pas de sottises, répondit Jillian, sirotant une gorgée de son vin. Tu as bien fait de l'accepter. D'ailleurs, moi non plus, je ne pars plus en croisière.

— Pourquoi pas ?

Surprise par cette question, Jillian dévisagea sa sœur.

— Tu ne t'attends quand même pas à ce que je parte sans toi ?

— Tu as bien besoin de détente, avant de commencer ton internat.

— Reviens sur terre, Paige ! Qu'est-ce que je ferais, toute seule, durant une croisière de deux semaines ?

— Eh bien… te reposer, te détendre, profiter de l'air marin, du silence, de la tranquillité. Et, avec un peu de chance, tu pourrais même rencontrer un célibataire séduisant !

— Les célibataires séduisants ne partent pas seuls en croisière, fit observer Jillian sombrement. Et puis, en ce moment, je n'ai pas besoin d'un homme dans ma vie.

— Jillian, tu n'as pas eu de petit ami depuis que tu es sortie avec Cobb Grindstone, au lycée. Je pense au contraire que c'est un homme qui manque le plus dans ta vie.

— Sûrement pas ! protesta Jillian, agacée. Pas avec mon emploi du temps surchargé. Et tu peux parler ! Je ne te vois pas non plus vivre le grand amour avec un homme en particulier.

— Mais moi, au moins, j'ai eu des petits amis durant toutes ces années. Toi, jamais. Ou, si c'est le cas, tu ne m'en as jamais soufflé mot.

Jillian se réfugia derrière un masque d'impassibilité. Elle n'avait jamais avoué à sa sœur qu'elle avait eu une aventure avec Aidan et, étant donné la façon dont celle-ci s'était terminée, elle était heureuse de l'avoir passée sous silence.

— Jillian ?

— Oui ?

— Tu ne nous ferais pas des cachotteries, n'est-ce pas ?

Paige la dévisageait d'un air amusé, lui offrant l'opportunité de lui parler franchement de sa relation avec Aidan, mais elle n'était pas prête aux confidences. Même si une année s'était écoulée depuis leur rupture, elle en souffrait encore terriblement. Et la dernière chose au monde dont elle avait besoin, c'était que sa sœur la soumette à un interrogatoire en règle à ce sujet.

— Tu sais parfaitement que, si je n'ai aucun homme dans ma vie, c'est par manque de temps, répondit-elle. Je me suis concentrée sur un seul but, à l'exclusion de tout le reste : devenir médecin.

Elle s'abstint de préciser, bien entendu, que, quelques années plus tôt, Aidan l'avait détournée sans grand effort de cette concentration. Cela avait été une erreur, et elle en avait payé le prix.

— C'est précisément pour ça que tu devrais participer à cette croisière sans moi. Tu as travaillé dur, et tu as besoin de te reposer et de t'amuser, pour changer un peu. Lorsque tu auras commencé ton internat, il te restera encore moins de temps à consacrer à ta vie privée.

— C'est vrai, convint Jillian. Mais…

— Il n'y a pas de « mais », Jillian !

Jillian connaissait ce ton. Lorsque Paige l'utilisait, c'était que l'affaire était sérieuse.

— Deux semaines entières, Paige ! Je vais m'ennuyer à mourir, toute seule ! gémit-elle.

— Et moi, je crois que tu as besoin de cette parenthèse. Pense à tous ces lieux fabuleux que tu vas découvrir — Barcelone, Rome, la France, la Grèce, la Turquie…

Elle marqua une pause, et ce fut son tour de s'emparer de la main de Jillian pour la serrer dans la sienne.

— Je sais que quelque chose te tracasse. Je le sens. J'ignore ce que c'est mais, manifestement, ça te détruit. Je l'avais déjà remarqué lors de ma dernière visite, il y a quelques mois.

Un sourire mélancolique étira les lèvres de Paige, qui poursuivit :

— Je pense que tu as un secret… Et je parie sur un séduisant étudiant en médecine qui t'a éblouie et dont tu n'es pas prête à me parler, parce que tu es bouleversée par l'intensité de votre relation. Si c'est le cas, je comprendrai. A un moment ou à un autre, nous rencontrons tous des problèmes que nous préférons régler personnellement. C'est pourquoi je pense que deux semaines de croisière loin du monde te feront le plus grand bien.

Jillian prit une profonde inspiration. Paige ne se doutait pas à quel point elle était proche de la réalité.

Son problème ne concernait pas l'un de ses camarades de la fac de médecine mais un médecin.

Au même instant, la serveuse réapparut avec leur commande, et Jillian remercia le ciel pour cette interruption. Elle savait que Paige ne serait pas satisfaite avant qu'elle n'ait accepté de participer à cette fameuse croisière en Méditerranée. Sa sœur savait que quelque chose la tracassait, et avant longtemps Pam et Nadia seraient, elles aussi, au courant, si ce n'était pas déjà fait. D'ailleurs, si elle ne partait pas, sa famille, qui savait qu'elle était en vacances, s'attendrait à ce qu'elle rentre à la maison pour passer ces deux semaines avec elle. Or c'était impossible. Et si Aidan revenait en ville à l'improviste ? Il était la dernière personne au monde qu'elle avait envie de croiser !

— Jillian ?

— D'accord, capitula Jillian en soupirant. Je ferai cette croisière. J'espère seulement que je ne m'ennuierai pas trop.

— Ce sera très amusant, tu verras. Tu auras une foule d'activités pour t'occuper durant ces deux semaines et, si tu préfères le farniente, ce sera très bien aussi. Tout le monde a besoin de se reposer de temps à autre.

Jillian acquiesça en silence. Elle se sentait mentalement épuisée. Aidan lui manquait affreusement. Ses textos enflammés, ses e-mails qui faisaient bondir son adrénaline et ses appels téléphoniques tard dans la nuit qui lui faisaient bouillonner le sang…

Mais cela, c'était avant d'avoir appris la vérité. Aujourd'hui, elle désirait seulement l'oublier.

Paige avait raison, songea-t-elle tristement. Elle avait bien besoin de cette parenthèse pour réfléchir.

*
* *

Aidan Westmoreland entra dans son appartement et ôta sa blouse blanche. Réprimant une grimace, il jeta un coup d'œil à sa montre. A cette heure-ci, il aurait pourtant cru avoir des nouvelles d'elle. Et si…

Il se dirigeait vers la cuisine lorsque son téléphone sonna. C'était l'appel qu'il attendait avec impatience.

— Paige ?

— Oui, c'est moi.

— Compte-t-elle toujours partir ? s'enquit-il sans perdre de temps en civilités.

Il y eut un bref silence à l'autre bout de la ligne, pendant lequel il retint son souffle.

— Oui, répondit Paige, enfin. Elle va participer à cette fameuse croisière.

Aidan recommença à respirer. Mais, déjà, Paige poursuivait :

— Jillian ne se doute toujours pas que je suis au courant de votre liaison.

Aidan l'ignorait aussi, jusqu'à ce que Paige lui rende une visite impromptue chez lui, le mois précédent. Elle lui avait déclaré qu'elle savait tout depuis l'année où Jillian était entrée à la fac de médecine. Il était rentré pour le mariage de son cousin Riley, et Paige l'avait entendu parler avec Jillian au téléphone, d'un ton de douce intimité. Comme elle s'inquiétait, depuis presque un an, pour sa sœur, qui semblait troublée par un souci qu'elle refusait de partager avec elle, elle était allée parler avec Ivy, la meilleure amie de Jillian. Cette dernière lui avait révélé toute l'histoire. Paige avait aussitôt pris l'avion pour se rendre chez lui, à Charlotte, et ils avaient eu, tous les deux, une franche explication. Avant sa visite, il n'avait pas la moindre idée des véritables causes de sa rupture avec Jillian.

Lorsque Paige avait mentionné la croisière qu'elles avaient prévu de faire ensemble, et suggéré un plan visant à la faire embarquer seule, Aidan l'avait approuvé avec enthousiasme.

— J'ai fait ma part ; c'est à vous de faire le reste, Aidan. J'espère que vous pourrez convaincre Jillian de vos sentiments.

Ils parlèrent encore un instant, puis il raccrocha et passa dans la cuisine pour prendre une bière. Accoudé au comptoir, il s'en octroya une généreuse gorgée, tout en songeant que deux semaines en haute mer en compagnie de Jillian seraient une expérience intéressante, mais il espérait qu'elle soit plus encore : une expérience productive.

Un sourire déterminé s'épanouit sur ses lèvres. A la fin de cette croisière, il ne resterait plus aucun doute dans l'esprit de Jillian. Elle saurait avec certitude qu'il était l'homme de sa vie.

Quelques instants plus tard, il jeta sa canette vide dans le bac à recyclage et alla prendre une douche. Tout en se déshabillant, il ne put s'empêcher de se remémorer la façon dont sa liaison secrète avec Jillian avait commencé, quatre ans plus tôt…

- 1 -

Quatre ans plus tôt

— Alors ? Quel effet est-ce que ça vous fait, d'avoir vingt et un ans ? demanda Aidan Westmoreland, glissant son grand corps sur le siège en face d'elle.

Jillian cessa aussitôt de respirer, tout en remarquant que tout le monde s'était retiré à l'intérieur. Aidan et elle étaient seuls dans le patio surplombant le lac.

Cette fête d'anniversaire avait été une surprise totale pour elle, et la présence d'Aidan plus encore, car il rentrait rarement depuis qu'il avait commencé ses études de médecine. Elle avait peine à croire qu'il soit revenu dans le seul but d'y assister. Comme elle-même passait presque tout son temps sur le campus de son université, leurs chemins se croisaient rarement. Et elle ne se souvenait pas qu'ils aient eu une seule véritable conversation depuis qu'elle avait fait sa connaissance, quatre ans plus tôt.

— Je me sens exactement comme hier, répondit-elle. L'âge n'est qu'un simple nombre. Un détail.

Aidan esquissa un sourire, et elle sentit son cœur cesser de battre. Son sourire était aussi fabuleux que le reste de sa personne. L'expression « un régal pour les yeux » semblait avoir été créée tout spécialement pour lui. Depuis longtemps, sa simple présence déclenchait une véritable révolution dans ses hormones.

Mais quelle femme resterait insensible, face à ce monument de masculinité ? Si ses lèvres merveilleuses ne vous avaient pas frappée d'admiration, ses yeux ne pouvaient manquer de le faire. Des yeux sombres, profonds, pénétrants. Lorsqu'elle plongea son regard dans cet abîme d'ombre, elle sentit que son cœur manquait un battement.

— Un simple nombre, vraiment ? répéta-t-il en s'adossant à son fauteuil, ses longues jambes étendues devant lui. C'est peut-être l'idée que s'en font les femmes, mais les hommes voient les choses différemment.

Il sentait merveilleusement bon. Depuis quand remarquait-elle l'odeur d'un homme ?

— Et pourquoi ça ? demanda-t-elle, sirotant une gorgée de sa limonade.

Soudain, elle avait l'impression qu'il faisait très chaud dans ce patio. Et cette sensation n'avait aucun rapport avec la température de l'air. C'était seulement la réaction de son corps à la proximité du sien.

Il se pencha vers elle, et un sourire de loup étira ses lèvres.

— Vous êtes sûre que c'est à moi que vous parlez, et non pas à Adrian ?

Oh ! oui ! Elle était certaine que l'homme devant elle était bien Aidan ! Elle avait entendu parler des tours que son jumeau et lui aimaient à jouer aux malheureux qui ne pouvaient les distinguer l'un de l'autre. Mais c'était Aidan, et lui seul, qui provoquait dans son corps des bouleversements auxquels elle préférait ne pas penser à cet instant.

— Oui, répondit-elle sans hésitation. J'en suis certaine.

— Et comment pouvez-vous l'être ? s'enquit-il en se

penchant si près qu'elle pouvait distinguer ses pupilles de ses iris sombres.

Etait-ce son imagination, ou la voix d'Aidan était-elle descendue d'une octave, jusqu'à devenir un murmure rauque ? On disait de lui qu'il était un grand charmeur, et elle l'avait en effet vu en action à l'occasion de plusieurs mariages chez les Westmoreland. Il était tout aussi notoire que les jumeaux collectionnaient les conquêtes à Harvard. Pas difficile de comprendre pourquoi !

— J'en suis sûre, c'est tout, répondit-elle, peu désireuse de s'expliquer davantage.

Il n'était pas question de lui avouer la véritable raison de cette certitude, à savoir qu'à la seconde où Dillon, son beau-frère, le lui avait présenté, juste avant son mariage avec Pam, elle avait eu le coup de foudre pour lui. A l'époque, elle n'était qu'une lycéenne de dix-sept ans. Le problème, c'était qu'elle était toujours follement amoureuse de lui.

— Vous ne m'avez toujours pas expliqué pourquoi vous en êtes aussi certaine.

Elle réprima un soupir. Pourquoi ne changeait-il pas de sujet ? Elle n'avait aucune intention de lui avouer le fond de sa pensée. Mais, comme elle pressentait qu'il ne renoncerait pas, elle déclara :

— Vous n'avez pas la même voix, tous les deux.

Il lui décocha un nouveau sourire, encore plus sexy que le précédent, laissant apparaître des fossettes sur ses joues. Ses hormones, qui échappaient à tout contrôle en sa présence, étaient à présent en pleine effervescence.

— C'est curieux que vous disiez ça, observa-t-il. La plupart des gens pensent que nous avons la même voix.

— Eh bien, moi, je ne le pense pas.

En vérité, lorsque la voix d'Aidan caressait ses sens, elle était incapable de penser tout court. Elle décida qu'il était grand temps de changer de sujet pour qu'il cesse de lui poser des questions embarrassantes.

— Comment se passent vos études de médecine ? s'enquit-elle.

Sans que rien dans son expression ne suggère qu'il avait deviné son stratagème, il se lança dans une description de la vie qui l'attendait dans une année ou deux. Sa mère était décédée d'une pathologie du cerveau, alors qu'elle n'avait que sept ans, et depuis Jillian rêvait de devenir neurochirurgien.

Aidan, lui, désirait devenir cardiologue, et il lui parla de son projet d'obtenir un poste d'interne à l'hôpital de Portland, dans le Maine, ou celui de Charlotte, en Caroline du Nord, dès sa sortie de la fac de médecine. Il semblait très excité à l'idée de devenir médecin. Elle l'était tout autant, mais il lui restait encore une année avant de pouvoir s'inscrire en médecine.

Tandis qu'il parlait, elle l'examinait tout à loisir en s'efforçant de le faire le plus discrètement possible. Il était séduisant au-delà des mots. Sa voix était douce et juste assez rauque pour affoler son pouls, sa peau lisse et couleur du caramel, son nez aquilin, ses pommettes hautes, son menton sculpté à la perfection et sa bouche si sensuelle qu'elle prenait plaisir rien qu'à la voir en mouvement. Elle n'osait pas imaginer ce qu'il pouvait faire avec une telle bouche.

— Est-ce que vous avez déjà décidé à quelle fac vous allez vous inscrire, Jillian ?

Elle tressaillit. Il venait de lui poser une question, et attendait sa réponse. Et, pendant qu'il attendait, elle vit cette bouche follement sexy esquisser un nouveau sourire. Elle se demanda s'il avait deviné qu'elle le buvait des yeux.

— J'ai toujours rêvé de vivre à La Nouvelle-Orléans, répondit-elle, s'efforçant d'ignorer son regard rivé sur elle. Je vais donc faire tout mon possible pour travailler dans un hôpital là-bas.

— Et quel serait votre second choix ?

— Je n'en suis pas vraiment sûre, répondit-elle, haussant les épaules. Peut-être la Floride.

— Pourquoi ?

— Je n'y suis jamais allée, répondit-elle, un peu embarrassée.

— J'espère que ce n'est pas la seule raison.

— Bien sûr que non ! Il y a d'excellentes facs de médecine en Floride !

— Vous avez commencé à vous préparer pour les concours ?

— Pas encore. Il est un peu tôt, non ?

— Il n'est jamais trop tôt. Je vous suggère de vous y employer durant votre temps libre.

— Quel temps libre ?

— Si vous en êtes là, il serait souhaitable que vous appreniez au plus vite à gérer votre emploi du temps ! commenta-t-il avec un rire grave incroyablement sexy. Autrement, vous allez vous épuiser au travail avant même d'avoir commencé.

Ce discours d'expert l'agaça un peu, mais elle fit taire son irritation. Après tout, il avait déjà parcouru le chemin qu'il lui restait à faire et savait de quoi il parlait. A en croire la rumeur, il réussissait très bien. Il était major de sa promotion, serait bientôt diplômé de la fac de médecine de Harvard, et en mesure de choisir les hôpitaux les plus prestigieux pour y faire son internat avec les plus grands cardiologues du pays.

— Merci pour le conseil, Aidan.

— A votre service. Lorsque vous vous sentirez prête à vous y mettre, appelez-moi. Je vous aiderai.

— Sérieusement ?

— Bien sûr. Même si je dois venir à vous pour le faire.

Venir à elle ? songea-t-elle, surprise. Comment ? Harvard était situé à Boston, soit à des milliers de kilomètres de l'université de Laramie, dans le Wyoming, où elle était étudiante ! Mais, déjà, il lui tendait la main.

— Passez-moi votre téléphone une seconde.

— Heu… pourquoi ?

— Pour ajouter mon numéro à votre répertoire.

Elle prit une profonde inspiration, puis elle se leva et tira son téléphone de la poche arrière de son jean. Elle le lui tendit, et fit de son mieux pour ignorer le frisson qui la parcourut de la tête aux pieds lorsque leurs mains se frôlèrent, puis elle observa, fascinée, le mouvement de ses doigts sur les touches, des doigts de chirurgien, longs, agiles et précis. Elle ne put s'empêcher d'imaginer ces mêmes doigts caressant sa peau nue et, à cette seule idée, une onde de chaleur l'envahit tout entière.

Une seconde plus tard, le téléphone d'Aidan sonna, et elle comprit qu'il s'était appelé pour mettre son numéro à elle dans la mémoire.

— Voilà…, dit-il en lui rendant l'appareil. A présent, j'ai votre numéro, et vous avez le mien.

— Merci, dit-elle, tout en s'efforçant de ne pas voir en cela le signe d'un rapprochement entre eux.

Là-dessus, il se leva, jetant un coup d'œil à sa montre.

— Je dois vous quitter. Adrian et moi avons rendez-vous en ville avec Canyon et Stern pour boire une bière et faire une partie de billard. Je vous souhaite encore un joyeux anniversaire.

— Merci, Aidan.

— Tout le plaisir a été pour moi.

Il s'éloigna, mais, avant de franchir les portes coulissantes du patio, il se retourna et la fixa de ses magnifiques yeux sombres. L'intensité de ce regard lui coupa le souffle, et déclencha une nouvelle onde brûlante dans tout son corps. Que signifiaient ces réactions, au juste ? Etait-ce de la passion ? Le signe d'une alchimie sexuelle particulière entre eux ? Un simple désir physique de sa part ? Sûrement les trois à la fois, et davantage encore, décida-t-elle. Tous les hommes de la famille Westmoreland étaient un régal pour les yeux, mais Aidan réveillait sa féminité comme aucun homme ne l'avait fait avant lui.

— Oui ? s'enquit-elle, lorsque son long silence devint embarrassant. Un problème ?

Sa question sembla le ramener brusquement à la réalité. Il fronça les sourcils, avant de lui offrir un sourire un peu forcé.

— Je n'en suis pas très sûr.

Là-dessus, il fit coulisser la porte de verre et disparut à l'intérieur.

Jillian resta un long moment à se demander ce qu'il avait voulu dire.

Pourquoi a-t-il fallu, entre toutes les femmes de la terre, que Jillian Novak soit celle que je désire ?

Aidan avait pris conscience de la profonde attirance qu'il ressentait pour elle lorsqu'ils avaient été présentés, quatre ans plus tôt. A l'époque, il avait vingt-deux ans et elle dix-sept, mais elle était déjà ravissante et il avait su aussitôt qu'il devrait garder ses distances avec elle. Aujourd'hui, elle en avait vingt et un, et elle était toujours l'image même de l'innocence. D'après ce qu'il avait entendu dire, elle n'avait pas de petit ami, préférant se concentrer sur ses études.

Il adorait sa famille et ne souhaitait pas causer de tort à Dillon. Pourquoi alors se permettait-il de désirer la sœur de Pam ?

Pam Novak était une perle, exactement l'épouse dont Dillon avait besoin. Ils en étaient tous restés bouche bée, lorsque Dillon leur avait annoncé qu'il avait rencontré une femme et qu'il allait se marier avec elle. C'était l'idée la plus saugrenue qu'Aidan ait jamais entendue.

Dillon aurait dû rester prudent. Sa première épouse ne l'avait-elle pas quitté lorsqu'il avait refusé de confier les quatre plus jeunes membres de la famille Westmoreland — Aidan, Adrian, Bane et Bailey — aux services sociaux ? Pourquoi imaginer que Pam serait différente ? La suite devait leur prouver qu'elle était réellement différente.

Elle était même exactement celle dont ils avaient tous besoin. Elle connaissait la valeur de la famille, et l'avait prouvé en tournant le dos à une carrière d'actrice prometteuse pour s'occuper de ses trois sœurs adolescentes, après le décès de leur père.

La famille Westmoreland aussi avait traversé de dures épreuves. Les parents d'Aidan, ainsi que son oncle et sa tante, avaient péri dans un accident d'avion. Son frère aîné Ramsey, ainsi que son cousin Dillon, avaient alors assumé les rôles de chef de famille. Tous deux avaient travaillé dur, et consenti d'énormes sacrifices pour que la famille reste unie — une famille qui comptait quinze membres.

Huit enfants du côté d'Aidan : cinq garçons — Ramsey, Zane, Derringer, Adrian et lui-même — et trois filles — Megan, Gemma et Bailey. Et sept garçons du côté des cousins : Dillon, Micah, Jason, Riley, Canyon, Stern et Brisbane.

Pour Dillon et Ramsey, la tâche n'avait pas été facile, car Aidan, Adrian, Brisbane et Bailey avaient moins de seize ans, à l'époque. Et Aidan devait bien admettre qu'ils avaient été les plus difficiles à gérer de toute la bande, collectionnant les ennuis de toutes sortes, au point même que les autorités de l'Etat du Colorado avaient ordonné qu'ils soient placés dans des familles d'accueil. Dillon avait fait appel de cette décision, et avait obtenu gain de cause. Par chance pour eux, ce dernier avait compris que leurs actes de rébellion n'étaient que leur façon d'exprimer leur chagrin à la mort de leurs parents. Aujourd'hui, Aidan était en fac de médecine, Adrian terminait sa formation d'ingénieur, Bane s'était engagé dans la marine et Bailey suivait des cours dans une université locale, tout en travaillant à mi-temps.

Malgré lui, Aidan songea de nouveau à Jillian. Sa fête d'anniversaire avait été préparée en secret, et il revoyait encore avec délectation l'expression de surprise sur son visage — un visage adorable et merveilleusement désirable. S'il avait encore nourri le moindre doute au sujet de son attirance pour elle, elle se serait dissipée à l'instant où il avait posé les yeux sur elle.

Elle était sortie dans le patio, croyant assister à une petite fête en l'honneur de sa sœur Gemma et de Callum qui venaient de se marier et s'apprêtaient à partir s'installer en Australie. Au lieu de cela, elle s'était retrouvée au centre d'une fête d'anniversaire organisée tout spécialement pour elle. Après avoir versé quelques larmes, qu'il aurait adoré sécher avec des baisers, elle avait serré Pam et Dillon dans ses bras et les avait remerciés d'avoir pensé à elle le jour de son vingt et unième anniversaire. Apparemment, c'était la première fois qu'on lui organisait une telle fête depuis qu'elle était petite fille.

Tandis que tout le monde l'entourait pour la féliciter, il était resté à l'écart, et en avait profité pour l'observer. Sa robe légère la rendait encore plus ravissante, et force lui avait été de constater qu'elle n'était plus l'adolescente de dix-sept ans qu'il avait rencontrée quatre ans plus tôt. Son merveilleux visage avait une beauté plus adulte. Et son corps…

D'où lui venaient ces courbes voluptueuses ? Comment se faisait-il qu'il ne les ait jamais remarquées auparavant ? Près de lui qui mesurait un mètre quatre-vingt-dix, elle paraissait petite. Sans chaussures, elle devait mesurer un peu plus d'un mètre soixante. Elle avait des pieds adorables. Les ongles de ses orteils, laqués de rouge vif, étaient un autre détail qui avait enflammé son désir. Pam n'avait peut-être pas envie de l'entendre, mais sa sœur était devenue une bombe sexuelle.

Il venait de s'apercevoir qu'il était le seul à ne pas être allé la féliciter, et s'apprêtait à le faire, lorsque son téléphone avait sonné. Il avait alors quitté le patio pour prendre l'appel d'un copain qui proposait de lui organiser un rendez-vous avec une fille inconnue pour le week-end suivant.

Lorsqu'il était retourné dans le patio, tous les autres étaient rentrés dans la maison pour regarder un film ou jouer aux cartes, et il l'avait trouvée seule. Elle ne saurait jamais combien il lui avait été difficile de s'asseoir en face d'elle sans la toucher. Elle était ravissante, et elle sentait merveilleusement bon.

Mais Dillon et Pam le tueraient s'il ne refoulait pas tout de suite les sentiments qu'il éprouvait pour elle !

Tout le monde savait que Pam protégeait ses sœurs comme une tigresse. Et tout le monde savait aussi que lui-même ne prenait aucune femme au sérieux. Et qu'il n'avait aucune intention de changer. Aussi était-il dans son intérêt, durant les trois jours que durerait son séjour, de garder ses distances avec Jillian comme il l'avait toujours fait.

Alors, pourquoi diable lui avait-il donné son numéro de téléphone, et noté le sien ?

Pour rien, sans doute, car il doutait qu'elle l'appelle jamais pour lui demander son aide. De son côté, il était bien décidé à ne jamais la contacter.

Parfait ! Excellent plan, auquel il allait se tenir… Il ne lui restait plus qu'à cesser de penser à elle. Reposant les yeux sur l'article médical qu'il était censé lire, il s'efforça de se concentrer sur son contenu. Quelques minutes plus tard, il l'avait terminé et s'apprêtait à en attaquer un deuxième, lorsqu'une voix féminine vint briser sa concentration :

— Est-ce que tu accepterais de me rendre un énorme service ?

Aidan leva les yeux ; Bailey était plantée devant lui. Elle avait toujours été considérée comme le bébé de la famille Westmoreland de Denver, jusqu'à la naissance du fils de Dillon et de Pam, puis de la petite fille de Ramsey et Chloé.

— Ça dépend du service…

— J'ai promis à Jillian que nous ferions une promenade à cheval ensemble, afin que je lui montre le secteur de Westmoreland Country qu'elle ne connaît pas encore. Malheureusement, on vient de m'appeler, et je dois aller travailler. Tu veux bien l'accompagner à ma place ?

— Pourquoi ne pas reporter cette promenade à un autre jour ? suggéra-t-il, décidant instantanément qu'une promenade à cheval avec Jillian n'était pas une bonne idée.

— C'était mon intention, mais je n'arrive pas à la joindre sur son portable. Nous sommes censées nous retrouver à Gemma Lake, et tu sais combien la couverture réseau est mauvaise, dans ce secteur. Elle y est probablement déjà, à m'attendre.

— Tu n'as trouvé personne d'autre pour te remplacer ?

— Non, tout le monde est occupé.

— Et moi pas ? grogna-t-il.

— Pas autant que les autres, répondit-elle d'un ton excédé. Tu es seulement en train de lire un magazine.

Il était inutile d'essayer de lui expliquer que cette lecture était importante.

— Alors ? insista-t-elle. Tu vas le faire ?

Il referma la revue et la posa sur la table en soupirant.

— Tu es vraiment sûre que personne d'autre ne peut s'en charger ?

— Tout à fait certaine, et Jillian a réellement très envie de découvrir cette section de la propriété. Elle est ici chez elle, désormais, et…

— Chez elle ? ironisa-t-il. Elle passe pratiquement toute l'année sur le campus de son université !

— C'est aussi ton cas, ainsi que celui d'Adrian, de Stern et de Canyon, lui rappela-t-elle. Et vous vous considérez tout de même chez vous, ici.

Il décida de ne pas la contrarier. Bailey lisait quelquefois en lui comme dans un livre ouvert et, dans ce cas précis, il préférait ne pas courir le risque. Il ne lui faudrait pas longtemps pour comprendre que, dans chaque page de son livre, il n'était question que de Jillian.

— Très bien, dit-il en soupirant. Je vais y aller.

— Tu pourrais montrer un peu plus d'enthousiasme ! On dirait que tu évites Jillian et ses sœurs depuis que Dillon a épousé Pam.

— Pas du tout ! se défendit-il.

— Eh bien, à te voir, on ne le croirait pas ! Tu devrais prendre le temps d'essayer de les connaître. Elles font partie de la famille, désormais. De plus, Jillian et toi allez devenir médecins. Ça vous fait déjà un intérêt commun.

Il espérait bien que leurs intérêts communs se limiteraient à cela. Ce serait à lui d'y veiller.

Il se leva et se dirigea vers la porte, décrochant son Stetson au passage.

— Aidan… ?

Il s'arrêta sur le seuil et se retourna, agacé.

— Quoi, encore ?

— Essaie d'être gentil avec elle, d'accord ? Tu te comportes quelquefois comme un ours mal léché.

Il se garda de la contredire et sortit : avec elle, on ne pouvait jamais gagner !

- 2 -

Au bruit du galop, Jillian se retourna, une main en visière au-dessus des yeux pour les protéger de l'éclat du soleil. A cette distance, elle ne pouvait reconnaître le cavalier, mais elle savait déjà qu'il ne s'agissait pas de Bailey.

Puis le cavalier se rapprocha, et son cœur se mit à battre plus fort.

Aidan !

Que faisait-il ici ? Et où était Bailey ?

Ce matin-là, Bailey et elle avaient décidé de faire une promenade à cheval après le déjeuner. Le domaine, que les habitants de la région appelaient Westmoreland Country, était immense, et Jillian ne l'avait jamais entièrement exploré. Bailey s'était donc portée volontaire pour lui servir de guide.

Aidan et sa monture étaient tout près, à présent. Jillian prit une profonde inspiration, s'efforçant de ne pas remarquer comme il se tenait droit sur sa selle. Sur son étalon noir, avec son Stetson, sa chemise western, son jean et ses bottes texanes, il avait l'air d'un cow-boy de légende.

Lorsqu'il arrêta son cheval à quelques pas d'elle, elle dut renverser la tête en arrière pour rencontrer son regard.

— Bonjour, Aidan.

— Bonjour, Jillian.

Son expression irritée, le ton coupant de sa voix suggéraient que quelque chose le contrariait. Se trouvait-elle sur une portion du domaine où elle n'avait pas le droit de pénétrer ?

— J'attends Bailey, s'empressa-t-elle de lui expliquer. Nous allons faire une promenade à cheval.

— Oui, je sais, mais il y a eu un contretemps.

— Un contretemps ? répéta-t-elle, fronçant les sourcils.

— Bailey a essayé de vous téléphoner, mais le réseau est très mauvais par ici. Elle a été appelée en urgence à son travail, et elle m'a demandé de prendre sa place.

— De prendre sa place ?

— Oui, de prendre sa place. D'après elle, vous aviez très envie d'explorer Westmoreland Country.

— C'est vrai, mais…

— Mais quoi ?

Ses yeux noirs pénétrants étaient rivés aux siens. Elle enfonça les mains au fond des poches de son jean, s'efforçant de paraître détendue. Jamais, au grand jamais, elle n'irait faire une promenade à cheval avec cet homme, mais il n'était pas question de le lui avouer ! Elle supportait sa présence à peine quelques minutes avant de se sentir littéralement fondre… comme c'était le cas à cet instant précis.

Aidan Westmoreland était l'homme le plus sexy de la terre et, en sa présence, elle était toujours à deux doigts de perdre la raison. Si elle avait fourré les mains au fond de ses poches, c'était parce qu'elle avait les paumes moites, et une boule de feu dansait déjà au centre de son corps, menaçant d'exploser en un incendie rageur, comme chaque fois qu'il se trouvait à proximité d'elle.

— Jillian ?

Elle tressaillit en l'entendant prononcer son nom. Le son de sa voix était comme une caresse sur sa peau.

— Oui ?

— Vous avez une objection à ce que je remplace Bailey ?

Elle prit une profonde inspiration. Ce regard pénétrant rivé sur elle faisait naître un frisson brûlant dans tout son corps. *Une objection ? Mille plutôt !*

— Non, ce n'est pas un problème pour moi, mentit-elle. Mais vous, vous avez sûrement mieux à faire que chevaucher en ma compagnie.

— A vrai dire, non, répondit-il, haussant ses puissantes épaules. Il est grand temps que nous fassions plus ample connaissance et ce sera l'occasion…

Pourquoi ces paroles faisaient-elles bouillonner ainsi son sang ? Elle était sûre qu'il n'y avait glissé aucun sous-entendu, mais elle jugea nécessaire de clarifier la situation.

— Pour quelle raison devrions-nous faire plus ample connaissance ?

Il se redressa sur sa selle, et elle ne put s'empêcher de fixer ses longs doigts tenant les rênes, les imaginant soudain glisser languissamment sur son corps nu.

— Dillon a épousé Pam il y a quatre ans déjà, et je ne vous connais toujours pas très bien, vos sœurs et vous, répondit-il, coupant court à ses fantasmes. Nous sommes une grande et même famille, désormais, et, chez les Westmoreland, la famille compte plus que tout. Je ne suis pas rentré assez souvent pour vraiment vous connaître, Paige, Nadia et vous.

La mention de ses sœurs rendait sa précédente déclaration moins personnelle. Elle n'était pas seule concernée. Cette précision aurait dû la soulager, mais, pour une raison mystérieuse, ce ne fut pas le cas.

— Je suis très prise par mes études, et je ne rentre pas très souvent moi-même, dit-elle. Mais nous pourrons très bien apprendre à mieux nous connaître un autre jour. Il n'est pas nécessaire que ce soit aujourd'hui.

— Aujourd'hui me semble un bon jour, au contraire, car je repars dès demain pour Boston, et j'ignore quand nos chemins se croiseront de nouveau. Probablement pas avant Noël.

Pourquoi avait-elle l'impression désagréable que ce soi-disant rapprochement était une corvée qu'on lui avait imposée ? Elle en fut vexée.

— Ne vous sentez pas obligé de me rendre service ! remarqua-t-elle d'un ton acide.

— Pardon ? fit-il, visiblement surpris.

— Il est évident que Bailey vous a chargé d'une corvée dont vous auriez préféré vous passer, répondit-elle en détachant son cheval pour remonter en selle. Je peux très bien explorer Westmoreland Country toute seule. Je n'ai pas besoin de votre compagnie, Aidan.

Il croisa les bras sur sa poitrine, et Jillian lut dans son expression qu'il n'avait pas apprécié son commentaire. Elle en eut la confirmation lorsqu'il déclara, la fixant d'un regard d'une telle intensité qu'il lui fit l'effet d'une flamme traversant ses vêtements :

— Je regrette d'avoir à vous dire ça, Jillian Novak, mais vous allez devoir supporter ma compagnie, que ça vous plaise ou non.

Aidan riva son regard à celui de Jillian, et ne put s'empêcher d'avoir l'impression qu'ils se livraient un combat. De quelle sorte, il n'aurait su le dire. Etait-ce un combat de la volonté ? De la passion ? Du désir ? Les trois semblaient lutter en lui pour la première place, en cet instant. A sa façon de le fusiller du regard, il comprit cependant que Jillian n'aimait pas recevoir des ordres.

— Ecoutez, reprit-il, nous perdons du temps. Vous avez envie d'explorer le domaine, et moi, je n'ai rien de mieux à faire que de vous accompagner. Je vous demande pardon si je vous ai semblé manquer de délicatesse. Je n'ai jamais eu l'intention de suggérer qu'apprendre à mieux vous connaître, vos sœurs et vous, était une corvée pour moi.

Il jugea inutile de préciser que Bailey lui avait recommandé de se montrer gentil avec elle. Il était toujours resté cordial en sa présence, et c'était bien suffisant. Se rapprocher exagérément d'elle n'était pas une bonne idée. Cela dit, c'était lui qui avait suggéré qu'elle l'appelle, si elle avait besoin d'aide pour préparer son concours d'entrée à la fac de médecine. Il comprenait maintenant que cette suggestion était une erreur. Une très grosse erreur.

Elle le considéra un instant d'un air pensif, et, face à ses lèvres adorables, serrées en une expression désapprobatrice, il éprouva une étrange sensation au creux de l'estomac, comme un feu intérieur qui le consumait.

— Vous êtes bien certain que ça ne vous dérange pas ?

Il n'avait aucune certitude en ce qui la concernait. Outre sa merveilleuse beauté, ce qu'il aimait le plus chez elle, c'était précisément qu'elle demeurait un mystère pour lui. Lorsqu'il la connaîtrait mieux, peut-être s'apercevrait-il qu'elle ne lui plaisait pas du tout.

— Oui, j'en suis certain, lui assura-t-il, rapprochant son cheval du sien. Allons, venez. Il y a énormément de choses à voir. J'espère que vous êtes à l'aise en selle.

— Oui, répondit-elle, lui offrant un sourire qui lui fit admirer encore davantage ses lèvres pleines. Je suis assez bonne cavalière.

Sur ces mots, elle lança son cheval au galop, et lui fit exécuter un saut impeccable par-dessus le ruisseau. Aidan esquissa un sourire. Elle n'était pas seulement assez bonne cavalière. Elle était excellente !

*
* *

Jillian tira sur sa bride et jeta un coup d'œil par-dessus son épaule pour voir Aidan exécuter le même saut. Elle ne put s'empêcher d'admirer sa technique parfaite. Cette aisance n'aurait pas dû la surprendre, Dillon lui avait dit que tous ses frères et ses cousins étaient d'excellents cavaliers.

— Vous êtes très forte, observa-t-il en la rejoignant au trot.

— Merci, répondit-elle, flattée. Vous n'êtes pas mauvais non plus.

— A une certaine époque, j'ai songé à me lancer dans le rodéo professionnel, lui apprit-il en riant.

— Est-ce Dillon qui vous en a dissuadé ?

— Non, Dillon n'aurait jamais fait ça. L'un de ses principes était de nous laisser libres de choisir nos buts dans la vie. Du moins, ça a été sa règle pour nous tous, à l'exception de Bane.

Elle savait ce que l'on racontait au sujet de ce cousin d'Aidan, Brisbane Westmoreland, qu'ils appelaient tous Bane. Notamment que Dillon l'avait encouragé à s'engager dans l'armée, arguant que ce serait le seul moyen de lui éviter de finir en prison pour tous les problèmes qu'il avait causés. Bane avait choisi la marine. Depuis que Pam avait épousé Dillon, Jillian n'avait vu Bane qu'en deux occasions.

— Qu'est-ce qui vous a poussé à renoncer au rodéo ? s'enquit-elle, alors que leurs chevaux se mettaient au trot, flanc contre flanc.

— Lorsqu'il était encore au lycée, mon frère Derringer a suivi le circuit des rodéos deux années de suite, durant les vacances d'été. Puis il a eu un grave accident. Nous étions tous fous d'inquiétude pour lui. L'idée d'avoir failli perdre un autre membre de la famille m'a ramené à la raison. J'ai compris que je n'avais pas le droit de faire courir un tel risque à ceux que j'aime.

Jillian acquiesça. Elle savait qu'il avait perdu ses parents, son oncle et sa tante dans un accident d'avion, et que Dillon, le plus âgé d'entre eux, avait dû assumer pour la plus large part les responsabilités de chef de famille.

— Derringer et quelques-uns de vos cousins entraînent des chevaux de course, je crois ?

— En effet, et leur petite affaire marche très bien. Ils n'étaient pas faits pour travailler dans la société familiale et, au bout de quelques années, ils l'ont quittée pour réaliser leur rêve de travailler avec des chevaux. J'essaie de les aider un peu lorsque je rentre au pays, mais ils se débrouillent fort bien sans moi. Plusieurs de leurs bêtes ont gagné des courses importantes.

— Votre frère aîné a, lui aussi, renoncé à un poste de directeur exécutif dans l'entreprise, il me semble ?

— C'est vrai, convint-il, tournant son regard vers elle. Ramsey est diplômé en agronomie et en économie. Son projet a toujours été d'élever des moutons, mais, lorsque mes parents, mon oncle et ma tante ont péri dans cet accident d'avion, il a secondé Dillon à la direction de Blue Ridge.

Jillian savait que la Blue Ridge Land Management Company, fondée des années plus tôt par le père d'Aidan et son oncle, était l'une des plus importantes sociétés immobilières du pays.

— Mais il a fini par réaliser son rêve…

— Oui. Dillon a réussi à le convaincre qu'il pouvait diriger la société sans son aide, et aujourd'hui Ramsey est à la tête d'un élevage de moutons florissant.

Elle aimait bien Ramsey. A vrai dire, elle aimait bien tous les Westmoreland qu'elle avait rencontrés. Lorsque Pam avait épousé Dillon, toutes les filles Novak avaient été accueillies par le clan à bras ouverts. Certains de ses membres étaient plus sociables que d'autres, mais ils avaient tous comme point commun une solidarité totale entre eux.

— Comment êtes-vous devenue une aussi bonne cavalière ? s'enquit-il.

— Mon père était un homme formidable, mais je suis sûre qu'il aurait aimé avoir au moins un fils. Même si le destin lui a accordé quatre filles, il a veillé à nous enseigner certaines compétences qui sont habituellement considérées comme l'apanage des garçons et qu'il estimait essentielles. Monter à cheval en faisait partie.

Elle marqua une pause, avant de reprendre en soupirant :

— A l'évidence, il a dû voir un certain potentiel chez moi, car il a fait de gros sacrifices pour m'envoyer dans une école d'équitation. J'ai même participé à des compétitions nationales. J'ai arrêté quand sa santé a commencé à se détériorer. Nous avions besoin de cet argent pour les frais médicaux.

— Regrettez-vous d'y avoir renoncé ?

— Non. J'aimais beaucoup la compétition, mais il me semblait plus important que mon père bénéficie des meilleurs soins possibles. Et mes sœurs pensaient comme moi.

C'était vrai. Aucune d'elles n'avait regretté les sacrifices auxquels elles avaient dû consentir pour aider leur père.

— Nous y voici…, annonça soudain Aidan.

Jillian balaya alors du regard le magnifique paysage qui s'étendait devant elle jusqu'à l'horizon. En tant qu'aîné, Dillon avait hérité la maison principale et les cent cinquante hectares de terres qui l'entouraient. Les autres recevaient, le jour de leurs vingt-cinq ans, cinquante hectares en pleine propriété. Certains secteurs du domaine étaient défrichés, d'autres couverts d'épaisses forêts. Mais ce qui lui coupa vraiment le souffle, ce fut la majestueuse rivière qui se déversait dans un lac immense, Gemma Lake, ainsi nommé en l'honneur de l'arrière-grand-mère d'Aidan.

— Ce lieu est magnifique ! Où sommes-nous, exactement ?

— Sur mes terres, répondit-il en se tournant vers elle, un grand sourire aux lèvres. *Le Havre d'Aidan.*

Ce nom seyait parfaitement à l'endroit, décida-t-elle aussitôt. Elle imaginait sans peine Aidan bâtissant un jour sa maison sur ces terres, près de ce vaste lac. Aujourd'hui, il avait l'air d'un cow-boy, mais elle le voyait facilement en capitaine de navire.

— *Le Havre d'Aidan*, répéta-t-elle d'une voix douce. C'est un joli nom. Comment l'avez-vous trouvé ?

— C'est Bailey qui a imaginé les noms de nos lots respectifs : *La Forteresse de Stern*, *Le Repaire de Zane*, *Le Donjon de Derringer*, *La Toile de Ramsey*, *Les Pâtures de Megan*, pour n'en nommer que quelques-uns.

Jillian avait visité tous ces lieux, et les maisons qui y avaient été bâties étaient toutes ravissantes. Certaines étaient des constructions basses dans le style ranch traditionnel, d'autres d'imposantes demeures sur plusieurs niveaux.

— Quand avez-vous prévu de bâtir votre maison ?

— Je ne sais pas encore. Pas tout de suite, en tout cas. Après la fac de médecine, je vivrai et travaillerai probablement ailleurs durant quelque temps. Ma résidence en cardiologie doit durer six ans.

— Mais c'est ici que vous vivrez un jour ?

— Oui. Westmoreland Country sera toujours mon port d'attache.

Jillian avait toujours pensé qu'elle vivrait toute sa vie à Gamble. Elle savait, bien sûr, qu'il lui faudrait s'éloigner un temps pour aller à l'université, mais il était évident pour elle qu'elle y reviendrait à la fin de ses études pour travailler à l'hôpital local, avant d'ouvrir son propre cabinet. Après tout, c'était là qu'elle avait vécu toute sa vie, et toutes ses amies y vivaient. Mais Pam avait épousé Dillon, et tout avait changé pour Paige, Nadia et elle. Comme elles étaient très proches de leur sœur aînée, elles avaient décidé de quitter le Wyoming et de s'installer près d'elle dans le Colorado. Nadia était en terminale au lycée du coin, et Paige étudiait à l'université d'UCLA, en Californie.

— Et vous, Jillian ? Avez-vous l'intention de retourner vivre à Gamble, un jour ?

— Non, répondit-elle, se demandant une nouvelle fois pourquoi sa gorge se serrait chaque fois qu'il prononçait son nom de cette voix grave, un peu rauque. Nadia, Paige et moi avons eu une petite conversation à ce sujet, il y a quelques semaines, et nous avons décidé de suggérer à Pam de vendre la maison. Elle l'aurait déjà fait, je crois, mais elle est persuadée que nous désirons la conserver.

— Et ce n'est pas le cas ?

— La vie continue, et aujourd'hui c'est à Denver que nous nous sentons chez nous. En tout cas, c'est vrai pour Nadia et moi. Paige a fait sa vie à Los Angeles. Elle espère que sa carrière d'actrice va décoller, et nous l'espérons toutes également. Pam a déjà fait beaucoup pour nous, et nous ne voulons pas qu'elle se sente obligée de continuer à financer nos études, alors que nous pourrions utiliser notre part de la vente de la maison pour couvrir ces dépenses.

— Je comprends. Venez, marchons un peu. J'aimerais vous faire faire le tour du propriétaire avant de pousser jusqu'à *L'Anse d'Adrian*.

Il sauta à bas de sa selle et attacha son cheval au tronc d'un arbre, puis il se tourna vers elle pour l'aider à mettre pied à terre. Lorsqu'il posa les mains sur elle, le temps sembla s'arrêter, et rien n'exista plus, hormis le contact de ses doigts sur son corps. Et, à en juger par son expression, il était en proie au même trouble qu'elle.

C'était un phénomène entièrement nouveau pour elle. Elle n'avait jamais rien ressenti qui ressemble de près ou de loin à ce qu'elle ressentait à cet instant précis. Même si sa fiévreuse rencontre sexuelle avec Cobb Grindstone, après leur bal de promotion, avait apaisé sa curiosité, elle l'avait laissée insatisfaite.

A l'instant où ses pieds atteignirent le sol, elle entendit un gémissement rauque monter dans la gorge d'Aidan. Il lui apparut alors clairement qu'ils étaient tous les deux pris dans un tourbillon de désir d'une violence qui lui coupa le souffle.

— Jillian…

Il répéta son nom et, comme toutes les fois, sa voix grave lui sembla être le son le plus sexy de l'univers. Son bras ferme l'attira contre lui, et sa bouche brûlante se posa sur la sienne.

Emporté dans un tourbillon de sensations affolantes, Aidan n'était plus conscient que de la femme qu'il tenait dans ses bras, de ses lèvres soudées aux siennes. Son sang bouillonnait ; un incendie dévorant courait dans ses veines.

Il devait s'arrêter… Ce n'était pas n'importe quelle femme qu'il pressait contre lui. C'était Jillian Novak, la sœur de Pam. La belle-sœur de Dillon. Une femme qui faisait aujourd'hui partie de la famille Westmoreland. Il en avait une conscience aiguë, alors que son corps, lui, comprenait seulement qu'elle le désirait avec la même force que lui.

Et, au lieu d'écouter la voix de la sagesse, il se laissa captiver par sa douce fragrance, par le goût enivrant de sa bouche, par sa fougue innocente. Son corps, entre ses bras, lui procurait une sensation exquise, comme si c'était là sa véritable place. Mais il voulait plus encore. Il voulait la caresser tout entière de ses mains, de ses lèvres. S'enivrer d'elle.

Il ne mit fin à ce baiser que par besoin de respirer, mais regretta le goût de sa bouche sitôt qu'il l'eut quittée.

L'expression choquée qu'il surprit dans son regard lui indiqua qu'elle avait besoin de temps pour comprendre ce qui venait de se produire entre eux. Elle recula d'un pas, et il la vit prendre une profonde inspiration.

— Nous n'aurions pas dû faire ça, dit-elle.

Il n'arrivait pas à croire qu'elle ait l'audace de faire une pareille déclaration, alors qu'il sentait un désir incandescent irradier d'elle. Il avait eu la même pensée un peu plus tôt, mais son point de vue avait changé depuis. Il ne pensait plus qu'à la serrer de nouveau dans ses bras, à s'emparer de sa bouche pour la dévorer de baisers. Et pourquoi fallait-il que cette expression boudeuse la rende encore plus adorable ?

— Alors, pourquoi l'avons-nous fait ? répliqua-t-il.

C'était peut-être lui qui avait fait le premier pas, mais elle ne l'avait pas repoussé. Bien au contraire ! Et sa réponse ne pouvait mentir. Elle y avait pris autant de plaisir que lui.

— Je ne sais pas pourquoi nous l'avons fait, mais il ne faut pas que nous recommencions.

— Et pourquoi ça ? protesta-t-il.

— Vous savez très bien pourquoi, répondit-elle d'un ton sévère. Votre cousin est le mari de ma sœur.

— Et alors ?

— Et alors, rétorqua-t-elle, les poings sur les hanches, nous ne devons plus recommencer, c'est tout ! Je suis parfaitement au courant de votre réputation de coureur de jupons, Aidan.

— Vraiment ? marmonna-t-il, agacé.

— Oui. Et je ne suis pas intéressée. Tout ce qui m'importe, c'est d'être admise à la fac de médecine. C'est mon unique préoccupation.

— Quant à moi, je ne songe qu'à en être enfin libéré. Le fait que Dillon ait épousé Pam ne change rien. Vous êtes une jeune femme ravissante, et je suis un excellent observateur. Mais, puisque c'est ainsi que vous voyez la situation, je veillerai à ce que ça ne se reproduise pas.

— Merci.

— Inutile de me remercier. Je me réjouis que les

choses soient désormais claires entre nous. A présent, je peux continuer à vous montrer le domaine.

— Je ne suis pas sûre que ce soit une bonne idée.

Il la considéra un instant en silence. Lorsqu'elle repoussa une mèche de cheveux sur sa joue, il fut une nouvelle fois frappé par son exquise beauté.

— Et pourquoi pas ? insista-t-il avec un sourire provocant. Craignez-vous d'être incapable de vous contrôler en ma compagnie ?

— Croyez-moi, ce n'est pas du tout ça !

Son regard courroucé aurait dû l'inciter à la prudence, mais il ne renonçait pas si facilement.

— Dans ce cas, il n'y a aucune raison pour que je ne finisse pas de vous montrer le domaine… De plus, Bailey sera furieuse si je ne le fais pas. Nous avons beaucoup de terrain à couvrir, alors marchons, voulez-vous ?

Sur ce, il s'éloigna le long de la berge, se disant que, lorsqu'elle se serait calmée un peu, elle le rattraperait.

Jillian suivit Aidan des yeux tandis qu'il s'éloignait, décidant de s'accorder quelques instants pour retrouver sa lucidité. Pourquoi lui avait-elle permis de l'embrasser ? Et pourquoi avait-elle tant aimé ce baiser ?

Personne ne l'avait jamais embrassée de cette façon. Personne n'aurait osé, pour commencer ! D'ailleurs, elle doutait que les hommes qu'elle avait embrassés en aient été capables. Et surtout pas Cobb. Ou ce garçon… Lester…, la star de l'équipe de football, qui voulait l'emmener dans un hôtel dès le premier soir, durant sa première année à l'université.

Mais, même si elle avait adoré embrasser Aidan, ce qu'elle lui avait dit restait vrai. Cela ne se répéterait pas. Il serait stupide de se lancer dans une relation avec un homme dont le sport favori était de collectionner les conquêtes. Elle n'était pas aussi naïve !

En revanche, elle savait très bien ce qui le motivait, lui. En plus d'une occasion, elle avait entendu Dillon se plaindre à Pam des jumeaux qui réussissaient très bien à Harvard mais qu'il désespérait de voir un jour mariés, car ils étaient tous deux des coureurs de jupons notoires. L'intérêt que lui manifestait Aidan n'était donc que très relatif. Pam l'avait maintes fois mise en garde contre les hommes aux intentions malhonnêtes, et serait extrêmement déçue, si elle se laissait embobiner par un charmeur du genre d'Aidan, un homme qui pourrait la distraire de son projet d'entrer à la fac de médecine pour faire d'elle son jouet.

Rassurée d'avoir retrouvé son bon sens, elle se remit en marche. Aidan n'était pas très loin devant elle, et il ne lui faudrait pas très longtemps pour le rattraper. En attendant, elle en profita pour admirer son physique d'athlète. Son jean blanchi par les lavages mettait en valeur des cuisses puissantes, un postérieur ferme comme le roc, des hanches étroites, et accentuait la largeur de ses épaules. Il ne se contentait pas de marcher, il avançait crânement, avec une démarche tellement sexy qu'elle sentait son cœur battre plus vite à chacun de ses pas.

Il ralentit soudain et se retourna, rivant les yeux sur elle. Avait-il senti son regard appuyé sur certaine partie de son anatomie ? Elle espérait bien que non ! Cela dit, le reste de sa personne était tout aussi impressionnant. Il n'était pas difficile de comprendre pourquoi Aidan était aussi apprécié de la gent féminine.

— Alors ? Vous venez ?

Elle refoula fermement la vague de désir qui montait en elle et continua à marcher dans sa direction, sentant plus encore, à chacun de ses pas, la brûlure de ce regard. Lorsqu'elle le rejoignit enfin, incapable de supporter cette scrutation plus longtemps, elle se tourna vers le paysage, le lac immense et les montagnes qui bordaient le domaine.

— La vue est magnifique, ici, observa-t-elle.

— Oui. C'est pourquoi j'ai l'intention de bâtir ma maison sur ce site précis.

— Vous en avez déjà dessiné les plans ?

— Non, pas encore. Je ne compte pas en commencer la construction avant plusieurs années, mais il m'arrive souvent de venir ici pour réfléchir à ce que j'y ferai dans l'avenir. La maison devra être assez grande pour accueillir une famille.

— Vous avez donc l'intention de vous marier ? s'enquit-elle, tournant vivement la tête vers lui.

— Oui. Un jour. Ça vous étonne ?

— Un peu, reconnut-elle, décidant d'être honnête. Le fait est que vous avez une certaine réputation.

— C'est la seconde fois que vous mentionnez ma réputation, remarqua-t-il, s'adossant nonchalamment contre le tronc d'un aulne. Est-ce que je peux savoir ce que vous avez entendu raconter à mon sujet ?

Elle alla s'asseoir en face de lui sur une grosse souche, avant de répondre :

— J'ai entendu dire que Bailey, Bane, Adrian et vous faisiez les quatre cents coups, autrefois.

— C'est vrai, reconnut-il. Mais c'était il y a longtemps. Et je peux vous affirmer en toute honnêteté que nous avons regretté nos actions. En grandissant, nous avons compris l'impact qu'elles avaient eu sur notre famille, et nous nous en sommes excusés.

— Je suis certaine que tous vous ont pardonné. Vous n'étiez que des enfants, et vous aviez une raison de vous comporter de la sorte.

Pam lui avait relaté toute l'histoire ; la mort de leurs parents, de leur oncle et de leur tante les avait bouleversés. Il était clair que les actes de rébellion des quatre adolescents qu'ils étaient alors n'étaient que l'expression de leur chagrin.

— Je vous demande pardon d'y avoir fait allusion, ajouta-t-elle, un peu embarrassée.

— Il n'y a pas de mal, lui assura-t-il, haussant les épaules. C'est ainsi. Notre quatuor s'est fait une réputation qui nous poursuit depuis des années. Mais ce n'est pas à cette facette de ma réputation que vous faisiez allusion, n'est-ce pas ?

— J'ai cru comprendre que vous aimiez les femmes…

— C'est le cas de la plupart des hommes, non ? fit-il observer en riant.

— Ce que je veux dire, c'est que vous les aimez beaucoup, mais que vous ne vous préoccupez pas de leurs sentiments, précisa-t-elle d'un ton sévère. Vous leur brisez le cœur sans vous soucier des souffrances que vous occasionnez peut-être.

Il la dévisagea un long moment, avant de demander :

— Est-ce vraiment ce que vous avez entendu raconter ?

— Vraiment… Et, maintenant, vous prétendriez me faire croire que vous songez sérieusement à vous marier et à fonder une famille ?

— Bien sûr. L'un n'a rien à voir avec l'autre. Ce que je fais aujourd'hui n'affecte en rien mes projets pour l'avenir. Mais j'aimerais qu'une chose soit bien claire entre nous : je n'ai jamais brisé de cœurs délibérément. Lorsque je sors avec une femme, je ne lui cache jamais la vérité — à savoir que ma carrière de médecin est ma priorité. Si elle refuse de l'entendre et se met en tête de me faire changer, je ne peux pas être tenu pour responsable de sa déception.

— En d'autres termes…

— En d'autres termes, Jillian, je ne mens jamais

aux femmes, et ne leur brise jamais le cœur intentionnellement.

Elle savait qu'elle aurait dû changer de sujet, mais elle ne put s'empêcher de poursuivre :

— Vous admettez tout de même que vous êtes sorti avec beaucoup de femmes.

— Oui, j'en conviens. Et pourquoi pas ? Je suis célibataire et je n'ai pas l'intention de m'engager dans une relation sérieuse dans un avenir proche. Cela dit, je n'ai pas eu autant de petites amies que vous semblez le penser. Je suis en fac de médecine, ne l'oubliez pas, et mon temps libre est extrêmement limité.

Elle n'en doutait pas une seconde. Il semblait presque impossible de mener de front une vie sentimentale et des études de médecine, mais, visiblement, lui y réussissait… Mais il se simplifiait la tâche en refusant de s'engager sérieusement. Au moins, il avait l'honnêteté de le reconnaître. Il sortait avec des femmes par distraction, et n'en aimait aucune.

Rassemblant tout son courage, elle lui posa alors la question qui lui brûlait les lèvres depuis le début de leur conversation :

— Si tout ce que vous venez de me dire est vrai, si vous ne vous engagez jamais sérieusement, pourquoi m'avez-vous embrassée ?

Jillian lui posait là une excellente question, à laquelle il aurait préféré ne pas avoir à répondre. Toutefois, elle méritait une réponse, surtout après la façon dont il avait dévoré sa bouche. Elle avait vingt et un ans, soit cinq de moins que lui et, même si elle n'était pas tout à fait novice dans l'art du baiser, il savait qu'en termes d'expérience sexuelle ils se situaient à des années-lumière l'un de l'autre. Avant de lui répondre, il avait donc besoin de lui poser lui-même quelques questions.

— Et vous, pourquoi m'avez-vous rendu mon baiser ?

Sa contre-question la prit de court, car elle essaya d'esquiver, comme il s'y attendait.

— Le problème n'est pas là.

Il ne put s'empêcher de sourire. Elle ignorait manifestement que le problème était là, bien au contraire, mais il y reviendrait plus tard.

— Si je vous ai embrassée, Jillian, c'est parce que j'étais curieux. Je pensais que vous aviez des lèvres adorables, et j'ai eu envie de les goûter. De vous goûter tout entière. J'en avais envie depuis longtemps.

Elle le dévisagea, stupéfaite, et il eut toutes les peines du monde à réprimer un nouveau sourire. Elle ne s'attendait manifestement pas à ce qu'il lui réponde de façon aussi abrupte. Un trait de son caractère qu'elle ignorait encore. Il n'édulcorait jamais ses paroles. Il était toujours clair et direct.

— A présent que vous savez pourquoi je vous ai embrassée, dites-moi pour quelle raison vous m'avez rendu mon baiser…

— Euh… j'étais…

Elle s'interrompit, l'air embarrassé, et il fut tenté de s'emparer de nouveau de ses lèvres merveilleuses et de les dévorer de baisers.

— Oui ? l'encouragea-t-il.

— Je… j'étais curieuse, moi aussi.

— Bon ! Nous avançons…, commenta-t-il en souriant. Voilà un argument que je peux comprendre. C'est probablement parce que je vous ai dit que je ne m'engage jamais dans une relation sérieuse avec une femme. J'espère que vous ne considérez pas qu'un baiser constitue un engagement ?

A l'expression déroutée de son visage, vite réprimée,

il devina que c'était pourtant ce qu'elle avait pensé. A l'évidence, elle était encore plus inexpérimentée qu'il ne l'avait cru. Il se demanda jusqu'à quel point elle l'était. La plupart des femmes de son âge qu'il connaissait étaient plus expertes dans le désir que dans les sentiments.

— Non, bien sûr, se défendit-elle. Je n'ai jamais cru ça.

— Combien de petits amis avez-vous eus ?

— Pardon ?

— Je vous ai demandé combien de petits amis vous avez eus, répéta-t-il. Et, avant que vous ne me répondiez que ça ne me regarde pas, si je vous pose cette question, c'est que j'ai une bonne raison.

— J'ai peine à en imaginer une justifiant que vous ayez besoin de le savoir, répliqua-t-elle, relevant le menton d'un air de défi.

— C'est afin que vous puissiez vous protéger, lui expliqua-t-il, remarquant une nouvelle fois combien elle était adorable et sexy, avec sa longue chevelure bouclée cascadant sur ses épaules, l'éclat de sa peau d'ivoire dans la lumière du soleil.

— Contre qui ? Des hommes tels que vous ?

— Non. Les hommes tels que moi n'essaieront jamais de vous faire croire qu'un baiser est une chose sérieuse. Mais d'autres chercheront à vous convaincre du contraire.

— Et vous pensez que je ne suis pas de taille à me défendre ?

— Certains baisers sont inévitables. Celui que nous venons de partager, par exemple. Croyez-vous sincèrement que vous auriez pu l'éviter ?

— Oui, naturellement.

— Dans ce cas, pourquoi ne pas l'avoir fait ?

— Je vous l'ai déjà dit, lui rappela-t-elle d'un ton agacé. La seule raison pour laquelle je vous ai permis de m'embrasser, c'est parce que j'étais curieuse.

— Vraiment ?

— Oui. Vraiment.

— Et maintenant ? Vous n'êtes plus curieuse ?

— Non, plus du tout. Je me demandais quel effet cela me ferait de vous embrasser. A présent, je le sais.

Décidant de lui prouver qu'elle avait tort et de régler la question une bonne fois pour toutes, il quitta son arbre pour se diriger droit vers elle.

A l'évidence, elle avait deviné ses intentions, car elle se leva d'un bond, l'expression sévère.

— Ne faites pas un pas de plus, Aidan Westmoreland ! N'imaginez pas que je vais vous permettre de m'embrasser de nouveau !

Il vint se planter juste en face d'elle, mais elle refusa de battre en retraite. Il ne put s'empêcher d'admirer sa bravoure, même si elle était inutile.

— Oh si…, murmura-t-il, non seulement je l'imagine, Jillian, mais je sais que vous allez le permettre. Et que vous allez me rendre mon baiser aussi.

- 4 -

Jillian doutait d'avoir jamais rencontré un homme plus arrogant. Et, pire encore, il avait l'outrecuidance de rester planté devant elle, son Stetson repoussé sur la nuque, débordant de confiance en lui-même. Comment osait-il lui dicter ce qu'elle devait faire ? L'embrasser de nouveau ? Quelle prétention !

Elle releva la tête pour le fusiller du regard. Il lui sourit d'un air aimable, et soutint son regard avec une sérénité qui acheva de la déstabiliser. Puis ses yeux se mirent en mouvement, la détaillant lentement de la tête aux pieds. Etait-ce du désir qu'elle sentait soudain pulser dans son sang ? D'où lui venaient ces émotions qu'elle sentait bouillonner en elle ? Etait-elle excitée par sa façon de la regarder ? Elle tenta de réfuter cette idée dérangeante, mais, au lieu de cela, elle se sentit aspirée davantage dans la chaleur brûlante de ce regard.

— Arrêtez ça tout de suite !

— Arrêter quoi ? demanda-t-il d'un air faussement étonné.

— Ce que vous êtes en train de faire.

— Croyez-vous vraiment que je sois responsable de votre respiration précipitée ? Du durcissement des pointes de vos seins que je devine à travers votre chemisier ? De cette envie de m'embrasser que je lis dans vos yeux ?

Tout ce qu'il venait d'évoquer lui arrivait réellement, mais il n'était pas question de l'admettre.

— Je n'ai aucune idée de ce à quoi vous faites allusion.

— Dans ce cas, nous sommes dans une impasse, Jillian…

— Pas du tout ! D'ailleurs, je m'en vais. Trouvez quelqu'un d'autre pour jouer à ce petit jeu absurde !

Alors qu'elle se retournait pour s'éloigner, il posa une main sur son bras. Le contact de ses doigts provoqua sur sa peau une sorte de traînée de feu qui remonta jusqu'à son épaule. Tout à coup, il lui sembla que l'air entre eux se raréfiait. Et quelle était cette brûlure qui palpitait au centre de son être ? Etait-ce la conséquence de cette caresse circulaire, presque imperceptible, du pouce d'Aidan sur son bras ?

Elle prit une profonde inspiration, s'efforçant désespérément de conserver le contrôle de ses sens. Elle désirait libérer son bras, mais s'aperçut qu'elle en était incapable. Par quel sortilège la retenait-il prisonnière ? Son sang pétillait dans ses veines, et ses hormones étaient en révolution. Elle vibrait littéralement de désir.

— Vous le sentez, n'est-ce pas, Jillian ? Cet effet que nous nous faisons mutuellement… C'est fou, je le sais, et je serais bien incapable de l'expliquer, mais je le ressens chaque fois que je me trouve près de vous. A mon avis, Pam et Dillon sont le moindre de nos soucis. Nous devrions nous préoccuper d'abord de comprendre ce qui est en train de se passer entre nous. Vous pouvez le nier tant qu'il vous plaira, ça ne changera rien à la réalité. Il vous faut l'admettre comme je l'ai fait moi-même.

Elle le sentait, bien sûr, tout comme elle sentait qu'il y avait pour elle un réel danger à l'admettre. Mais Aidan avait raison sur un point : mieux valait affronter un problème et le résoudre plutôt que l'ignorer. Sinon, le regret de ne l'avoir pas fait l'empêcherait de dormir toute la nuit.

Les doigts d'Aidan glissèrent lentement le long de son bras, remontèrent jusqu'à ses lèvres et dessinèrent leur contour.

— C'est ce même sentiment qui me donne envie de vous couvrir de baisers, et qui vous fait désirer que je vous embrasse, ajouta-t-il dans un murmure. J'ai besoin de me délecter du goût de votre bouche, Jillian.

Le pire, c'était qu'elle aussi brûlait d'envie de sentir sa bouche sur la sienne. Une dernière fois. Ensuite, elle s'en irait. Elle remonterait à cheval et filerait au grand galop. Mais, à cet instant précis, elle avait besoin de ses baisers autant que de l'air qu'elle respirait.

Elle le vit alors incliner la tête vers elle, et elle se figea, attendant le moment où leurs bouches s'uniraient. Elle entrouvrit même les lèvres par anticipation. Il lui chuchota quelques mots qu'elle ne comprit pas, fascinée qu'elle était par son approche.

A la seconde où sa bouche se posa sur la sienne, elle sut avec certitude qu'ils avaient franchi le point de non-retour.

Rien n'avait préparé Aidan au plaisir qui irradiait son corps. Jamais il n'avait désiré une femme avec une telle intensité. Renonçant à percer ce mystère, il s'abandonna aux sensations qu'elle lui procurait, glissa ses doigts dans les boucles épaisses de sa chevelure et, l'attirant à lui, s'empara de sa bouche et l'embrassa passionnément.

Elle répondit à cet assaut avec une ardeur, une intensité égale à la sienne. Ils s'enivrèrent mutuellement de baisers, et il goûta avec délectation le nectar de sa bouche jusqu'à ce qu'un incendie fasse rage dans chaque partie de son être. Il lui enlaça alors la taille et, sans cesser de l'embrasser, la poussa doucement jusqu'au tronc d'arbre auquel il s'était adossé plus tôt, leurs deux corps étroitement serrés l'un contre l'autre.

Il l'embrassa avec une passion renouvelée, comme si sa vie dépendait de ce baiser. Trop vite, hélas, le manque d'air les obligea à se séparer, et il libéra sa bouche aussi brusquement qu'il s'en était emparé.

Il la vit reprendre sa respiration, et fit de son mieux pour ne pas remarquer l'expression pâmée de son visage. Pour ne pas être tenté de recommencer à l'embrasser, il recula même d'un pas. La prochaine fois, il le savait, il ne pourrait plus se contenter d'un simple baiser. Il ne serait pas satisfait avant d'avoir goûté d'autres parties de son corps. Ensuite, il serait tenté de lui faire l'amour ici même. A l'endroit exact où il avait l'intention de bâtir sa maison.

Secouant la tête, il fit un effort pour se ressaisir. Pourquoi se laissait-il aller à de telles divagations ?

— Je crois que nous devrions nous remettre en chemin, observa-t-elle d'une voix douce.

Il la dévisagea un instant et, la voyant si belle, fut pris d'un désir presque douloureux. Renonçant à lutter, il fit un pas en avant, et posa une fois encore sa bouche sur la sienne.

Elle lui rendit son baiser avec une passion brûlante, un abandon total, et il fut à deux doigts de perdre la raison. Il devait absolument mettre un terme à cette folie.

— Jillian ! gémit-il. Vous jouez avec le feu. Dans une seconde, je vais vous allonger sur l'herbe et vous faire l'amour.

— Je vous avais bien dit que nous devions repartir. C'est vous qui avez recommencé à m'embrasser.

— Et vous m'avez rendu mon baiser. A présent, vous comprenez mieux ce que je voulais dire, lorsque j'affirmais que certains baisers ne peuvent être évités.

Au départ, vous n'aviez pas l'intention de m'embrasser, mais c'est pourtant ce que vous avez fait.

— Vous m'avez séduite, se défendit-elle. Vous avez fait en sorte que j'aie envie de vous embrasser !

— Je le reconnais, convint-il avec un sourire satisfait.

— Alors, ce n'était que ça ? Une sorte de leçon ?

— Pas du tout ! Je vous ai dit que j'avais envie de découvrir le goût de votre bouche. Et j'ai pris énormément de plaisir à le faire.

— Ça ne doit pas devenir une habitude, Aidan.

— Ce n'est pas mon intention, croyez-moi. Ma curiosité a été plus que satisfaite.

— La mienne aussi. Et maintenant, êtes-vous prêt à me montrer le reste de Westmoreland Country ?

— Oui. Nous irons d'abord à *L'Anse d'Adrian*, puis à *La Baie de Bailey*, et nous finirons par *Le Ponderosa*, la propriété de Bane.

Il se recula pour lui donner de l'espace et, lorsqu'elle le contourna, il fut tenté de la prendre une nouvelle fois dans ses bras pour la dévorer de baisers jusqu'à ce que sa soif d'elle soit étanchée. Toutefois, il pressentait que cette soif était trop intense pour être si facilement satisfaite.

— Alors ? s'enquit Bailey en s'asseyant près d'elle à la table du petit déjeuner. Comment s'est passée votre tournée d'inspection avec Aidan, hier ?

Jillian releva les yeux de son assiette. Pam, qui avait déjeuné avec elle avant de partir faire quelques courses, lui avait posé la même question. Il lui avait été difficile de garder un visage serein avec elle, et ce fut pire cette fois.

— C'était très intéressant, répondit-elle. Westmoreland Country est vraiment immense ! J'ai même visité votre propriété.

— Je n'en deviendrai vraiment propriétaire qu'à

vingt-cinq ans, lui rappela Bailey en souriant. Il me reste encore deux ans à patienter. Mais, à ce moment-là, j'ai l'intention de faire bâtir une maison plus grande que toutes les autres. Plus grande même que celle-ci.

Un projet ambitieux, songea Jillian. Car la maison de Dillon et de Pam était gigantesque. Bâtie sur trois niveaux, elle comptait huit chambres, six salles de bains, une cuisine spacieuse, un salon immense et une salle à manger dotée d'une table pouvant accueillir confortablement quarante convives. Elle disposait en outre d'un garage pour sept véhicules.

— Je suis impatiente de la voir, lui assura Jillian.

Elle avait éprouvé une sympathie immédiate pour Bailey dès sa première visite à Westmoreland Country, à l'occasion des fiançailles de Pam et de Dillon. Comme elles avaient pratiquement le même âge — Bailey étant plus âgée qu'elle de deux ans seulement —, elles étaient aussitôt devenues amies.

— Et si vous épousiez un homme qui souhaite vous emmener vivre loin d'ici ?

— Ça ne se produira pas, car il n'existe aucun homme sur terre capable de me persuader de partir d'ici. C'est ici que je suis née, et c'est ici que je rendrai mon dernier souffle.

Bailey semblait très sûre d'elle. Jillian avait la même certitude, lorsqu'elle vivait dans le Wyoming, et pourtant… Dans leur cas, cependant, ce n'était pas un homme qui les avait obligées à modifier leurs projets. C'était l'idée des sommes que Pam devrait débourser pour financer leurs études universitaires à toutes les trois. Dillon était certes très fortuné, mais il aurait été injuste de lui imposer une telle charge financière.

— D'ailleurs, ajouta Bailey, coupant court à ses réflexions, j'ai l'intention de rester célibataire jusqu'à la fin de mes jours. Je dois déjà supporter cinq frères autoritaires et sept cousins qui le sont davantage. Je n'ai pas besoin d'un autre homme dans ma vie pour me dicter ce que je dois faire !

Jillian réprima un sourire. D'après ce qu'on lui avait raconté, cette jeune femme ravissante et pleine d'assurance avait été une adolescente rebelle qui collectionnait les ennuis. Elle était devenue quelqu'un qui savait ce qu'elle voulait.

— J'espère qu'Aidan ne vous a pas ennuyée.

— Pourquoi l'aurait-il fait ? demanda Jillian, étonnée.

— Il a ses humeurs, quelquefois…

— Vraiment ?

— Oui, mais, si vous ne l'avez pas remarqué, c'est qu'il s'est bien comporté avec vous.

Non, elle n'avait remarqué aucune mauvaise humeur chez lui, mais avait très bien senti son côté sensuel. Tout comme il avait décelé le même penchant chez elle, encore qu'elle ait été bien en peine d'expliquer ce qui s'était passé entre eux la veille. C'était comme si, à son contact, elle était devenue une personne totalement différente. Elle avait découvert qu'un baiser pouvait vous conduire au bord de l'évanouissement. Aidan le lui avait prouvé. Elle croyait encore sentir le goût de sa bouche sur ses lèvres. Et le plus fou, c'était qu'elle adorait cela !

— Oui, il a été parfait, assura-t-elle, sachant que Bailey attendait une réponse. Je l'ai trouvé gentil.

— Je m'en réjouis ! Je lui ai conseillé de faire un effort pour mieux vous connaître, vos sœurs et vous, vu qu'il rentre si rarement à la maison. Nous sommes tous une grande famille, désormais !

Une grande famille. Ces paroles lui rappelaient pourquoi ce qui s'était produit la veille ne pouvait se répéter. Aidan et elle n'étaient pas deux inconnus qui venaient de faire connaissance. Il existait déjà des liens forts entre eux. Des liens familiaux. Et les membres d'une même famille ne s'embrassaient pas entre eux. Oh ! Pourquoi fallait-il qu'entre tous les hommes de la région elle se sente attirée par un Westmoreland ?

— Où vous a-t-il emmenée, à part chez moi ?

Il m'a fait monter au ciel, faillit-elle lui répondre. Parce que c'était la vérité. Il l'avait transportée au paradis d'un simple baiser. Elle avait vécu un moment extraordinaire.

— Nous sommes d'abord allés visiter *Le Havre d'Aidan*.

— N'est-ce pas un endroit merveilleux ? C'est celui que j'avais choisi, à l'origine, à cause de la vue sur le lac, puis j'ai fini par décider que ce serait trop d'eau pour moi. Je pense que le site où Aidan a prévu de construire sa maison est parfait. Il pourra admirer ce paysage superbe depuis toutes les pièces.

Jillian acquiesça, s'efforçant de ne pas penser à la femme et aux enfants qui vivraient dans cette maison.

L'épouse d'Aidan… Les enfants d'Aidan…

— Nous avons aussi visité *L'Anse d'Adrian*, poursuivit-elle. C'est également une fabuleuse propriété, dans son écrin de montagnes.

— Je l'adore aussi !

— Ensuite, nous avons visité *La Baie de Bailey, Le Promontoire de Canyon* et *La Forteresse de Stern*.

— Est-ce que vous aimez ces noms ?

— Oui, répondit Jillian en souriant. Votre frère m'a dit que c'est vous qui les avez imaginés.

— Etre le bébé de la famille comporte quelques avantages. Entre autres, celui de pouvoir papillonner à ma guise chez tous mes frères, mes sœurs et mes cousins. J'étais censée vivre à plein temps chez Dillon, mais, lorsqu'il s'est marié, j'ai voulu varier les plaisirs et je me suis installée tour à tour chez chacun d'eux. J'adore les pousser au bord de la crise de nerfs, surtout lorsque l'un de mes frères ou l'un de mes cousins ramène sa petite amie à la maison !

Jillian éclata de rire. Elle aimait ses sœurs plus que tout au monde, mais il devait être amusant d'avoir des frères et des cousins plus âgés à faire enrager.

— Qu'est-ce qu'il y a de si drôle ?

Cette voix…

En l'entendant, Jillian eut l'impression que son cœur s'arrêtait un instant de battre.

Aidan apparut à la porte de la cuisine, vêtu d'un jean qui moulait divinement ses hanches et d'un maillot de sport. A l'évidence, il venait de se lever, et il était sexy au-delà des mots. Ses yeux sombres, si alertes et pénétrants la veille, étaient voilés de sommeil. Et l'ombre sur ses joues et son menton indiquait qu'il ne s'était pas encore rasé.

— Je te croyais reparti pour Boston, lui dit Bailey en se levant pour le serrer dans ses bras, sous le regard envieux de Jillian, qui aurait bien aimé faire de même.

— Je ne pars que demain.

— Comment se fait-il que tu aies changé tes plans ? D'habitude, tu es toujours si pressé de rentrer !

Excellente question ! songea Jillian. Et elle était impatiente d'entendre la réponse.

— Rien d'exceptionnel. C'est tout simplement que je ne suis pas encore prêt, déclara-t-il.

— Hum ! fit Bailey, le considérant d'un regard soupçonneux. Moi, je crois que c'est tout à fait exceptionnel, au contraire, et qu'il y a une femme là-dessous. Vous êtes rentrés bien tard, la nuit dernière, Adrian, Stern et toi…

Jillian détourna les yeux et fit mine de siroter son jus d'orange, envahie d'une colère soudaine. Quoi ? Après l'avoir fait défaillir de baisers, Aidan était allé chez une autre femme pour l'embrasser de la même manière ?

Pourquoi cette idée la dérangeait-elle à ce point ? Ce n'était quand même pas de la jalousie ?

— Tu poses trop de questions, ma petite Bailey, répondit Aidan. Mêle-toi donc de tes affaires. Alors, Jillian ? Pourquoi ce rire, tout à l'heure ? Qu'y avait-il de si amusant ?

— Rien, lui assura Jillian, s'efforçant de se ressaisir.

— Autrement dit, Aidan, ne te mêle pas de ses affaires, commenta Bailey en riant.

Marmonnant une réponse indistincte, il alla se servir une tasse de café à l'autre bout de l'immense cuisine. Pourtant, Jillian avait l'impression que la pièce avait rétréci depuis qu'il y était entré.

— Désolée de devoir vous quitter si vite, s'excusa Bailey, mais j'ai promis à Megan d'être chez elle quand l'équipe de Gemma viendra accrocher les rideaux neufs. Gemma lui refait toute sa décoration avant de partir pour l'Australie, précisa Bailey à l'intention de Jillian.

Jillian aimait énormément leurs deux sœurs. Megan était médecin anesthésiste à l'un des hôpitaux locaux ; Gemma était architecte d'intérieur et propriétaire de Designs by Gem.

— Vous êtes ici jusqu'à demain, Jillian ? s'enquit Bailey.

— Oui.

— Dans ce cas, Aidan pourra peut-être vous montrer les secteurs de Westmoreland Country que vous n'avez pas eu le temps de visiter hier.

— Je ne voudrais pas le déranger, répondit Jillian, troublée par le regard d'Aidan qu'elle sentait rivé sur elle.

— Ça ne me dérange pas du tout, lui assura Aidan. Je n'ai rien d'autre à faire, aujourd'hui.

— Du moins jusqu'à l'heure de ton rendez-vous avec la femme mystérieuse qui te retient ici un jour de plus ! le taquina Bailey.

— Au revoir, Bailey ! fit Aidan, visiblement agacé.

— Ne t'avise surtout pas de partir sans me dire au revoir ! lui lança Bailey en se dirigeant vers la porte.

Là-dessus, elle sortit, et Jillian se retrouva seule avec Aidan.

Adossé au plan de travail, sa tasse de café à la main, il ne la quittait pas des yeux. Elle s'efforça de faire comme si de rien n'était, mais, sous son regard perçant, elle avait toutes les peines du monde à respirer.

— Alors ? demanda-t-il d'une voix caressante. Quand serez-vous prête à monter en selle ?

Jillian avait décidément les plus beaux yeux du monde, infiniment plus beaux que ceux de toutes ces femmes qui avaient flirté avec lui, la veille au soir, et il ne parvenait pas à détacher d'elle son regard.

— Il n'est pas question que j'aille où que ce soit avec vous, Aidan ! D'ailleurs, j'imagine que vous avez bien mieux à faire avec la personne pour qui vous avez retardé votre départ…

Elle avait raison. Il espérait avoir bien mieux à faire avec cette personne. Ce qu'elle ignorait encore, c'était qu'elle-même était cette personne, la raison pour laquelle il avait modifié ses projets. La veille, il avait passé trois heures dans un club, entouré de jolies femmes, mais il ne pensait qu'à elle, la plus belle d'entre toutes à ses yeux.

Une idée l'effleura tout à coup. Jillian était-elle jalouse ? Avait-elle cru les sottises que Bailey avait dites au sujet d'une autre femme ? Il ne parvenait pas à déterminer s'il se sentait flatté ou irrité qu'elle — ou toute autre femme — se croie en droit de surveiller ses fréquentations. Mais, en toute honnêteté, ce qui le dérangeait le plus, c'était de découvrir que Jillian commençait réellement à compter pour lui.

Craignant de la braquer davantage par des paroles inconsidérées, il ne répondit pas tout de suite, se contentant de se resservir un café. Puis il traversa la pièce pour venir s'asseoir en face d'elle, à la table. Sa nervosité était presque palpable.

— Je ne mords pas, Jillian, vous savez…

— J'espère bien que non !

Il ne put s'empêcher de sourire à cette réponse. Posant sa tasse, il tendit la main et s'empara de son poignet.

— Croyez-moi, je préfère de loin vous embrasser.

Elle se libéra et jeta un coup d'œil affolé derrière elle, avant de se retourner vers lui pour le fusiller du regard.

— Vous êtes fou ? N'importe qui pourrait entrer !

— Et alors ?

— Si quelqu'un avait entendu ce que vous venez de dire, il aurait pu se faire des idées fausses.

— Et, à votre avis, dit-il en se penchant vers elle, que devrait-on penser ?

Elle avait attaché ses cheveux en queue-de-cheval, et il était terriblement tenté de les détacher pour les voir cascader sur ses épaules, glisser ses doigts dans ses épaisses boucles noires et lui caresser la nuque. A cette seule idée, un frisson de désir le parcourut.

— Je ne souhaite pas qu'on pense quoi que ce soit de nous, répondit-elle d'une voix tendue. Ni en bien ni en mal. Ce n'était qu'un baiser. Rien de plus.

Pour lui aussi, ce n'était rien d'autre.

— Je me réjouis que vous voyiez les choses de cette façon, déclara-t-il en se levant. Et maintenant, si nous allions faire cette promenade ?

— N'avez-vous pas entendu ce que je viens de vous dire ?

— Vous m'avez dit beaucoup de choses, répondit-il en lui souriant de toute sa hauteur. A quoi faites-vous allusion ?

— J'ai dit que je n'irai nulle part avec vous.

— Bien sûr que si ! Nous allons faire cette promenade, parce que, si nous ne la faisons pas, Bailey va s'imaginer que je me suis horriblement mal conduit avec vous et que vous êtes furieuse contre moi. Et, si elle exige une explication de ma part, je serai obligé de lui avouer la vérité — à savoir que vous refusez de vous retrouver en ma compagnie parce que vous craignez que je vous embrasse encore. Ce dont vous avez très envie, même si vous prétendez le contraire.

— Vous n'oseriez pas ! protesta-t-elle.

— Croyez-moi, je n'hésiterais pas une seconde. Confesser mes fautes soulagerait ma conscience. Mais que dire de la vôtre ?

Comme elle demeurait silencieuse, il en conclut qu'elle était à court d'arguments, et décida que le moment était bien choisi pour la laisser à ses réflexions.

— Retrouvez-moi dans une heure au même endroit qu'hier, dit-il en plaçant sa tasse dans le lave-vaisselle. Et, pour votre information, si je ne suis pas reparti aujourd'hui pour Boston, ce n'est pas à cause d'une femme que j'aurais rencontrée hier soir dans ce club. C'est uniquement pour vous.

C'est uniquement pour vous...

Même dans ses rêves les plus fous, Jillian n'aurait jamais imaginé que ces quelques mots puissent avoir un impact si énorme sur elle.

Une heure plus tard, elle attendait Aidan au lieu-dit, marchant de long en large dans la clairière, le cœur battant.

Etait-elle devenue folle ? Elle ignorait à quel petit jeu il jouait avec elle, mais, au lieu d'y mettre un terme, elle était tombée à pieds joints dans le panneau.

Et tout ça à cause d'un simple baiser !

Non, pas un simple baiser. C'était bien plus que cela, en vérité. Le fait qu'Aidan soit aussi séduisant, et qu'elle soit secrètement amoureuse de lui depuis quatre ans y était pour beaucoup. Mais jusque-là, elle avait su faire la différence entre la réalité et le fantasme, entre le bien et le mal. Qu'est-ce qui avait changé, tout à coup ? Une aventure avec Aidan ne pourrait que s'achever en désastre, car non seulement ce serait mentir à Pam et à Dillon, mais aussi se mentir à elle-même. Désirait-elle vraiment se lancer dans une relation avec un coureur de jupons notoire ?

Mais qui parlait de relation ? Il l'escortait pour une promenade à cheval, c'était tout. Peut-être essaierait-il de lui voler un baiser, mais cela n'irait pas plus loin. Le lendemain, il retournerait à Boston, elle dans le Wyoming, et la vie reprendrait son cours normal. Sauf qu'elle pressentait déjà que, pour elle, ce ne serait pas aussi facile.

Elle se retourna en l'entendant approcher. Lorsque leurs regards plongèrent l'un dans l'autre, un délicieux frisson la parcourut tout entière. Il se tenait en selle avec la même aisance que la veille, mais la donne était différente. Elle savait à présent qu'il avait une bouche très sensuelle. Et qu'il savait parfaitement l'utiliser.

— J'espérais que vous viendriez, dit-il en arrêtant sa monture quelques pas devant elle.

— Comment aurais-je pu faire autrement, après votre menace ?

— Evidemment…

Il mit pied à terre.

— N'avez-vous donc aucun remords ?

— J'ai entendu dire que la confession faisait du bien à l'âme, répondit-il, repoussant son Stetson sur sa nuque pour mieux la fixer.

— Qu'est-ce que vous y auriez gagné ?

— Exposer la vérité au grand jour aurait soulagé votre conscience, puisque, à l'évidence, vous craignez que quelqu'un découvre que j'éprouve de l'attirance pour vous, et que cette attirance est mutuelle.

Son premier mouvement fut de nier en bloc, puis elle décida de ne pas gaspiller son temps en affirmations creuses. Aidan disait vrai, et ils le savaient l'un et l'autre.

— Un vrai gentleman ne se vante pas de ses conquêtes, se contenta-t-elle alors de lui faire remarquer.

— Vous avez raison sur ce point. Mais je pense que vous avez tort de dévaluer ce qui s'est passé hier entre nous.

— Dévaluer ? répéta-t-elle en le fusillant du regard. Comment pourrais-je dévaluer quelque chose qui ne signifie absolument rien pour vous ?

La question prit Aidan de court, et il dévisagea Jillian un instant en silence. La seule réponse qui lui venait à l'esprit, c'était que ces baisers n'auraient pas dû avoir une signification particulière pour lui. Mais le fait était qu'ils en avaient une… Il n'avait pensé à rien d'autre au cours des dernières vingt-quatre heures ; il avait même retardé son départ d'une journée pour profiter un peu plus longtemps de sa compagnie.

Elle se tenait face à lui, les bras croisés sur sa fabuleuse poitrine, dardant sur lui un regard sévère, et il ne put s'empêcher de s'imaginer la caressant, agaçant les pointes de ses seins de ses doigts, avant que sa bouche ne les remplace, et…

— Alors ?

Elle attendait une explication, alors qu'il désirait annuler la distance qui les séparait, la serrer dans ses bras et effacer son expression colérique avec des baisers. Hélas, il savait qu'il ne pourrait pas s'arrêter là. Le goût de sa bouche lui faisait désirer d'elle bien davantage.

Il était temps pour lui de donner le signal de départ, avant d'être tenté de faire un geste qu'il pourrait regretter.

— En selle ! dit-il en se retournant vers son cheval.

— En selle ? répéta-t-elle d'un ton incrédule. C'est tout ce que vous avez à me dire ?

— Pour l'instant, oui, convint-il, mettant le pied à l'étrier.

— Tout ceci n'a aucun sens, Aidan, déclara-t-elle, grimpant en selle à son tour.

Cela n'avait aucun sens en effet. Pourquoi était-elle comme un aimant qui l'attirait irrésistiblement ? Et pourquoi ne luttait-il pas contre cette attirance ?

Ils chevauchèrent un moment sans échanger la moindre parole, puis Jillian se décida à rompre le silence :

— Où allons-nous ?

— Chez Bane.

— Est-ce qu'il a déjà bâti une maison sur sa parcelle ?

— Non, car il n'en sera légalement propriétaire qu'à vingt-cinq ans.

— Comme Bailey.

— Oui. Comme Bailey.

Il aurait préféré qu'ils continuent à chevaucher sans parler. Il avait besoin de réfléchir, d'essayer de comprendre ce qui lui arrivait. Elle dut sentir qu'il n'avait pas envie de lui faire la conversation, car elle ne dit plus rien.

Aidan tourna son regard vers elle, et ne put s'empêcher d'admirer son aisance en selle. Ainsi que d'autres détails plus érotiques, comme l'oscillation de ses seins sous sa chemise western.

— Je vois pourtant une maison, là-bas, dit soudain Jillian arrêtant sa monture et lui indiquant une cabane en rondins.

— Si on peut l'appeler ainsi… Bane a construit cette cabane il y a pas mal de temps déjà. C'était le refuge de ses amours secrètes avec Crystal.

— Crystal ?

— Crystal Newsome. Son grand amour.

— J'ai entendu dire que c'est à cause d'elle qu'il s'est engagé dans la marine.

— Oui et non…, répondit Aidan avec un haussement d'épaules. Personnellement, je ne crois pas que Crystal en soit la seule responsable. Bane était fou d'elle autant qu'elle l'était de lui. Ils étaient tous les deux comme des bâtons de dynamite prêts à exploser.

— Où est-elle, aujourd'hui ?

— Je n'en ai aucune idée, et je ne suis pas sûr que Bane le sache non plus…

Il sauta à bas de sa selle et attacha son cheval au rail devant la cabane.

— … il n'en parle jamais, et je préfère ne pas lui poser de questions.

Il s'approcha d'elle pour l'aider à mettre pied à terre, se préparant à l'avalanche d'émotions qu'il ne manquerait pas de ressentir à son contact.

— Inutile de m'aider, dit-elle d'un ton acide. Je sais descendre de cheval toute seule !

— Je n'en doute pas une seconde, mais je vous offre tout de même mon assistance, insista-t-il, levant les bras vers elle.

Il crut un bref instant qu'elle allait refuser, mais elle finit par se laisser aller dans ses bras. Comme il s'y attendait, dès qu'il posa les mains sur elle, un torrent de feu déferla en lui, puis finit par se concentrer sur une certaine partie de son anatomie. A court de paroles, il se contenta de fixer son merveilleux visage. Comment pouvait-elle faire naître ce désir insensé en lui ?

— Vous pouvez me lâcher, maintenant, Aidan.

Il la tenait toujours par la taille, alors que ses pieds touchaient le sol. Il essaya de la libérer, mais constata qu'il en était incapable : ses bras n'obéissaient plus à sa volonté.

A son immense surprise, Jillian leva les bras pour les nouer autour de son cou.

— C'est de la folie, murmura-t-elle d'une voix à peine audible. Je ne devrais pas faire ça, mais je ne parviens plus à réfléchir correctement quand je suis avec vous…

— Nous repartons tous les deux demain, murmura-t-il tout près de ses lèvres. Lorsque nous serons de retour dans nos territoires respectifs, nous aurons tout le temps de réfléchir.

— Et d'ici là, que ferons-nous ? s'enquit-elle, plongeant son regard dans le sien.

— A cet instant précis, j'ai seulement envie de retrouver le goût de votre bouche, Jillian. Désespérément envie.

— Alors, faites-le, suggéra-t-elle, levant le visage vers lui.

Elle ne se doutait pas combien cette réponse était imprudente, car il n'entendait pas se contenter de si peu. Mais elle l'apprendrait bien assez tôt !

Jillian n'aurait pu se priver du plaisir de ce baiser, même si sa vie en avait dépendu.

Les bras noués autour du cou puissant d'Aidan, ses lèvres soudées aux siennes, elle se sentait comme ensorcelée, captivée, conquise. Aucun homme ne l'avait jamais embrassée comme il l'embrassait. Chaque cellule de son corps réagissait à ce doux assaut de sa bouche, qui embrasait son désir au-delà de tout ce qu'elle aurait cru possible.

— Allons à l'intérieur, murmura-t-il contre ses lèvres.

— A… l'intérieur ? balbutia-t-elle.

— Oui. Il vaut mieux que nous ne restions pas ici, où tout le monde peut nous voir.

Il avait raison ! Dans l'éblouissement de ce baiser, elle avait totalement oublié où ils se trouvaient. Mais, au lieu de lui répondre qu'ils ne devraient pas s'embrasser, que ce soit à l'extérieur ou derrière une porte close, elle le suivit docilement lorsqu'il la prit par la main pour l'entraîner vers la cabane.

Lorsque la porte se fut refermée derrière eux, elle constata avec surprise que l'endroit était très propre et parfaitement rangé. C'était une pièce unique, meublée d'un lit de fer. Le couvre-lit aux couleurs vives était assorti aux rideaux et au tapis qui recouvrait presque entièrement le plancher.

— C'est très joli… Qui s'en occupe ?

— Gemma a promis à Bane de s'en charger, et elle n'a pas pu s'empêcher d'y ajouter sa touche personnelle, comme vous pouvez le constater. Lorsqu'elle sera en Australie, Bailey s'en chargera. Cette cabane est importante aux yeux de Bane. Il y passe de longs moments chaque fois qu'il est de retour à la maison.

— Comment va-t-il ?

— Mieux maintenant… Il n'a pas été facile pour lui de se plier à l'autorité, mais il sait qu'il n'a pas d'autre choix s'il veut devenir plongeur des unités spéciales de la marine.

— A part lui, qui vient ici ?

Elle avait besoin de le savoir pour s'assurer qu'ils ne risquaient pas d'y être surpris.

— Personne ou presque. Ramsey fait paître à l'occasion ses moutons dans le secteur, mais, je vous rassure, personne ne viendra nous déranger.

— J'ignore pourquoi je fais ça, dit-elle en lui faisant face.

— Voulez-vous que je vous l'explique ? murmura-t-il en lui soulevant doucement le menton.

— Vous croyez avoir tout compris, n'est-ce pas ?

— Oui.

— Très bien, alors, dit-elle en s'asseyant sur le bord du matelas, je vous écoute…

Il prit place sur un tabouret près du lit, puis déclara :

— Nous éprouvons une folle attirance l'un pour l'autre.

— Vous ne m'apprenez rien !

— Et si je vous disais que nous sommes, d'une certaine façon, obsédés l'un par l'autre ?

— « Obsédés » est un peu trop fort, observa-t-elle, fronçant les sourcils. Nous ne nous sommes embrassés que deux fois.

— En réalité, trois. Et je meurs d'envie de le faire une quatrième fois. Pas vous ?

— Si, reconnut-elle, comprenant qu'elle devait se montrer honnête avec lui. Mais je ne comprends toujours pas pourquoi.

— Peut-être n'est-il pas nécessaire que nous comprenions…

— Comment pouvez-vous dire une chose pareille ? Comment pensez-vous que réagiraient nos familles, s'ils découvraient ce que nous faisons derrière leur dos ?

Il se leva et se planta devant elle, la dominant de toute sa taille.

— Nous ne le saurons jamais, parce que vous êtes déterminée à ce que tout ceci reste un secret entre nous. Est-ce que je me trompe, Jillian ?

— Non, vous ne vous trompez pas…

Elle leva la tête pour rencontrer son regard.

— Je ne pourrais jamais infliger une telle déception à Pam. Elle attend de moi que je me consacre entièrement à mes études. Et, si je devais fréquenter un homme, je suis certaine qu'elle préférerait que ce ne soit pas vous.

— Ah bon ? Pourquoi serait-ce si mal de me choisir ?

— Je crois que vous connaissez déjà la réponse. Pam nous voit comme une grande famille. Il y a aussi la question de votre réputation. Mais, comme vous l'avez dit tout à l'heure, dès demain nous serons repartis vers nos vies respectives. Et puis, il ne s'agit que de curiosité, pas vrai ?

— Est-ce vraiment ce que vous pensez ? murmura-t-il, s'emparant d'une fine mèche de cheveux qui s'était échappée de son chignon pour l'enrouler autour de son doigt.

— Oui, c'est exactement ce que je pense.

La lueur qu'elle vit briller dans les profondeurs de ses yeux la fit hésiter — mais une seconde seulement, le temps qu'il fallut à son regard pour descendre de ses yeux à sa bouche.

— J'ai encore le goût de votre bouche sur la langue, vous savez, murmura-t-il de sa voix grave, un peu rauque.

— Oui. Je le sais.

Elle marqua une pause et, décidant d'être honnête jusqu'au bout, ajouta :

— Parce que c'est exactement la même chose pour moi.

- 6 -

Aidan avait conclu de leur premier baiser que Jillian y avait pris autant de plaisir que lui, malgré son évident manque d'expérience. Le deuxième l'avait conforté dans cette certitude. Et l'aveu qu'elle venait de lui faire avait fait grimper son taux de testostérone à des hauteurs vertigineuses.

Il fit un pas vers elle, l'aida gentiment à se lever et lui enlaça la taille. Il n'avait toujours pas compris pourquoi leur désir mutuel était aussi intense, mais il l'acceptait à présent comme un fait naturel. Si l'idée que Dillon et Pam puissent désapprouver leur relation ne lui plaisait pas plus qu'à elle, il doutait qu'une histoire d'amour entre eux les scandalise autant que Jillian le supposait.

Mais il n'avait rien à craindre, au fond, puisque rien qui ressemble de près ou de loin à une relation ne s'était installé entre eux. Ils éprouvaient de l'attirance l'un pour l'autre, c'était indéniable, mais quelle importance ? Il avait déjà ressenti de l'attirance pour d'autres femmes, même si son désir pour elles n'avait jamais atteint ce degré d'intensité. Cette journée terminée, ils ne se reverraient pas de sitôt, car il revenait rarement. De sorte que, quoi qu'il arrive, leur idylle ne serait qu'une aventure d'un jour. Jillian avait cependant raison sur un point : il était inutile que Pam et Dillon l'apprennent ; ils penseraient sinon qu'il avait profité de sa naïveté.

— Je ne vais pas faire l'amour avec vous, Aidan, déclara-t-elle soudain, coupant court à ses réflexions.

— Ah ? fit-il, rencontrant son regard.

— Non. Et je veux que ce soit bien clair entre nous.

— Très bien, répondit-il, hochant lentement la tête. En ce cas, que pensiez-vous que nous ferions dans cette cabane ?

— Que nous nous embrasserions. Que nous nous embrasserions beaucoup.

A l'évidence, elle ne soupçonnait pas qu'un échange intense de baisers pouvait conduire à une totale perte de contrôle.

— Vous croyez vraiment que ce soit aussi simple ?

— Non, reconnut-elle avec un haussement d'épaules fataliste. Mais je pense qu'avec une dose raisonnable de contrôle de soi nous réussirons.

Une dose raisonnable de contrôle de soi ? Elle avait plus de foi que lui en leur capacité de résistance ! Sa simple présence à ses côtés allumait un incendie dans son sang. Elle ne se rendait pas compte à quel point elle était adorable dans ce jean et cette chemise western qu'il ne demandait qu'à déboutonner, avec les quelques boucles rebelles qui s'étaient libérées de sa coiffure…

— Un problème, Aidan ?

— Un… problème ? répéta-t-il, sortant de sa rêverie.

— Oui. Nous perdons du temps. Je suis prête.

Il s'efforça de réprimer un sourire. Etait-ce là la femme qui lui avait juré la veille qu'ils ne s'embrasseraient plus jamais ? La femme qui, le matin même, refusait de faire une promenade à cheval avec lui ?

Cette impatience réveilla quelque chose au plus profond de lui, et il comprit qu'il lui serait très difficile de faire preuve de la maîtrise de soi qu'elle attendait de lui. Comment espérer de son corps qu'il coopère, alors que son seul parfum suffisait à faire flamber son désir ?

Et elle croyait vraiment qu'ils n'allaient faire que s'embrasser comme des adolescents ?

Décidant de ne pas la faire attendre plus longtemps, il posa sa bouche sur la sienne.

Avait-elle jamais eu auparavant un tel besoin du baiser d'un homme ? songea Jillian, se haussant sur la pointe des orteils pour se donner plus totalement à l'étreinte d'Aidan. Ses grandes mains avaient quitté sa taille pour descendre jusqu'à ses hanches et l'attirer plus encore contre lui. Elle sentait distinctement la preuve de son désir tout contre sa féminité. Elle aurait dû s'en offusquer, mais trouvait au contraire la sensation très agréable.

Au contact de son torse ferme, les bouts de ses seins avaient durci, et étaient devenus hypersensibles. Lorsque son baiser devint plus intense, elle n'était déjà plus qu'une masse de désir brûlant, et elle s'entendit gémir. Il l'embrassait comme s'il se délectait réellement du goût de sa bouche. Et elle se sentait perdre le contrôle qu'ils s'étaient pourtant promis de conserver.

C'est alors qu'elle l'entendit gémir à son tour, et ce son guttural faillit la faire fondre, tandis qu'il continuait à l'embrasser avec une fougue renouvelée. Pourquoi avait-elle dû attendre ses vingt et un ans pour être embrassée ainsi ? Un tourbillon d'émotions, de sensations s'était emparé d'elle et l'empêchait quasiment de respirer, de réfléchir. Elle ne pouvait que lui rendre son baiser, ce qu'elle fit avec une gourmandise, une passion égale à la sienne.

Lorsqu'elle sentit les doigts d'Aidan s'affairer sur la fermeture à glissière de son jean, elle sursauta et voulut s'éloigner de lui, mais, au même instant, il la souleva dans ses bras vigoureux.

Avant qu'elle ait compris ce qui lui arrivait, il l'allongeait sur le lit et venait l'y rejoindre, la recouvrant de son corps sans cesser de la fixer une seconde de son regard sombre.

Incapable de prononcer la moindre parole, Jillian se contenta de lui rendre son regard sans ciller, tandis qu'une intense sensation de chaleur se répandait dans tout son sang. D'un geste preste, Aidan déboutonna son jean et le fit glisser sur ses jambes.

— Mais… qu'est-ce que vous faites ? parvint-elle à articuler, alors qu'un feu liquide se répandait dans ses veines.

— J'ai envie de m'emplir la bouche de votre goût, murmura-t-il, faisant glisser sa culotte sur ses hanches.

Et, sans attendre davantage, il lui souleva les hanches et plongea la tête entre ses cuisses.

Au contact de sa bouche brûlante, elle exhala un gémissement et creusa les reins pour aller à la rencontre de ses caresses. Ses lèvres expertes la projetaient dans un monde dont elle ignorait l'existence. Elle aurait dû protester, le repousser, mais, au lieu de cela, elle se servit de ses mains pour le maintenir fiévreusement en place.

Une série de spasmes intenses la secoua bientôt, et la pression au centre de sa féminité s'accentua, lui faisant perdre ce qui lui restait de raison. Emportée par un torrent de sensations inouïes, elle cria son nom, tandis qu'un orgasme cataclysmique l'anéantissait. Son tout premier orgasme. Plus incroyable que tout ce qu'elle avait pu imaginer…

Aidan ne s'arrêta pas pour autant. Sa bouche continua implacablement son œuvre, faisant naître d'autres émotions, d'autres attentes, d'autres désirs. Elle avait l'impression que tout son être volait en morceaux. Il lui fallut un moment pour retrouver suffisamment d'énergie pour respirer. Comment pourrait-elle remonter en selle, après cela, sans même parler de chevaucher jusqu'à la maison ?

Aidan releva la tête pour la dévisager, se léchant les lèvres comme s'il savourait son goût.

— Hum ! C'est délicieux.

— Pourquoi ? s'enquit-elle d'une voix mourante. Pourquoi avez-vous fait ça ?

Pour toute réponse, il posa sa bouche sur la sienne et l'embrassa passionnément. Ce baiser, par lequel elle retrouva en frissonnant son propre goût sur ses lèvres, ralluma un incendie au centre de son être.

Aidan libéra enfin ses lèvres et s'écarta d'elle pour la contempler tout à loisir.

— Je l'ai fait parce que j'avais envie de découvrir ce goût unique qui n'appartient qu'à vous, murmura-t-il. L'essence même de votre être.

Il fit alors remonter son jean sur ses jambes, et elle souleva les hanches pour lui faciliter la tâche. Lorsqu'elle fut rhabillée, il la prit sur ses genoux, et elle leva les yeux pour rencontrer son regard.

— Que se passera-t-il demain, lorsque nous serons repartis chacun de notre côté ?

— Demain, nous nous souviendrons de cet instant avec tendresse et plaisir. Je suis sûr que, lorsque vous vous réveillerez dans votre lit, et moi dans le mien, nous aurons tous deux tourné la page.

— C'est vraiment ce que vous croyez ?

— Oui. Et vous ne devez pas vous sentir coupable de quoi que ce soit. Nous n'avons fait de mal à personne. Tout ce que nous avons fait, c'est apaiser notre curiosité de la façon la plus délectable.

Délectable était le mot juste, en effet, songea-t-elle. Et, comme techniquement ils n'avaient pas fait l'amour, ils n'avaient donc dépassé aucune ligne rouge.

Elle acheva rapidement de rajuster sa tenue.

— Nous devrions rentrer, maintenant, suggéra-t-elle, consciente que, s'ils demeuraient dans cette cabane une minute de plus, ils couraient au-devant des ennuis.

— Vraiment ?

— Oui. Il se fait tard, et on va se demander où nous sommes passés.

Décidément, il ne faisait rien pour lui faciliter la tâche ! Constatant qu'il ne bougeait pas, elle prit l'initiative et se dirigea vers la porte.

— Je retrouverai mon chemin toute seule.

— Non, attendez !

— Nous ne sommes pas tenus de rentrer ensemble, Aidan, observa-t-elle, se retournant vers lui.

— Si, justement. Pam sait que nous sommes partis ensemble faire une promenade à cheval.

— Qui le lui a dit ?

— Je l'ai croisée en descendant aux écuries. Elle m'a demandé où j'allais et je n'ai vu aucune raison de le lui cacher.

Face au regard accusateur de Jillian, il fourra les mains dans les poches de son jean, avant d'ajouter d'un ton embarrassé :

— Si je lui avais fait une autre réponse et qu'elle ait découvert la vérité, elle se serait demandé pourquoi je lui avais menti.

— Je vois…, fit Jillian, forcée d'admettre que c'était une question de bon sens. Et qu'a-t-elle répondu ?

— Rien. En fait, je ne crois pas qu'elle y ait attaché une importance particulière. Elle m'a toutefois déclaré qu'elle était très heureuse que vous soyez sur le point d'entrer à la fac de médecine, et qu'elle apprécierait tous les conseils que je pourrais vous prodiguer pour vous y aider.

Le cœur de Jillian manqua un battement. Aidan lui

avait prodigué davantage que des conseils. Grâce à lui, elle avait ressenti son tout premier orgasme.

— Très bien, dit-elle simplement. Nous rentrerons donc ensemble. Je vous attends dehors.

Sur ces mots, elle se hâta de sortir. Il avait affirmé que ce qu'ils avaient fait aujourd'hui leur permettrait d'en finir avec leur désir mutuel. Elle l'espérait de tout son cœur.

Dès que la porte se fut refermée derrière Jillian, Aidan exhala un soupir de frustration. A présent, il avait hâte de quitter Denver, de mettre autant de distance que possible entre eux. La situation la troublait manifestement, et voilà que lui-même commençait à éprouver le même trouble ! Son malaise n'avait cependant aucun rapport avec la possibilité que Dillon et Pam puissent découvrir ce qu'ils avaient fait. La cause en était l'intense attirance qu'il ressentait pour Jillian.

A cet instant précis, il était tenté de se ruer dehors, de la jeter sur son épaule et de la ramener à l'intérieur pour la couvrir de baisers, se délecter une fois encore de son goût et lui faire l'amour jusqu'à l'épuisement.

Une pure folie !

Il n'avait jamais désiré une femme à ce point. Et le fait qu'elle soit un fruit défendu pour lui ne faisait que renforcer son désir. Il n'allait pas être aussi facile de tourner la page qu'il l'avait prétendu. Loin de là ! Son goût, son essence unique n'avait pas seulement électrisé ses papilles, mais provoqué un phénomène inouï en lui : il n'avait plus seulement une folle envie de lui faire l'amour, il était en train de tomber éperdument amoureux d'elle !

Chaque fois qu'il retrouvait son goût sur ses lèvres, il était submergé par un torrent d'émotions, et tenté de faire d'autres découvertes avec elle. Des découvertes pour lesquelles il doutait cependant qu'elle soit prête.

Prenant une profonde inspiration, il se leva et remit soigneusement en place le couvre-lit avant de se diriger vers la porte. Il s'arrêta un instant sur le seuil, et respira à pleins poumons l'air de la forêt pour calmer les battements précipités de son cœur. Jillian se tenait à quelques pas, caressant doucement l'encolure de son étalon. Il souhaita alors de toutes ses forces qu'elle le caresse avec la même douceur, et cette seule idée suffit à faire flamber son désir de plus belle.

Il la contempla sans un mot durant un long moment, pour laisser à son érection le temps de se calmer, puis toussota pour signaler sa présence.

— Je suis prêt à remonter en selle.

Elle se tourna vers lui tout sourires.

— Vous avez un cheval magnifique, Aidan.

— Merci. Charger est un étalon issu de la quatrième génération des écuries Westmoreland.

Elle se remit à caresser l'encolure du cheval, et ne leva pas les yeux lorsqu'il s'arrêta près d'elle.

— J'ai entendu beaucoup d'histoires à son propos… Dillon m'a recommandé de ne jamais essayer de le monter, car seules quelques personnes en sont capables. A l'évidence, vous êtes de celles-là.

— En effet. Charger et moi avons conclu un pacte.

— Et nous, Aidan ? demanda-t-elle en se retournant vers lui. Avons-nous aussi conclu un pacte ?

Il soutint son regard, sans savoir ce qu'il devait lui répondre. Chaque fois qu'il croyait avoir tout compris à leur sujet, un fait nouveau venait lui embrouiller les idées.

— Je suppose que vous faites allusion à ce qui s'est passé entre nous au cours de ces deux derniers jours ?

Elle hocha la tête.

— Alors, je vous répondrai que oui, nous avons

conclu un pacte. A partir de demain, fini les baisers, fini les caresses.

— Ainsi que les expériences gustatives, ajouta-t-elle.

Déclarer solennellement qu'il renonçait pour toujours à goûter à son nectar n'était pas chose facile. Mais, pour sa tranquillité d'esprit et pour celle de Jillian, il acquiesça.

— Oui. Ça aussi.

— Nous sommes d'accord sur tout. C'est parfait…

Ce n'était pas tout à fait exact, mais, pour le moment, il tiendrait sa langue. Malgré lui, cette image le fit sourire.

— Bien… Il ne nous reste plus qu'à rentrer, alors…, dit-il.

— Oui. Et je n'ai pas besoin que vous m'aidiez à monter en selle.

En d'autres termes, elle n'avait pas envie qu'il pose de nouveau les mains sur elle.

— En êtes-vous sûre ?

— Tout à fait !

Il la suivit des yeux pendant qu'elle se dirigeait vers sa propre monture et qu'elle mettait le pied à l'étrier.

— J'aimerais vous remercier, Aidan.

Il s'arracha à la contemplation de ses jambes, et la dévisagea, étonné.

— Me remercier ? Et de quoi ?

— De m'avoir fait découvrir quelques petites choses pendant ma visite ici.

Pour une raison mystérieuse, cette déclaration le fit sourire.

— Tout le plaisir a été pour moi, Jillian !

Ce en quoi il était parfaitement sincère.

— Tu n'as pas l'intention de rentrer dans ta famille, Jillian ?

— Je suis déjà rentrée le mois dernier, Ivy.

Ivy était sa colocataire. Elles prenaient toutes les deux le petit déjeuner. Elles avaient fait connaissance durant la deuxième année d'université de Jillian, à l'époque où elle avait décidé de louer un appartement en ville, ne supportant plus d'habiter sur le campus. Elle avait fait paraître une annonce dans le journal du campus afin de trouver quelqu'un pour partager le loyer, et Ivy, qui projetait de poursuivre des études de droit, y avait répondu. Elles avaient éprouvé une sympathie immédiate l'une pour l'autre dès leur première rencontre et, depuis, elles étaient les meilleures amies du monde. Jillian n'aurait pu rêver meilleure colocataire.

— C'est vrai, convint Ivy. Mais c'était pour ton anniversaire, et tu n'y es restée que deux jours. Les vacances de printemps débutent la semaine prochaine.

Jillian n'avait pas besoin de ce rappel. Pam lui avait téléphoné la veille pour lui demander si elle comptait rentrer, car Nadia projetait de revenir, elle aussi. Quant à Paige, étudiante à l'UCLA, elle avait obtenu un petit rôle dans une pièce de théâtre sur le campus, et devait rester à Los Angeles. Jillian était encore dévorée de culpabilité en songeant à ce qu'Aidan et elle avaient fait, et elle n'aimait pas faire preuve de dissimulation vis-à-vis de sa sœur.

— J'ai expliqué à Pam que je dois me préparer pour le concours d'entrée en fac de médecine. Elle comprend que je dois travailler dur.

— Je regrette de devoir te laisser seule, mais…

— Mais tu vas le faire, la coupa Jillian en riant. Et c'est très bien ainsi. Je sais à quel point tu as le mal du pays.

C'était un doux euphémisme. La famille d'Ivy vivait dans l'Oregon. Ses parents, tous deux chefs cuisiniers, y étaient propriétaires d'un très grand restaurant. Ses deux frères aînés étaient chefs, eux aussi, et y travaillaient. Ivy avait choisi une profession différente de celle du reste de sa famille, mais elle adorait rentrer chez elle pour les aider, chaque fois qu'elle en avait l'opportunité.

Ivy lui rendit son sourire.

— C'est vrai… Et je pars dans deux jours. Tu es certaine de pouvoir te débrouiller sans moi ?

— Oui, tout ira bien, sois tranquille. Le concours d'entrée est dans deux mois seulement, et j'ai suffisamment de travail pour éviter de m'ennuyer.

— Ça me fait de la peine que tu doives travailler au lieu de t'amuser.

— Ne t'inquiète pas. Ma priorité, aujourd'hui, c'est d'être reçue à ce concours.

Quelques heures plus tard, assise à la petite table de travail de sa chambre, Jillian s'absorbait dans une recherche sur internet. En règle générale, elle préférait étudier seule, mais depuis quelques jours elle jouait avec l'idée d'intégrer un groupe d'étude pour préparer le concours. Pour une raison inconnue, elle avait toutes les peines du monde à rester concentrée.

Elle se détourna de l'ordinateur et s'adossa à son fauteuil. En réalité, cette raison, elle la connaissait très bien ; elle avait pour nom Aidan.

Un peu plus d'un mois s'était écoulé depuis son anniversaire, et Aidan s'était trompé : retourner dans le Wyoming ne lui avait pas permis de tourner la page. Elle pensait à lui encore plus souvent qu'avant. Constamment pour tout dire. Et ses études commençaient à s'en ressentir.

Elle se leva et passa dans la cuisine pour se servir un jus de fruits. Elle aurait dû oublier leur aventure, mais c'était loin d'être le cas. Elle s'endormait chaque soir en rêvant à lui, et c'était encore à lui qu'elle pensait à son réveil. Aux heures les plus sombres de la nuit, elle se rappelait chaque seconde ses baisers dans les moindres détails. Tout spécialement du plus intime d'entre eux.

Et le souvenir de ce baiser particulier la faisait frissonner au plus profond de sa féminité. Ce qui était fâcheux, car elle vivait depuis dans un état permanent de frustration sexuelle, alors qu'elle n'avait même pas fait l'amour avec lui. Ce qui ne l'avait pas empêchée d'atteindre l'orgasme, et ce seul détail démontrait toute l'étendue du talent d'Aidan.

Elle retourna dans sa chambre et se rassit à sa table de travail pour reprendre ses recherches en ligne, s'efforçant de ne plus penser à lui. Aidan l'avait probablement déjà oubliée, lui ! Il ne perdait pas le sommeil en pensant à elle, et s'était probablement réveillé dès son premier matin à Boston avec une jolie femme dans son lit. Cette idée la déprimait à un point impensable…

Elle avait été tentée de demander à Pam si elle avait de ses nouvelles, puis y avait renoncé, par crainte que sa sœur ne se pose des questions à leur sujet.

Quelques coups frappés à sa porte la tirèrent de ses

réflexions. Ivy entra dans la pièce, un grand sourire aux lèvres.

— Je sais que tu as beaucoup de travail, mais tu es restée enfermée ici suffisamment longtemps. Viens, je t'invite à déjeuner au Wild Duck.

Ivy s'attaquait à son point faible : le Wild Duck, qui servait les hamburgers les plus savoureux de la ville, était son restaurant favori.

— Soit, dit-elle en repoussant sa chaise. Mais c'est uniquement pour te faire plaisir.

— C'est ça, oui !

Jillian se leva. Elle avait besoin de faire une pause, et ce serait peut-être l'occasion de cesser de penser à Aidan.

— Comment allez-vous, docteur Westmoreland ?

Lynette Bowes, le jeune médecin qui avait intégré l'équipe durant le week-end où il s'était absenté, était jolie, bien faite et très amicale. Presque trop. Elle aimait flirter avec lui, et lui avait lancé quelques suggestions plutôt hardies, ce qui signifiait probablement qu'il ne serait pas très difficile de l'amener dans son lit. A une époque pas si lointaine, il n'aurait pas hésité à lui proposer de sortir avec lui. Pourquoi ne le faisait-il pas ?

— Je vais très bien, docteur Bowes, et vous-même ?

Elle se pencha pour lui remettre le dossier d'un patient, pressant délibérément ses seins contre son bras.

— Je me sentirais bien mieux si vous passiez à mon appartement ce soir, lui chuchota-t-elle à l'oreille.

Une nouvelle invitation. Pourquoi n'agissait-il pas ? Pourquoi n'entrait-il pas dans son jeu comme il le faisait habituellement ? Pourquoi ce contact intime qu'elle venait d'initier ne pouvait-il se comparer aux caresses qu'il avait partagées avec Jillian ?

— Merci, mais j'ai d'autres projets pour ce soir, mentit-il.

— Dans ce cas, un autre soir ?

— Je vous tiendrai au courant.

Ce fut la sonnerie de son téléphone qui le sauva, et il en profita pour battre en retraite.

Plus tard, ce soir-là, alors qu'il tuait le temps en zappant sur toutes les chaînes de télévision, il ne put s'empêcher de se demander ce qui l'avait poussé à refuser une soirée agréable en compagnie d'une jolie femme. Enfin, façon de parler, car il connaissait déjà la réponse.

Jillian…

Il était certain, en la quittant, qu'une fois de retour à Boston il parviendrait à l'oublier. Malheureusement, ça n'avait pas été le cas. Il pensait à elle à chaque moment libre de la journée, et continuait à penser à elle en se couchant le soir. Dans ses rêves, tous classés « X », elle tenait le premier rôle. Son désir d'elle était si intense qu'il ne parvenait plus à s'intéresser aux autres femmes, et le pire, c'était qu'il ne le regrettait pas !

Son problème ne s'était pas arrangé lorsque Dillon avait mentionné, au cours de l'une de leurs conversations téléphoniques, que Jillian ne rentrerait pas pour les vacances de printemps, car elle préparait son concours. Il applaudissait, bien sûr, le fait qu'elle soit prête à accepter certains sacrifices pour atteindre ses objectifs, mais il ne pouvait s'empêcher d'être déçu qu'elle n'ait pas fait appel à lui pour l'aider, comme il le lui avait proposé.

Elle n'avait jamais téléphoné pour lui poser la moindre question. Il ne pouvait y avoir qu'une seule explication à cela : elle n'avait pas besoin de son aide, et avait refoulé ce qui s'était passé entre eux dans un recoin de son esprit.

Grand bien lui fasse ! Malheureusement pour lui, elle était toujours au centre de ses pensées.

Dans un élan irraisonné, il reposa la télécommande de la télévision et sortit son téléphone. Mais, sitôt qu'il eut affiché le nom de Jillian sur l'écran, il reposa l'appareil. Ils avaient conclu un accord. Ils devaient oublier ce qui s'était passé entre eux à Denver. Cela avait été très agréable, mais ne devait pas se répéter. Plus de baisers, plus de caresses, plus de festins érotiques.

A l'évidence, il était facile pour elle de respecter les termes de leur pacte. Pour lui, cette promesse s'avérait plus difficile à tenir qu'il ne l'avait prévu. Certaines nuits, il se réveillait bouillonnant de désir pour elle, brûlant de l'embrasser, de la caresser, de savourer son essence féminine.

Le souvenir de leurs chevauchées, et surtout du moment intense qu'ils avaient passé dans la cabane de Bane, était gravé dans sa mémoire, effaçant tout le reste.

Comme à cet instant précis.

Lorsqu'il avait fait glisser son jean sur ses jambes, lorsqu'il avait approché ses lèvres de sa féminité, lorsqu'il l'avait goûtée…

Ces images firent aussitôt flamber son désir. Il la désirait si fort qu'il en avait le souffle coupé.

Il se leva et entreprit de marcher de long en large dans son appartement, s'efforçant désespérément de faire cesser une érection monumentale.

Une idée germa soudain dans son esprit, et il s'arrêta net. Il avait droit à des congés. Pourquoi ne pas les prendre dès aujourd'hui ? Il n'avait visité Laramie qu'en une ou deux occasions. Peut-être était-il temps pour lui de s'y rendre une troisième fois. Il ferait un peu de tourisme en ville, explorerait quelques bons restaurants.

Et, lorsqu'il serait là-bas, qu'est-ce qui l'empêcherait

de rendre une petite visite à Jillian pour s'enquérir de sa santé ?

Une visite tout ce qu'il y avait de plus naturel, entre personnes d'une même famille...

Assise à la table de la cuisine, un manuel de préparation au concours d'entrée à la fac de médecine de plus de cinq cents pages ouvert devant elle, Jillian avait le plus grand mal à se concentrer. Il était recommandé aux étudiants de prévoir trois mois pour se préparer aux épreuves, mais, comme elle n'assistait qu'à un seul cours, ce semestre, elle disposait de davantage de temps pour étudier, et pensait être prête en deux mois seulement. A condition, naturellement, de travailler d'arrache-pied...

Mais son esprit avait d'autres priorités. Il lui suffisait de passer sa langue sur ses lèvres pour retrouver le goût d'Aidan. Comment était-ce possible, un mois, neuf jours et vingt minutes après leur dernier baiser ? Pourquoi n'avait-elle jamais pu oublier ces baisers ?

L'appartement semblait étrangement vide et silencieux sans Ivy. Mais c'était exactement ce dont elle avait besoin pour étudier sérieusement. Elle avait avalé un copieux petit déjeuner, puis était sortie faire une promenade pour stimuler son esprit et son corps avant de se mettre à l'étude. Sauf que son esprit désirait se souvenir d'une autre sorte de stimulation. Celle qui, à cet instant encore, générait un délicieux frisson au centre de son être.

On sonna soudain. Qui cela pouvait-il être ? La plupart de ses voisins étaient étudiants comme elle, et presque tous étaient rentrés dans leurs familles pour les vacances.

Elle se leva, se dirigea vers la porte, jeta un coup d'œil à travers le judas, et... cessa de respirer. Planté sur le palier, se tenait l'homme qu'elle s'efforçait justement d'oublier.

Muette de stupéfaction, elle ôta la chaîne de sécurité et lui ouvrit, s'efforçant d'ignorer les battements précipités de son cœur.

— Aidan ? Mais qu'est-ce que vous faites ici ?

Pour toute réponse, il se pencha et l'embrassa à pleine bouche. Un nouveau choc vint alors s'ajouter au premier. Elle aurait dû le repousser à l'instant où leurs bouches s'étaient jointes. Au lieu de cela, elle se sentit fondre contre lui, retrouvant avec délices son goût unique.

Un gémissement monta du fond de sa gorge, et les efforts de logique des semaines précédentes furent balayés en un instant. Comme il lui avait manqué ! Comme ses baisers lui avaient manqué ! Comment un homme pouvait-il devenir à ce point nécessaire à une femme, et en si peu de temps ? Et comment une femme aurait-elle pu résister à un homme comme lui ?

Elle entendit cliqueter le verrou, et comprit qu'il l'avait poussée doucement à l'intérieur de l'appartement et refermé la porte derrière lui. Elle faillit le repousser, et l'aurait fait, s'il n'avait pas choisi ce moment pour l'embrasser avec une fougue renouvelée.

Tout ceci n'était qu'un rêve… Ce ne pouvait pas être la réalité… Etait-ce pour cette raison qu'elle croyait sentir la pièce tourbillonner autour d'elle ? Aidan ne pouvait pas être à Laramie, chez elle, en train de l'embrasser. Mais, si elle rêvait, elle n'avait pas envie de se réveiller. Elle avait besoin de se rassasier du goût de sa bouche avant que cette illusion ne se dissipe. Elle avait peur d'ouvrir les yeux, et de s'apercevoir avec horreur qu'elle embrassait le facteur chauve et ventru, et non pas Aidan. Sa fascination pour lui avait-elle fini par lui faire perdre la raison ?

A cette idée, elle mit fin à leur baiser et se décida à

rouvrir les yeux. L'homme devant elle, les lèvres encore luisantes de leur baiser, était bien Aidan.

Elle prit une profonde inspiration, s'efforçant de calmer les battements précipités de son cœur et de reprendre le contrôle de ses sens.

— C'est vraiment moi, Jillian, dit-il, comme s'il avait lu dans ses pensées. Et je suis ici toute la semaine pour vous aider à préparer le concours.

L'aider à préparer le concours ?

Elle le dévisagea d'un air incrédule. C'était une plaisanterie ?

Aidan brûlait d'envie d'effacer cette expression choquée sur le visage de Jillian sous une avalanche de baisers. Mais il n'avait pas respecté leur arrangement, et il savait qu'il lui devait quelques explications avant de songer à l'embrasser de nouveau.

— J'ai parlé avec Dillon il y a quelques jours, et il m'a dit que vous ne comptiez pas rentrer à la maison pour les vacances de printemps. Il m'a aussi expliqué pourquoi, et j'ai pensé que je pourrais vous donner un petit coup de main.

— Il est impossible que vous ayez pensé ça, répliqua-t-elle, le considérant d'un air dubitatif. Et que signifie ce baiser ? Nous avons conclu un accord !

— Oui. Et il tient toujours. Toutefois, étant donné la manière dont vous avez répondu à mon baiser, je crois que nous devrions en modifier un ou deux détails.

— Il n'y a rien à modifier ! répondit-elle d'un ton sévère.

— Parce que vous croyez que j'ai envie d'être ici, Jillian ? J'ai une vie, à Boston. Une vie qui me satisfaisait pleinement jusqu'ici. Mais, depuis que nous nous sommes embrassés, le jour de votre anniversaire, je n'ai pas cessé une seconde de penser à vous, de vous désirer, de me languir de vous.

— Ce n'est pas ma faute !

— Si ! Et vous n'êtes pas honnête avec vous-même… Pouvez-vous me regarder droit dans les yeux et m'affirmer que vous n'avez pas pensé à moi ? Que vous ne m'avez pas désiré ? Si vous le niez, expliquez-moi alors pourquoi votre baiser disait le contraire ?

Elle se contenta de le dévisager dans un silence tendu.

— Répondez-moi, Jillian, reprit-il d'une voix radoucie. Pour une fois, soyez honnête avec moi et avec vous-même.

Il y eut un autre long silence, puis elle soupira.

— C'est vrai, reconnut-elle, j'ai pensé à vous, je vous ai désiré, vous m'avez manqué. Et je me suis détestée pour ça. Vous êtes une faiblesse que je ne peux me permettre d'avoir à ce stade de ma vie. C'est totalement fou ! Je connais une foule d'hommes sur le campus. Pourquoi a-t-il fallu que je désire le seul auquel je n'ai pas le droit de m'attacher ?

En entendant ces paroles, Aidan sentit sa colère s'évaporer. Elle éprouvait la même confusion que lui, la même frustration.

— Pourquoi pensez-vous ne pas avoir le droit de vous attacher à moi ?

— Vous le savez très bien ! Pam et Dillon y seraient opposés. A leurs yeux, nous sommes de la même famille. Et, même si ma sœur voyait en vous un soupirant acceptable pour moi, elle essaierait tout de même de me dissuader de me lancer dans une relation avec vous. Elle me conseillerait de rester concentrée sur mes études.

— Vous ne pouvez pas être sûre que c'est ainsi qu'elle réagirait, Jillian.

— J'en suis certaine, au contraire. Lorsque Pam étudiait au conservatoire, tout à son rêve de devenir une grande actrice, je lui ai demandé un jour pourquoi elle ne sortait pas avec des garçons. Elle m'a répondu qu'une femme ne devait jamais sacrifier ses rêves pour un homme, quel qu'il soit.

— Je ne vous demande pas de sacrifier votre rêve.

— Non, mais vous me proposez de m'engager dans une relation avec vous à un moment où je devrais me concentrer plus que jamais sur mes études.

— Je désire vous aider, pas vous faire perdre du temps…

— Et comment pensez-vous pouvoir accomplir ça ?

— En vous initiant toute cette semaine à des techniques d'étude qui vous aideront à mémoriser tout ce que vous êtes censée retenir.

Elle le considéra un instant d'un air hésitant, avant de déclarer :

— Ça ne marchera jamais ! Je ne peux pas penser clairement, si vous êtes près de moi.

— Je ferai en sorte que ce ne soit pas un problème. Je ne dormirai pas chez vous. J'ai déjà réservé une chambre dans un hôtel à un kilomètre d'ici. Je viendrai chaque matin et nous travaillerons jusqu'au soir, en nous accordant quelques courtes pauses, bien sûr. Après ça, nous sortirons dîner ensemble, et passerons la soirée à nous détendre. Ensuite, je vous raccompagnerai chez vous et je rentrerai à l'hôtel. Avant de vous mettre au lit, vous devrez réviser tout ce que nous aurons vu ce jour-là, puis vous vous accorderez huit bonnes heures de sommeil.

— Je ne peux pas abandonner mon travail pour aller me promener en ville avec vous. J'ai besoin de travailler matin, midi et soir.

— Pas si je vous aide. En outre, si vous ne vous détendez pas un peu, vous finirez épuisée le jour du concours. Vous voulez vraiment prendre ce risque ?

Comme elle ne répondait pas, il poussa son avantage :

— Pourquoi ne pas essayer ma méthode durant un jour ou deux ? Si elle ne fonctionne pas, si vous avez l'impression que je vous gêne au lieu de vous aider, je quitterai Laramie aussitôt, et vous laisserai faire les choses à votre façon.

Elle le dévisagea un long moment en silence. Moment durant lequel Aidan ne respira plus. Comme toujours, elle avait un air sérieux, concentré. Et elle était belle. L'image même de la tentation ! Passer ses journées près d'elle serait une torture. Et la quitter le soir plus douloureux encore. Il aurait envie de rester, de lui faire l'amour toute la nuit. Mais c'était impossible. Quoi qu'il lui en coûte, il devait contrôler ses pulsions.

— D'accord, répondit-elle enfin. Nous essaierons votre méthode durant un jour ou deux. Et, si elle ne fonctionne pas, je compte sur vous pour tenir votre parole. Vous partirez.

— Vous pouvez me faire confiance.

Il n'avait aucune intention de partir, car il était certain que son plan fonctionnerait. Il avait brillamment réussi le même concours, et avait aidé Adrian et Bailey pour leurs examens. Avec Bane, hélas, il n'avait pas eu l'opportunité de tester ses techniques d'étude intensive, car son cousin ne s'intéressait à rien ni à personne, à l'exception de Crystal.

— Et maintenant, scellons notre accord, proposa-t-il.

Elle lui tendit la main. Il la fixa un instant, puis, au lieu de la serrer, il s'avança et la prit une nouvelle fois dans ses bras.

Elle faillit protester, mais sa résistance ne dura qu'une seconde. Le temps de lui rendre son baiser avec une passion égale à la sienne. C'était de la folie. Mais c'était aussi ce dont elle avait besoin.

Ils adoraient tous les deux ces baisers languissants, et leurs bouches semblaient faites l'une pour l'autre. Pour le moment, elle se sentait de taille à gérer la situation — embrasser un homme séduisant dans la sécurité de son salon — à condition que cela n'aille pas plus loin.

Mais c'était là le danger. Aidan lui avait déjà prouvé que sa définition du mot « embrasser » pouvait concerner n'importe quelle partie de son corps. Qu'adviendrait-il, s'il décidait de ne pas se contenter de sa bouche ? A cette idée, elle sentit un frisson de désir la parcourir tout entière.

Sa bouche s'écarta soudain de la sienne, et elle faillit laisser échapper un gémissement de frustration.

— Très bien, dit-il. Où est votre guide d'étude ?

Elle le dévisagea une seconde, l'esprit encore engourdi par ce baiser incandescent.

— Mon guide d'étude ?

— Oui. Le guide pour le concours d'entrée de la fac de médecine.

— Sur la table de la cuisine. Je travaillais, à votre arrivée.

— Excellent ! Et vous allez travailler davantage. Montrez-moi le chemin…

Aidan s'adossa à sa chaise et demanda :

— Des questions ?

— Non, répondit-elle. A vous entendre, ça semble si simple !

— Croyez-moi, ça ne l'est pas, répondit-il en souriant. Le point essentiel est de vous souvenir que c'est vous qui contrôlez votre cerveau et toute l'information qu'il contient. Ne vous laissez pas paralyser par la crainte de ne pas pouvoir restituer cette information le jour de l'examen.

— C'est facile, pour vous, de dire ça !

— Et ça le sera pour vous aussi, vous verrez. Il m'est déjà arrivé de servir de tuteur à des étudiants en médecine. Vous avez été excellente dans les épreuves pratiques. A présent, il vous reste à vous concentrer sur vos points faibles.

— Qui sont nombreux !

— Mais que vous connaissez. Et souvenez-vous que, si vous échouez au concours la première fois, ce n'est pas un drame. C'est le cas de beaucoup d'étudiants. Il est d'ailleurs recommandé à tous les candidats de faire au moins deux tentatives.

— Je veux réussir brillamment au premier essai.

— Dans ce cas, foncez !

Il se leva et alla jusqu'à la cafetière posée sur le plan de travail. Il avait besoin d'un remontant plus fort que la caféine, mais il devrait se satisfaire d'une tasse de café. Il était chez Jillian depuis près de cinq heures, et ils ne s'étaient pas arrêtés pour déjeuner, ne s'accordant que quelques brèves pauses. Personnellement, il était persuadé qu'elle serait reçue au concours, même si deux mois de préparation lui semblaient un délai un peu court.

— Un café ? lui proposa-t-il, tout en s'en versant une tasse.

— Non, je vous remercie. J'ai tout ce qu'il me faut.

Après la séance d'étude intensive à laquelle elle venait de se livrer, il ne pouvait attester de son état mental, mais, sur le plan physique, il ne pouvait que confirmer cette déclaration. Elle était belle à faire damner un saint, même avec ses cheveux hâtivement attachés en queue-de-cheval et ses petites lunettes de lecture perchées sur le nez. Il avait l'habitude de la voir sans aucun maquillage, et c'était ainsi qu'il la préférait. Elle avait une beauté naturelle avec sa peau d'un brun crème, et elle était absolument adorable dans son jean et son petit haut.

Il consulta sa montre.

— Jillian, je crois que nous avons suffisamment travaillé pour aujourd'hui.

— Déjà ? s'exclama-t-elle, quittant l'ordinateur des yeux pour le dévisager, l'air catastrophé. Je n'ai pas couvert tous les chapitres que j'avais prévu d'étudier aujourd'hui !

— Vous avez beaucoup travaillé. Inutile de surcharger votre cerveau le premier jour.

Elle le considéra un instant en silence, puis hocha la tête et entreprit d'éteindre son ordinateur.

— Vous avez raison. Grâce à vous, j'ai beaucoup avancé. Beaucoup plus que je n'aurais pu le faire toute seule. Vous êtes un excellent tuteur.

— Et vous, une excellente étudiante. Quel genre de restaurants avez-vous, par ici ?

— Tout dépend de vos envies.

C'était d'elle qu'il avait envie, mais il devait tenir sa promesse, et ne pas essayer de brusquer les choses.

— Un steak bien juteux, par exemple.

— Dans ce cas, c'est votre jour de chance, dit-elle en se levant. Il y a justement un restaurant qui sert des steaks somptueux à quelques rues d'ici. Accordez-moi quelques minutes pour me changer.

— Prenez tout votre temps…

Il la vit disparaître dans la chambre et, lorsque la porte se fut refermée derrière elle, il poussa un soupir. Elle était l'image de la tentation, même lorsqu'elle ne faisait aucun effort dans ce sens. Lorsqu'il l'avait questionnée au sujet de sa colocataire, elle lui avait répondu que cette dernière était rentrée chez ses parents pour les vacances. Ce qui signifiait…

Ce qui ne signifiait rien du tout ! A moins qu'elle ne fasse le premier pas, ou qu'elle ne l'invite à rester chez elle de façon explicite.

En attendant, il passerait ses nuits à l'hôtel, comme prévu.

- 8 -

Jillian trouva leur première journée de travail épuisante ; Aidan l'avait poussée au-delà de ses limites. Mais le dîner qui suivit contribua pour beaucoup à lui rendre sa bonne humeur.

Elle put ainsi découvrir qu'il préférait ses steaks saignants, qu'il prenait son thé sans sucre et qu'il était un fanatique de chocolat.

Il était en outre un interlocuteur brillant. Il abordait tous les sujets avec aisance — même s'il refusait obstinément d'aborder celui des études de médecine. Ils parlèrent longuement d'économie, des élections récentes, des films qu'ils avaient appréciés et des projets d'Adrian de voyager autour du monde durant quelques années, lorsqu'il aurait obtenu son diplôme d'ingénieur.

De plus, Aidan écoutait très bien. Jillian lui parla d'Ivy, qu'elle considérait comme la colocataire idéale, de sa décision de déménager de sa chambre d'étudiante sur le campus deux ans auparavant, et de sa première expérience sexuelle. Elle lui fit la liste des lieux qu'elle désirait visiter un jour, et lui avoua qu'elle avait toujours rêvé de faire une croisière, mais qu'elle n'en avait jamais eu l'occasion.

C'était la première fois qu'ils dînaient en tête à tête, et elle y prenait énormément de plaisir. Au-delà de la façade du séducteur, elle découvrait l'homme dans sa totalité. Un homme réfléchi et sensible. Aidan était aimable avec tout le monde, traitait le personnel avec respect et, chaque fois qu'il lui souriait, elle sentait sa gorge se serrer d'émotion.

Après le dîner, ils retournèrent à son appartement. Là, il lui fit promettre de relire uniquement les sujets sur lesquels ils avaient travaillé dans la journée, et de se mettre au lit pas plus tard qu'à 21 heures. Puis il s'en alla.

Mais pas avant de l'avoir prise dans ses bras et de lui avoir donné un baiser qui la laissa étourdie et sans forces — au point qu'elle faillit lui demander de rester.

Elle résista néanmoins à cette impulsion. La certitude de le revoir le lendemain l'aida à s'endormir rapidement, et, pour la première fois depuis longtemps, elle ne se réveilla pas de toute la nuit. Mais elle ne rêva que de lui.

Il arriva tôt le lendemain matin, lui faisant la surprise d'apporter le petit déjeuner. Puis ce fut une nouvelle séance d'étude. La journée fut plus intense encore que la veille. Sachant qu'ils ne pouvaient couvrir chaque aspect du guide d'étude en une semaine, il l'avait encouragée à se concentrer sur les sujets qui lui causaient le plus de difficultés.

Pour le dîner, ils allèrent au Wild Duck, son restaurant favori, qu'elle avait hâte de lui faire découvrir. Le repas — hamburgers, frites et milkshakes — fut délicieux. Après cela, ils passèrent un bon moment à jouer au billard chez Harold's, une salle du quartier.

Lorsqu'il la raccompagna chez elle, tout comme la veille, il la prit dans ses bras et l'embrassa, avant de s'en aller, en lui recommandant de réviser ce qu'ils avaient étudié ce jour-là, et de dormir huit bonnes heures.

Cette nuit-là encore, elle dormit comme un bébé en rêvant de lui.

Il était un tuteur excellent et, la plupart du temps, elle parvenait à rester concentrée. Mais, lorsqu'ils étaient l'un près de l'autre, l'air crépitait d'électricité. Ils faisaient alors de leur mieux pour l'ignorer, et y réussissaient tant bien que mal.

Le troisième jour, cependant, ce fut un peu plus difficile que les deux jours précédents.

Aidan était tendu, elle le sentait. Il avait encore apporté le petit déjeuner, car il estimait qu'on étudiait mieux le ventre plein. Ils avaient pris leur repas dans le patio. Un moment très agréable, mais à plusieurs reprises elle avait surpris son regard rivé sur elle avec une intensité des plus troublantes.

Il ne se montrait pas aussi bavard que d'habitude. Elle ne disait pas grand-chose non plus, mais, lorsque leurs mains se frôlaient, comme ce fut le cas en plusieurs occasions, lorsqu'il lui tendait des documents ou tournait une page, elle avait l'impression qu'un trait de feu remontait le long de son bras, et elle était sûre qu'il le ressentait, lui aussi.

Alors, après bien des hésitations, elle prit une décision concernant la façon dont la journée allait se terminer. Elle le désirait à en mourir; il la désirait aussi. Il n'y avait donc aucune raison qu'ils continuent à souffrir à cause de ce désir mutuel. Elle était amoureuse de lui. Après ces trois jours passés en sa compagnie, elle ne pouvait plus en douter. Ce béguin qu'elle avait nourri durant des années s'était transformé en un sentiment plus intense, plus profond. Plus durable.

La réaction probable de Pam et de Dillon à la découverte de leur relation continuait à l'inquiéter, mais, comme Aidan n'était pas amoureux d'elle, elle était certaine de pouvoir le convaincre de garder leur histoire secrète. D'ailleurs, c'était déjà ce qu'il faisait. Ni Pam ni Dillon ne savaient où il passait sa semaine de vacances. Ils faisaient déjà des cachotteries à leurs familles respectives, et elle continuerait à se taire si c'était le prix à payer pour passer plus de temps avec lui.

Ce soir-là, ils dînèrent dans un restaurant dans lequel elle n'était jamais entrée à cause de ses prix prohibitifs. Les spécialités du chef furent un régal, et le service impeccable. La salle n'était pas seulement très élégante, mais aussi merveilleusement romantique, avec son plafond aux poutres apparentes, sa gigantesque cheminée de briques, son sol dallé de pierre naturelle et les jolies bougies qui décoraient les tables.

Ce dîner n'en fut pas moins une véritable épreuve pour ses nerfs. Chaque fois qu'elle tournait son regard vers Aidan, elle le trouvait en train de la fixer. Ils discutaient, bien sûr, mais pas autant que les soirs précédents. Lorsqu'il lui souriait, ses sourires étaient moins francs, plus retenus. Mais tout aussi sexy. Et puis, sa voix lui paraissait plus grave, plus rauque qu'à l'accoutumée…

Il la raccompagna comme d'habitude jusqu'à son appartement, lui recommandant une fois encore de ne réviser que les sujets qu'ils avaient vus durant la journée, de se coucher tôt et de dormir au moins huit heures.

Puis il la prit dans ses bras et l'embrassa pour lui souhaiter bonne nuit.

C'était l'instant qu'elle attendait. Elle était prête. Elle se haussa sur la pointe des pieds, leva ses lèvres entrouvertes vers les siennes, et sa bouche généreuse s'empara de la sienne, la faisant presque défaillir au premier contact.

Ce fut un très long baiser, un baiser délectable, différent de tous ceux qu'ils avaient échangés jusque-là. Elle l'avait su à l'instant où leurs bouches s'étaient soudées l'une à l'autre. Un baiser brûlant, passionné, exigeant, auquel tous deux s'abandonnèrent corps et âme.

Puis Jillian sentit qu'il la soulevait du sol, et elle

noua aussitôt ses jambes autour de sa taille, tandis qu'il continuait à l'embrasser avec une intensité qui lui bouleversait les sens. Il vibrait de désir pour elle, elle le sentait, mais s'efforçait de se contrôler, de s'accrocher à ce qui lui restait de raison.

De son côté, elle désirait tout le contraire. Elle faisait même de son mieux pour le tenter de toutes les façons imaginables.

Soudain, elle sentit le mur derrière son dos. Aidan mit alors fin à leur baiser et riva son regard brûlant au sien.

— Dites-moi d'arrêter, Jillian, murmura-t-il. Parce que, si vous ne le faites pas maintenant, il sera trop tard. J'ai envie d'explorer de ma bouche chaque parcelle de votre peau, de me délecter de votre goût. De vous faire l'amour. Longtemps, passionnément, sans aucun tabou.

Jillian ne respirait plus. Son cœur cognait dans sa poitrine à lui faire mal. Ces paroles faisaient pétiller chaque cellule de son corps. La flamme de désir qu'elle voyait danser dans son regard sombre éveillait en elle un besoin venu du fond des âges, et elle n'avait pas envie d'y résister.

— Dites-moi d'arrêter, Jillian !

Cette supplication ne fit qu'attiser le brasier qui les dévorait, et elle ne connaissait qu'un seul moyen d'éteindre l'incendie.

— Arrêtez, Aidan…

Son grand corps se figea instantanément. Il la dévisagea un long moment dans une immobilité de statue, mis à part la veine qu'elle voyait battre à la base de son cou.

Lorsqu'elle sentit qu'il s'apprêtait à dénouer ses jambes de sa taille et à la reposer sur le sol, elle jugea qu'il était temps pour elle de continuer.

— … arrêtez de me promettre toutes ces choses, et faites-les !

Et, pour mieux se faire comprendre, elle déboutonna

partiellement sa chemise et fit glisser ses mains sur son torse musculeux.

— Si vous ne me prenez pas, Aidan Westmoreland, c'est moi qui vais être obligée de vous prendre !

C'était bien la dernière chose au monde qu'Aidan s'attendait à lui entendre dire ! Ses paroles attisèrent aussitôt l'incendie qui faisait déjà rage en lui, un incendie qu'il ne pourrait éteindre que par un seul moyen. Mais, d'abord…

Il la reposa sur le sol, esquissant un sourire. Durant un bref instant, il la contempla en silence, notant la rondeur de ses seins sous son chemisier de coton, puis, d'un geste preste, fit passer le chemisier par-dessus sa tête et le jeta négligemment à leurs pieds.

Prenant une profonde inspiration, il effleura délicatement ses seins à travers la dentelle couleur chair de son soutien-gorge, puis défit l'agrafe avec des doigts tremblants. Lorsque ses merveilleux globes jumeaux jaillirent à la lumière, il cessa tout à fait de respirer.

Il fit glisser le soutien-gorge sur ses bras pour l'en débarrasser tout à fait, impatient de dévorer de baisers cette partie d'elle qu'il n'avait pas encore goûtée.

Décidant qu'il avait besoin de voir davantage de sa peau nue, il s'agenouilla devant elle et fit glisser sa jupe à ses pieds. Jillian fit un pas de côté pour s'en extraire, et la jupe alla rejoindre le chemisier et le soutien-gorge.

Aidan promena alors lentement son regard sur elle et, lorsqu'il fit descendre la soie bleu ciel de sa minuscule culotte sur ses jambes, ses mains tremblaient. Il avait l'impression de révéler le plus précieux des trésors.

Elle se débarrassa de sa culotte comme elle l'avait fait de sa jupe et se tint debout devant lui, entièrement nue. Toujours agenouillé devant elle, il parcourut son corps du regard, avant de revenir au centre de sa féminité. Il était tenté de commencer là son festin, mais savait que, s'il faisait cela, il se priverait, cette fois encore, du plaisir de découvrir le goût de ses seins, et il s'y refusait.

Il se remit debout et, inclinant la tête, captura la pointe d'un sein entre ses lèvres. Il eut très vite le plaisir de la sentir durcir sous les doux assauts de sa bouche. Murmurant son nom d'une voix mourante, Jillian noua les mains derrière sa nuque pour maintenir sa bouche bien en place.

Il s'abandonna avec délices à sa dégustation sensuelle, ne se détournant d'un sein que pour s'intéresser à l'autre. Les gémissements de Jillian lui donnaient l'envie furieuse de la posséder. De lui faire l'amour.

Abandonnant ses seins, il laissa glisser sa bouche plus bas, goûtant avec délices chaque centimètre carré de sa peau. S'asseyant sur les talons, il traça sur son ventre un chemin brûlant de baisers, émerveillé de sentir la contraction de ses muscles sous ses lèvres.

Une pulsation sourde battait au creux de ses reins lorsqu'il s'agenouilla de nouveau devant elle. Il avait rêvé de cet instant toutes les nuits, seul dans son lit, depuis qu'il avait découvert le goût de sa féminité. Conscient qu'elle observait tous ses gestes, il effleura la peau douce de la face interne de ses cuisses du bout des doigts, caressa avec délectation son mont de Vénus. Lorsqu'il introduisit un doigt en elle, elle murmura son nom dans un soupir. Elle était humide, brûlante. Il la caressa avec délectation, puis, impatient de retrouver son goût, il ôta son doigt et le remplaça par sa bouche.

Jillian exhala un profond gémissement lorsque la bouche d'Aidan se posa au centre de son intimité. Elle se saisit de sa tête et tenta mollement de le repousser, mais il tint bon. Lorsque les caresses de sa bouche se firent plus intenses, plus précises, elle cessa de lutter, et s'offrit sans retenue à cette douce invasion.

Une série de spasmes la secoua soudain. Fermant les yeux, elle murmura son nom, encore et encore. Mais Aidan refusa de s'arrêter, de la libérer. Il poursuivit sa merveilleuse torture jusqu'à ce qu'elle soit emportée sur la crête d'une vague de sensations inouïes, d'un orgasme fantastique explosant au centre de son corps.

Elle n'était pas encore remise de l'onde de choc qu'il la soulevait dans ses bras. Lorsqu'elle rouvrit les yeux, elle vit qu'ils franchissaient le seuil de sa chambre. Il l'allongea sur le lit et se pencha pour déposer un baiser sur ses lèvres, rallumant en elle la flamme du désir.

Il mit fin à leur baiser, se redressa, et ôta rapidement ses vêtements. Elle resta frappée d'admiration devant sa nudité. Aidan était un magnifique spécimen d'homme, avec ou sans vêtements. Exactement tel qu'il lui apparaissait dans ses rêves. Des hanches étroites, des cuisses musculeuses, des jambes solides. Et une monumentale érection.

— Vous l'avez déjà fait ? s'enquit-il.

— Euh… oui. En quelque sorte.

— En quelque sorte ?

— Je ne suis plus vierge, si c'est le sens de votre question, répondit-elle avec un haussement d'épaules. En tout cas, pas techniquement. Mais…

— Mais ?

— J'étais au lycée, et ni lui ni moi ne savions ce que nous faisions. Pour moi, ça a été la seule et unique fois.

Il resta à la dévisager en silence. Pourquoi ne disait-il plus rien ? Que pensait-il, à cet instant ?

Comme s'il avait lu dans ses pensées, il s'approcha lentement, posa un genou sur le lit et se pencha vers elle.

— Vous avez manqué énormément de choses dans

votre vie, Jillian. Mais je vais me faire un plaisir de vous les faire découvrir cette nuit. Et…

— Oui ? murmura-t-elle d'une voix faible.

— Nous deux, ce ne sera pas une seule et unique fois.

A ces paroles, Jillian sentit un feu liquide embraser tout son corps. Il ne lui avait pas dit qu'il l'aimait, mais il lui promettait que leur histoire ne serait pas une aventure sans lendemain.

Elle n'eut pas le temps de s'attarder sur cette idée, car il la prit dans ses bras pour l'embrasser. Fermant les yeux, elle se donna tout entière à la magie de ce baiser. Comme toutes les autres fois, elle oublia le monde qui l'entourait ; ses lèvres étaient la seule réalité à laquelle elle pouvait encore se raccrocher. Ses mains caressaient son corps, douces, insistantes et, lorsqu'il glissa un genou entre ses jambes, elle ne put réprimer le gémissement qui montait du fond de sa gorge.

— Ouvre les yeux, Jillian. Regarde-moi…

Elle rouvrit lentement les paupières. Aidan lui souleva alors les hanches, et la pénétra lentement. Instinctivement, elle noua ses jambes autour de sa taille et, lorsqu'il commença un lent mouvement de va-et-vient en elle, elle accompagna chacun de ses gestes avec tout son corps.

Elle ne le quitta pas des yeux, tandis qu'il la soumettait à ses puissants coups de boutoir, l'amenant au bord de l'éblouissement, mais retardant toujours l'instant de la délivrance.

Des spasmes la secouèrent de nouveau ; Aidan rejeta la tête en arrière avec un gémissement rauque. Dans un éclair de lucidité, elle se réjouit que ses voisins soient absents pour les vacances. Sinon, tout l'immeuble aurait été au courant de ce qu'ils faisaient, ce soir-là !

Mais, au fond, cela lui était égal. Elle n'était consciente que de cet homme qui lui ouvrait les portes d'un monde jusqu'alors totalement inconnu, et qu'elle découvrait avec émerveillement.

Leurs bouches se joignirent, s'explorèrent durant un long moment, et Jillian songea aux paroles qu'Aidan lui avait dites plus tôt : « Nous deux, ce ne sera pas une seule et unique fois. »

Elle savait que les hommes faisaient de fausses promesses aux femmes qu'ils désiraient attirer dans leur lit, et elle n'avait aucune raison de penser qu'Aidan ferait exception à la règle. Si leur histoire devait s'arrêter là, ce serait d'ailleurs une bonne chose. Elle devait rester concentrée sur ses études.

Contemplant Jillian endormie nue dans ses bras, Aidan laissa échapper un soupir de frustration. Cela n'était pas censé se produire !

Il ne regrettait pas d'avoir fait l'amour avec elle, car c'était inévitable. La tension sexuelle entre eux était devenue presque douloureuse depuis le jour de son anniversaire, et ni elle ni lui n'aurait tenu un jour de plus.

Ce qui n'était pas censé se produire, c'était ce tourbillon d'émotions qui déferlait sur lui, s'emparait de son esprit, de son âme, oblitérait tout le reste. Il ne pouvait même pas s'accrocher à l'espoir que ces émotions ne soient que le résultat d'une rencontre sexuelle absolument extraordinaire. Il était parfaitement conscient de la nature des sentiments qu'il éprouvait pour Jillian : il l'aimait.

A quel moment était-il tombé amoureux d'elle exactement ? Il ne le savait pas. Ce qu'il savait en revanche, sans l'ombre d'un doute, c'était qu'il l'aimait. Ce n'était certainement pas la promesse de fantastiques ébats sexuels qui l'avait poussé à prendre une semaine de congé et à faire plus de deux mille cinq cents kilomètres pour passer du temps en sa compagnie. Ni à se proposer comme tuteur pour l'aider à passer ce concours. A souffrir en silence de la proximité de leurs deux corps tout en posant des barrières, des limites entre eux. Et le sexe n'avait pas non plus le moindre rapport avec ce qu'il ressentait à cette seconde précise, cette confusion dans laquelle se débattait son esprit, et qui l'empêchait de réfléchir de manière cohérente.

Dans son sommeil, Jillian roucoula doucement et blottit son derrière rond tout contre son aine. Réprimant un gémissement, Aidan ferma les yeux. Le sexe avec elle avait été fantastique, mais ce n'était pas là l'essentiel. Elle avait touché une partie de lui-même qu'aucune autre femme n'avait jamais atteinte jusque-là.

Il l'avait compris avant même qu'ils ne fassent l'amour. Il l'avait su à la minute où elle lui avait avoué qu'elle n'avait fait l'amour qu'une seule fois. Une unique expérience qui ne comptait pas à ses yeux, car son partenaire n'avait manifestement pas été à la hauteur. Son premier orgasme, c'était lui et lui seul qui le lui avait offert.

Au cours de ces journées passées auprès d'elle, il avait découvert beaucoup de choses à son sujet. Qu'elle était une battante, une femme déterminée à atteindre ses objectifs, mais également une femme sensible aux besoins des autres. Soucieuse de ne pas accabler Pam avec le coût de ses études médicales, elle était prête à vendre la maison familiale.

Il adorait sa compagnie, aussi, ce qui posait problème, car ils vivaient à des milliers de kilomètres l'un de l'autre. Il avait entendu dire que les relations longue distance pouvaient s'avérer problématiques, mais il était persuadé qu'ils pouvaient réussir, pourvu qu'ils le désirent tous les deux. Malheureusement, s'il savait ce qu'il ressentait pour elle, il ignorait totalement ce qu'elle ressentait pour lui. Ce qui l'avait poussée à se donner à lui avait peut-être moins à voir avec les sentiments qu'avec la simple curiosité. D'ailleurs, n'était-ce pas ce qu'elle lui avait déclaré ?

Mais ce qui risquait d'être le plus grand obstacle à un approfondissement de leurs liens, c'était son exigence que Pam et Dillon restent ignorants de leur relation.

Lui concevait les choses autrement. Maintenant qu'il savait qu'il l'aimait, il ne voyait pas l'intérêt de garder le secret. Il connaissait son cousin. S'il allait le voir et lui avouait qu'il était tombé amoureux de Jillian, Dillon n'y verrait rien à redire. Il était toutefois bien moins sûr de la réaction de Pam. Mais il l'avait toujours considérée comme une personne juste. Avec le temps, elle leur donnerait sa bénédiction… seulement si elle pensait que Jillian était réellement amoureuse de lui, et qu'il la rendrait heureuse.

Bref, leur situation comportait encore énormément d'inconnues, et il était grand temps que Jillian et lui aient une longue conversation. Il l'avait avertie que ce qu'ils vivaient ensemble ne serait pas une aventure sans lendemain. Il ne pouvait pas la laisser penser que leur relation ne signifiait rien pour lui, qu'elle-même n'était qu'un nom de plus sur une longue liste de conquêtes. Elle était bien davantage, et il tenait à ce qu'elle le sache.

Elle se tourna face à lui, puis ouvrit lentement les yeux et le dévisagea, comme si elle se demandait s'il était réellement là, près d'elle, dans son lit.

— Bonjour, murmura-t-il, lui caressant tendrement la joue. Tu te réveilles tôt. Il est à peine 6 heures.

— Une habitude dont je ne parviens pas à me débarrasser, répondit-elle sans cesser de le fixer. Tu n'es pas parti ?

— C'est ce que tu attendais de moi ?

— Je pensais que c'était ainsi que ça fonctionnait, répondit-elle avec un haussement d'épaules.

Elle avait encore beaucoup à apprendre à son sujet. Il n'irait pas jusqu'à affirmer qu'il n'avait jamais quitté le lit d'une femme avant le matin, mais elle était différente.

— Pas pour nous, Jillian.

Il marqua une pause, avant d'ajouter :

— Il est temps que nous parlions sérieusement, toi et moi.

Elle détourna les yeux et se redressa en position assise, tirant les couvertures sur sa poitrine pour dissimuler sa nudité. Aidan trouva le geste amusant, étant donné ce qui s'était passé entre eux.

— Je sais ce que tu vas me dire, Aidan. Ivy m'a expliqué comment ça finit toujours… Elle a vécu cette expérience.

— Ah bon ? fit-il, curieux d'entendre le reste. Et comment est-ce que ça finit ?

— L'homme déclare à la femme que ce qu'ils viennent de vivre n'était qu'une aventure d'une nuit. Rien de personnel. Et, surtout, rien de sérieux.

Aidan n'avait jamais tenu ce discours précisément, mais il devait reconnaître qu'il en avait débité d'autres qui lui ressemblaient. Il décida toutefois de garder ce détail pour lui.

— Pour moi, tu n'es pas l'aventure d'une nuit, Jillian.

— Oui, tu m'as dit, hier soir, que nous étions appelés à nous revoir.

— Et pourquoi t'ai-je dit ça, à ton avis ? murmura-t-il, la serrant dans ses bras.

— Parce que tu es un homme, et que la plupart des hommes aiment le sexe.

— C'est aussi le cas de beaucoup de femmes, observa-t-il, esquissant un sourire. Pas de toi ? Ça ne t'a pas plu ?

— Si, bien sûr ! Ça m'a même plu énormément.

— J'ai adoré, moi aussi, avoua-t-il, posant un baiser léger sur ses lèvres.

Lorsqu'il s'écarta d'elle, il constata qu'elle le dévisageait d'un air stupéfait, comme si elle ne s'attendait pas à ce baiser. Ce qui était plutôt étrange, compte tenu du nombre de fois où ils s'étaient embrassés.

— Si tu n'as pas l'intention de me déclarer que tout cela n'était qu'une aventure d'une nuit, de quel sujet aimerais-tu que nous parlions ?

— Je veux que nous parlions de nous, répondit-il, décidant d'aller droit au but. De toi et moi. De notre avenir ensemble.

— Ensemble ? répéta-t-elle, ouvrant de grands yeux.

— Oui. Je suis tombé amoureux de toi, Jillian…

9

Jillian jaillit hors du lit, emportant la moitié des couvertures avec elle.

— Tu es devenu fou ? cria-t-elle, le fusillant du regard. Tu ne peux pas être tombé amoureux de moi. Ça ne fonctionnera jamais, parce que, moi aussi, je suis amoureuse de toi !

Elle se rendit compte, trop tard, de l'illogisme de ses propos. Aidan fronça les sourcils d'un air d'incompréhension.

— Si je t'aime et que tu m'aimes, Jillian, où est le problème ?

— Le problème, répondit-elle en redressant le buste, c'est que nous ne pouvons pas être ensemble de la façon dont tu le suggères. Ça ne me gênait pas d'être amoureuse de toi lorsque je pensais que tu ne partageais pas mes sentiments. Mais, maintenant...

— Une seconde ! l'interrompit Aidan.

Il se leva à son tour et vint se planter devant elle, nu comme au jour de sa naissance.

— Je ne suis pas sûr de te comprendre... Tu es en train de me dire qu'il est parfaitement normal que nous ayons des relations sexuelles, mais pas que je sois amoureux de toi, c'est bien ça ?

— C'est ça, oui. Et pourquoi pas ? Nombre d'hommes ont des relations sexuelles avec des femmes dont ils ne sont pas amoureux, et vice versa. Oserais-tu affirmer que tu as aimé toutes les femmes avec qui tu as couché ?

— Non.

— Dans ce cas, nous sommes d'accord.

— Pas du tout ! Parce que tu n'es pas n'importe quelle femme, Jillian, tu es la seule dont je sois tombé amoureux.

Pourquoi s'entêtait-il à rendre les choses plus difficiles, à tout compliquer ?

— Cette situation serait plus facile pour moi si tu ne m'aimais pas, argua-t-elle. Si je n'étais pour toi qu'une aventure passagère.

— Et pourquoi ça ?

— Parce que j'ai besoin de rester concentrée sur mes études. Et c'est impossible si je sais que tu éprouves des sentiments pour moi. Ça ne fait que compliquer la situation.

Il la dévisagea comme si elle avait perdu la raison. D'un certain côté, elle ne pouvait pas lui donner tort. La plupart des femmes voulaient être aimées de l'homme qu'elles aimaient et, dans un contexte différent, c'était aussi ce qu'elle aurait choisi. Mais ce n'était pas le bon moment. Les hommes amoureux avaient des exigences. Ils avaient besoin qu'une femme leur consacre tout son temps. Toute son attention. Toute son énergie. Et une femme amoureuse se devait de satisfaire les besoins de son homme. Or il se trouvait qu'elle ne disposait pas de ce temps. Devenir chirurgien était sa plus grande ambition. Elle devait y consacrer toutes ses forces.

D'autant que, amoureux, Aidan refuserait de garder leur relation secrète. Il n'était pas homme à accepter de rester dans l'ombre, ou à se voir refuser le droit d'apparaître en public à ses côtés. Il tiendrait à ce que le monde entier soit au courant de leur relation. Et cela, elle ne pouvait l'accepter.

— Je ne comprends toujours pas pourquoi tu penses que mon amour pour toi complique la situation, reprit-il, coupant court à ses réflexions.

— Parce que tu refuseras de garder notre relation secrète. Tu insisteras pour que tout le monde soit au courant, pour te montrer avec moi. Tu n'aimeras pas l'idée d'avoir à te cacher.

— Non, c'est vrai, reconnut-il en la prenant gentiment dans ses bras. Je détesterai ça.

Elle l'aurait repoussé, s'il ne lui avait arraché au même moment les couvertures des mains, la laissant aussi nue que lui. A l'instant où leurs corps entrèrent en contact l'un avec l'autre, elle sentit le désir exploser en elle, et un flot d'images vivides de leurs ébats précédents resurgit dans sa mémoire. A l'expression qu'elle lut dans ses yeux sombres, elle devina qu'il revivait les mêmes souvenirs incandescents.

— Jillian…

— Aidan…

Il la serra plus fort dans ses bras et, lorsqu'il posa sa bouche sur la sienne, elle sut qu'elle était perdue. Durant un long moment, ils restèrent enlacés, leurs deux corps étroitement soudés l'un à l'autre. Elle sentait la preuve incontestable du désir d'Aidan pressée contre elle ; les pointes de ses seins durcirent contre son torse, tandis qu'il l'embrassait. Des frissons de feu la parcoururent tout entière.

Puis elle sentit qu'il la guidait vers le lit, mais son désir était trop fort pour qu'elle songe à se défendre. La fièvre de passion qui s'était emparée de lui l'avait gagnée à son tour. A l'instant où son dos toucha le matelas, elle se dégagea vivement et, d'une poussée énergique, elle le retourna et s'installa à califourchon sur lui.

Elle avait l'intention de réaliser l'un de ses fantasmes, faire l'amour comme ils l'avaient fait dans l'un de ses rêves — elle au-dessus. Mais, d'abord, il fallait qu'il sache.

— Je prends la pilule…, lui confia-t-elle dans un souffle. Et je suis saine.

— Moi aussi.

Elle se laissa alors descendre lentement sur lui, absorbant son sexe centimètre par centimètre. Il était énorme, mais, comme la nuit précédente, son corps s'ajusterait parfaitement.

— Regarde-moi, Jillian, murmura-t-il, rivant son regard au sien. Je t'aime, que ça te plaise ou non, et tu ne peux plus rien y changer.

Elle prit une profonde inspiration et continua à le guider en elle, tout entière à l'instant présent et peu désireuse de réfléchir aux problèmes que l'amour pouvait causer. Lorsqu'elle le sentit complètement en elle, elle se mit en mouvement, faisant bon usage de ses années d'apprentissage de l'équitation. A en juger par le feu qu'elle voyait luire dans les profondeurs de ses pupilles, c'était une chevauchée dont il se souviendrait longtemps.

Elle adorait le dominer de toute sa hauteur, voir son expression se transformer à chacun de ses mouvements descendants, lorsqu'elle le prenait tout entier en elle. Il respirait par saccades, et des gouttelettes de transpiration perlaient sur son front.

Elle éprouvait un plaisir infini, incroyablement enivrant, à le chevaucher ainsi. Il avait un corps qui s'y prêtait parfaitement. Dur, masculin, solide. Ses genoux étaient serrés de part et d'autre de ses cuisses et, lorsqu'elle contracta ses muscles internes autour de sa virilité, elle entendit un gémissement rauque monter du fond de sa gorge.

Ce son était une musique céleste pour elle. Elle adorait l'impression de contrôle total qu'elle ressentait. Elle l'aimait… Cette dernière pensée déclencha en elle une vague d'émotions électrisantes. Aidan cria son nom et, lorsqu'elle le sentit exploser en elle, elle accentua la cadence de ses mouvements.

Leurs visages et leurs corps étaient luisants de transpiration, mais elle n'en continua pas moins à le chevaucher avec ardeur. Lorsqu'elle le sentit de nouveau exploser en elle, elle cria de plaisir et, dans l'éblouissement final, faillit les projeter tous deux à bas du lit.

Il la serra étroitement dans ses bras, et elle se blottit contre lui, souhaitant de toutes ses forces que cet instant dure l'éternité.

Aidan repoussa une boucle de cheveux humides sur le front de Jillian. Elle était allongée sur lui, et il entendait sa respiration profonde. Elle avait bien gagné le droit d'être épuisée ! Quant à lui, il n'avait jamais vécu une expérience plus revigorante, plus stimulante, de toute sa vie.

— Ne me demande pas de ne pas t'aimer, Jillian, murmura-t-il, dès qu'il eut recouvré suffisamment d'énergie pour parler.

Il n'avait jamais prononcé paroles plus sincères. Pour la première fois de toute son existence, il avait déclaré à une femme qu'il l'aimait, mais cette femme aurait préféré ne jamais l'entendre prononcer ces mots.

Il sentit une larme brûlante tomber sur son bras, changea de position pour regarder Jillian en face.

— Est-ce si terrible, que je t'aime ? demanda-t-il.

— Non, assura-t-elle d'une voix douce. Je sais que ça devrait me combler de bonheur, mais, à ce stade de ma vie… il me reste encore tant à faire…

— Et tu crois que je ferais obstacle à la réalisation de tes projets ?

— Non, mais je suis certaine que je perdrais ma

concentration. Tu désirerais être avec moi, et moi avec toi. Sans nous cacher. Je sais que tu ne comprends pas que ça me soit impossible, mais c'est ainsi.

Il ne comprenait pas, en effet, persuadé qu'elle avait tort de s'inquiéter de la réaction de Dillon et de Pam, et du reste de la famille, à l'annonce de leur relation. Il doutait qu'ils en fassent une affaire d'Etat. Mais ce qu'il en pensait n'avait aucune importance. Jillian était de l'avis contraire, et cela seul comptait.

— Et si j'acceptais de garder notre relation secrète ? suggéra-t-il.

— Le pourrais-tu ? On ne parle pas de quelques semaines ou de quelques mois, là, mais du moment où j'aurais terminé mes études de médecine. Pourrais-tu vraiment m'attendre aussi longtemps ?

En était-il capable ? Pourrait-il la côtoyer aux réunions de famille, et prétendre qu'il ne s'était rien passé entre eux ? Sans même mentionner la distance qui les séparerait ! Elle ignorait encore où elle poursuivrait ses études, mais ses deux premiers choix étaient la Floride et la Louisiane. Deux Etats à des milliers de kilomètres de Boston.

Et puis, il y avait aussi sa famille, ses amis. Tout comme son jumeau, il avait une solide réputation sur le campus d'Harvard. Que penseraient ses amis, lorsqu'il cesserait brusquement de courir le jupon ? Ils penseraient qu'il était devenu fou. Mais que lui importait ?

Où que se trouve Jillian, il trouverait le temps d'aller la retrouver, de passer du temps en sa compagnie, de lui offrir le soutien dont elle avait besoin pour réaliser son rêve — devenir chirurgien.

Et ce dont elle avait le plus besoin, en ce moment, c'était qu'il s'abstienne d'exercer la moindre pression sur elle. Elle devait rester concentrée sur son concours d'entrée à la fac de médecine, à l'exclusion de toute autre chose. Il ne savait pas encore comment, mais il trouverait le moyen de s'accommoder de la distance, de l'opinion de sa famille et de ses amis, et du qu'en-dira-t-on.

— Oui, répondit-il, soutenant son regard sans ciller. Je suis prêt à t'attendre, Jillian. Autant de temps qu'il le faudra. Parce que tu en vaux la peine.

Sur ces mots, il attira sa bouche contre la sienne pour lui donner un de ces baisers brûlants, passionnés, qui la laissaient toujours éblouie.

10

Aujourd'hui

— Ici le commandant Stewart Marcellus, annonça une voix de basse dans l'interphone. Mon équipage et moi-même tenons à vous souhaiter la bienvenue à bord du *Princess Grandeur*. Durant les quatorze prochains jours, nous naviguerons pour votre plaisir vers les plus beaux lieux de la Méditerranée. Dans une heure, nous quitterons Barcelone pour des escales d'un jour à Monte-Carlo et à Florence, et de deux jours entiers à Rome. De là, nous reprendrons la mer et mettrons le cap sur la Grèce et la Turquie. Je vous invite tous à vous joindre à moi, ce soir, pour une grande soirée de bienvenue qui inaugurera ces deux semaines de pur bonheur.

Jillian parcourut sa cabine du regard. En fait de cabine, c'était une suite somptueuse, or elle était bien certaine que Paige et elle n'avaient pas payé pour des quartiers aussi luxueux. Elles devaient partager une cabine ordinaire. Mais, lorsqu'elle avait contacté le service clientèle par téléphone, on lui avait répondu qu'il n'y avait pas d'erreur, que la suite était à son entière disposition.

Elle venait à peine de raccrocher qu'un groom se présenta à sa porte avec une ravissante composition florale et une bouteille de vin bien frais, accompagnées d'un petit mot :

Toutes nos félicitations pour tes résultats brillants aux examens. Nous sommes tous fiers de toi. Profite bien de la croisière. Tu l'as bien mérité. Ta famille, les Westmoreland.

Jillian se laissa tomber assise sur sa couchette. *Sa famille…* Que penseraient-ils, s'ils connaissaient la vérité au sujet d'Aidan et elle ? De la relation secrète qu'ils avaient poursuivie juste sous leur nez, durant trois ans ?

La première année avait été merveilleuse. Malgré son emploi du temps surchargé, Aidan s'était arrangé pour la rejoindre à Laramie le week-end, dès qu'il en avait l'opportunité. Et, comme les occasions d'être ensemble étaient rares, chacune de ses visites avait été une fête. Ils sortaient dîner au restaurant, allaient voir des films, ou bien il l'aidait, si elle avait besoin d'étudier. Sans cette aide précieuse, elle n'aurait jamais réussi son concours à la première tentative. Lorsqu'elle avait été admise à la fac de médecine de La Nouvelle-Orléans, son premier choix, c'était à lui qu'elle avait annoncé la bonne nouvelle en premier lieu, et ils avaient fêté sa réussite ensemble lors de sa visite suivante.

Ivy était la seule dans la confidence. Elle se serait inquiétée, sinon, lorsque Jillian découchait pour passer la nuit dans un hôtel en compagnie d'Aidan.

Durant cette période, l'amour que Jillian ressentait pour lui n'avait cessé de grandir et, lorsqu'ils étaient séparés, Aidan lui manquait affreusement. Mais chacune de ses visites était une grande source de bonheur pour elle. Même s'ils passaient énormément de temps au lit à faire l'amour, leur relation n'était pas uniquement basée sur le sexe. Jillian devait toutefois admettre que cet aspect était fantastique. C'était si évident qu'Ivy la taquinait souvent à ce sujet.

Cette première année avait également servi à éprouver leur capacité à se contrôler, lorsqu'ils rentraient à la maison pour les vacances, ou qu'ils retrouvaient la famille à l'occasion d'un mariage ou d'un baptême. Et Jillian devait admettre qu'elle s'était sentie jalouse plus d'une fois, lorsque les cousins d'Aidan, qui le supposaient encore célibataire et coureur, essayaient de lui arranger des rendez-vous galants.

Ils avaient cependant surmonté tous les obstacles, et inauguré leur deuxième année ensemble. Aidan l'avait aidée à s'installer dans son nouveau logement à La Nouvelle-Orléans, après des adieux déchirants à Ivy. Elle avait loué un petit deux pièces meublé non loin de l'hôpital où elle allait travailler. L'appartement était parfait pour ses besoins, mais elle s'y sentait terriblement seule.

Au cours de la troisième année, il devint plus difficile à Aidan de s'absenter. L'hôpital réclamait davantage de son temps. Même leurs conversations téléphoniques du soir n'avaient plus lieu que trois fois par semaine. Cette situation était pour lui une source de frustration, et en plusieurs occasions il lui avait fait observer qu'elle aurait pu choisir une fac de médecine qui leur permette de rester plus proches.

Elle faisait de son mieux pour supporter la raréfaction de leurs rencontres et de leurs appels, mais ce n'était pas chose facile. Même si Aidan n'en disait rien, elle sentait que le secret entourant leur relation commençait à lui peser. Lorsqu'il lui était apparu qu'il devenait de plus en plus distant, elle avait décidé qu'il était temps d'intervenir.

Elle avait profité de la venue d'Ivy à La Nouvelle-Orléans, un week-end, pour lui faire part de ses craintes.

— Comment va Aidan ? avait demandé Ivy, lorsque la serveuse eut noté leur commande.

— Je ne sais pas trop, répondit Jillian, luttant pour refouler les larmes qui montaient à ses paupières. Nous n'avons pas parlé depuis des jours et, lors de notre dernière conversation, nous nous sommes disputés.

— Encore ?

— Oui, encore.

Elle lui avait raconté cette dispute. Aidan avait proposé qu'elle le rejoigne un week-end pour fêter son anniversaire. Elle s'était fait une joie de ce voyage, mais, lorsqu'elle avait consulté son agenda, elle avait découvert qu'elle était d'astreinte à l'hôpital à cette date. Il lui était impossible de partir. Au lieu de se montrer compréhensif, il s'était mis en colère. Devant ce manque total de compréhension, elle s'était à son tour énervée. Leur toute dernière dispute avait éclaté lorsque Aidan lui avait annoncé qu'Adrian, son frère jumeau, était au courant de leur relation. Elle lui avait reproché de ne pas avoir tenu sa promesse, reproche qui avait beaucoup irrité Aidan. Il lui avait alors expliqué qu'il n'avait pas eu besoin d'avouer quoi que ce soit à son frère. Adrian et lui savaient toujours ce que l'autre ressentait.

— Je suis lasse de me disputer avec lui, Ivy. Et, tout au fond de moi, je sais pourquoi notre relation bat de l'aile.

— Les histoires d'amour à distance sont difficiles à vivre, Jillian. Et je suis certaine que la nécessité de garder votre relation secrète n'arrange rien.

— Oui, je le sais. Et c'est la raison pour laquelle j'ai pris plusieurs décisions.

— Lesquelles ?

— J'ai décidé d'informer Pam de notre relation. Ce secret n'a duré que trop longtemps. Je pense que ma sœur comprendra que je suis désormais une adulte, que j'ai l'âge de décider comment je veux vivre ma vie, et avec qui.

— Excellente décision !

— Merci. Je sais qu'elle s'inquiète de la réputation de don Juan d'Aidan, mais, lorsqu'elle aura compris que je l'aime et qu'il m'aime, je pense qu'elle nous donnera sa bénédiction. Mais, avant de parler à ma sœur, je vais aller rendre visite à Aidan. Il fête son anniversaire le week-end prochain, et j'ai décidé de le fêter avec lui.

— Je croyais que tu étais d'astreinte ?

— Je me suis finalement arrangée avec mon chef de clinique. Je travaillerai le week-end suivant.

— Aidan sait que tu comptes venir ?

— Non. J'ai envie de lui en faire la surprise. Il a dit que, puisque je ne serais pas là pour fêter son anniversaire avec lui, il allait se porter volontaire pour travailler ce jour-là, qu'il passerait la soirée chez lui à regarder la télévision et qu'il irait se coucher de bonne heure.

— Le jour de son anniversaire ? Quelle tristesse !

— Oui, n'est-ce pas ? C'est pour ça que j'ai fait en sorte de pouvoir aller le fêter avec lui.

— Tu fais le bon choix. Et je suis ravie que tu songes enfin à révéler à ta sœur qu'Aidan et toi êtes ensemble. Lorsqu'elle constatera à quel point il t'aime, elle en sera heureuse pour vous deux.

— Moi aussi, je le crois, avait-elle répondu dans un grand sourire.

Jillian sortit sur le pont pour contempler l'océan. Les événements ne s'étaient pas déroulés comme elle l'avait annoncé à Ivy ce jour-là. En prenant l'avion pour Portland, dans le Maine, elle s'était sentie très excitée. Elle était impatiente d'annoncer à Aidan sa décision de mettre fin au secret entourant leur relation, et de célébrer son anniversaire avec lui.

De violents orages avaient retardé son vol durant près de cinq heures, et elle n'avait atterri à Portland qu'à 18 heures, ce soir-là. Il lui avait fallu ensuite une heure de plus pour arriver à l'appartement d'Aidan.

A l'instant où elle était sortie de l'ascenseur, elle avait su qu'une fête se déroulait à l'étage. Elle entendait de la musique très forte et des voix excitées. Elle n'avait compris qu'elles provenaient de chez Aidan qu'en arrivant devant sa porte entrouverte.

Elle était entrée sans s'annoncer. Une foule joyeuse se pressait dans l'appartement, et les femmes étaient presque deux fois plus nombreuses que les hommes. La plupart portaient des tenues qui auraient probablement été interdites dans les rues de la ville.

Elle s'était alors demandé ce qu'il était advenu de la décision d'Aidan de passer une soirée tranquille devant la télévision et d'aller se coucher de bonne heure. Apparemment, il avait changé d'avis, et décidé d'organiser une grande fête. Il était lui-même confortablement installé dans un fauteuil relax au centre de la pièce, une jolie rousse à peine vêtue se trémoussant sur ses genoux. A en juger par son expression, il appréciait énormément cela. Autour d'eux, des hommes, qui devaient être ses amis, les encourageaient bruyamment.

Lorsque la jeune femme avait ôté ce qui lui restait de vêtements, en commençant par le minuscule bout de dentelle qui lui servait de soutien-gorge, Jillian, en état de choc, avait jugé qu'elle en avait assez vu.

Incapable de supporter cette scène plus longtemps, elle s'était enfuie, remerciant le ciel qu'Aidan n'eut pas remarqué sa présence. Visiblement, il était dans son élément…

Lorsqu'il l'avait appelée, quelques jours plus tard, il n'avait pas dit un mot au sujet de la fête, et Jillian s'était gardée de son côté de mentionner qu'elle avait été témoin de ses ébats avec la femme rousse. Lorsqu'elle lui avait demandé comment s'était passée sa soirée d'anniversaire, sa réponse avait achevé de la mettre en rage :

— Pourquoi cela t'intéresse-t-il, alors que tu ne tiens pas suffisamment à moi pour faire l'effort de venir le fêter avec moi ?

Il se trompait. Elle tenait à lui. Mais lui-même ne tenait pas suffisamment à elle pour lui dire la vérité. C'était alors qu'elle avait pris la décision de rompre avec lui. A l'évidence, sa vie de séducteur lui manquait. Lorsqu'il l'avait rappelée, plus tard dans la semaine, lui expliquant qu'une fois encore il ne pouvait pas lui rendre visite à La Nouvelle-Orléans, elle avait jugé que c'était le bon moment pour mettre un terme à leur relation. Elle allait lui rendre sa liberté et lui permettre de retourner à l'existence qui lui manquait tant.

Elle avait alors déclaré que le secret entourant leur relation commençait à lui peser, à lui faire perdre sa concentration, et qu'elle ne le supportait plus. Elle n'avait pas dit un mot de la véritable raison de sa décision.

Cette déclaration avait déclenché une énorme dispute entre eux. Aidan voulait prendre l'avion pour venir lui parler, mais elle lui avait répondu qu'elle n'avait pas envie de le voir. Puis elle avait coupé la communication.

Il avait rappelé à plusieurs reprises, mais elle n'avait accepté aucun de ses appels, et avait même fini par bloquer son numéro.

Lors des deux mariages Westmoreland auxquels elle avait assisté ensuite, ils s'étaient battus froid. Le dernier, celui de Stern, avait eu lieu quelques mois plus tôt.

Comme il n'y avait plus aucune raison de mettre Pam au courant de leur relation restée si longtemps secrète, elle n'avait rien dit. Elle n'avait pas du tout envie que sa sœur lui rappelle que certains hommes ne changeraient jamais, et qu'il était vain d'espérer faire changer un coureur de jupons.

Une année s'était écoulée depuis leur rupture. Certains jours, elle avait l'impression d'avancer, d'autres pas. Il lui était toujours douloureux de songer au bonheur qu'ils auraient pu partager, à présent qu'elle avait terminé ses études de médecine. Si tout s'était passé comme elle l'avait espéré.

Elle essuya les larmes qui lui montaient aux yeux d'un revers de main irrité. Elle ne pleurerait jamais plus pour cet homme ! Elle participait à cette croisière pour s'amuser, passer deux semaines agréables. Et c'était exactement ce qu'elle avait l'intention de faire !

— Je suis content d'avoir réussi à te joindre avant que le navire ait quitté le port, frangin. Je voulais te souhaiter bonne chance. Je souhaite de tout mon cœur que tout se passe comme tu l'espères avec Jillian.

— Merci, Adrian, répondit Aidan, qui le souhaitait aussi. Je suis décidé à faire tout ce qu'il faudra pour la reconquérir. Si tout se passe comme prévu, lorsque ce navire rentrera au port, je l'aurai convaincue de m'accorder une nouvelle chance.

— En tout cas, Trinity et moi sommes de tout cœur avec toi.

— Merci encore…

Trinity était la fiancée d'Adrian, et ils allaient bientôt se marier. Après cette conversation avec son jumeau, Aidan traversa sa suite et sortit s'accouder au bastingage de son balcon privé. Il était arrivé à Barcelone trois jours plus tôt, et en avait profité pour faire un peu de tourisme. La ville était magnifique. Il avait dîné dans les meilleurs restaurants, souvent situés dans des bâtiments historiques. Il avait marché dans les rues animées, regrettant que Jillian ne soit pas à ses côtés, sa main dans la sienne. Il attendait de ces deux semaines de croisière que cette injustice soit réparée.

Il imaginait facilement ce qu'elle avait dû supposer, lorsqu'elle avait vu cette danseuse assise sur ses genoux. Ce jour-là, il avait travaillé toute la journée, comme il le lui avait annoncé, loin de se douter que quelques-uns de ses anciens copains d'université avaient organisé une surprise-partie en son honneur.

L'apparition des stripteaseuses professionnelles qu'ils avaient engagées avait été une autre surprise de taille. Il ne pouvait pas en vouloir à ses amis d'avoir souhaité faire de son anniversaire un événement un peu piquant. Tout ce qu'ils savaient, c'était que lui, l'infatigable coureur de jupons, venait de vivre une existence de moine durant trois ans. Comment auraient-ils pu se douter que la raison de ce style de vie apparemment ennuyeux était qu'il était engagé dans une relation secrète avec Jillian ?

Persuadés qu'il avait travaillé trop dur et trop long-temps, et qu'il avait été privé des plaisirs de la vie, ils avaient cru bien faire. Et, pour être honnête, il devait reconnaître qu'après quelques verres il s'était considé-rablement détendu. Mais, à aucun moment, il n'avait oublié qu'il était amoureux de Jillian. Les filles n'étaient restées que pour faire leur numéro ; elles étaient reparties tout de suite après.

Il avait eu tort de ne pas lui avoir parlé de cette petite fête. D'autant que son attitude envers elle avait été moins que parfaite, durant la dernière année de leur relation, et il en connaissait la raison. Il avait sincèrement pensé qu'il serait assez fort pour garder leur secret, mais, avec le temps, son impatience s'était accrue. Jillian insistait pour que personne ne soit au courant de leur amour, alors que lui aurait aimé le crier au monde entier.

La situation ne s'était guère arrangée lorsque certains de ses frères et de ses cousins étaient tombés amou-reux à leur tour et avaient commencé à se marier. On aurait dit qu'une épidémie s'était soudain abattue sur Westmoreland Country ! En deux ans, cinq d'entre eux avaient convolé, des célibataires endurcis qui avaient pourtant affirmé qu'ils comptaient ne jamais se marier.

Avec tous ces gens heureux autour de lui, comment n'aurait-il pas regretté de n'avoir pas lui-même un peu de ce bonheur ? Il avait passé de nombreux mois en colère contre lui-même, contre Jillian, contre le monde entier. Mais, à aucun moment, il n'avait douté de son amour pour elle.

Ses sentiments n'avaient pas changé. Il l'aimait toujours, et c'était pour cela qu'il était ici. Pour faire amende honorable et la convaincre qu'elle était la femme de sa vie.

Il savait exactement ce qu'il lui restait à faire, et avait bien l'intention de ne pas dévier de son plan. Jillian ne serait pas contente de le voir, bien sûr, moins encore lorsqu'elle apprendrait que Paige était du complot. Ainsi, d'ailleurs, qu'Ivy. Si cette dernière n'avait pas dit toute la vérité à Paige, il serait toujours en colère, persuadé que Jillian avait rompu parce qu'ils avaient des conceptions opposées, concernant le secret de leur relation.

Le téléphone sonna dans sa cabine, et il retourna à l'intérieur pour décrocher.

— Oui ?

— J'espère que tu es satisfait de tes quartiers ?

— Plus que satisfait, Dominic, répondit-il en souriant. C'est somptueux !

Le navire faisait partie d'une importante flotte dont Dominic Saxon et son épouse Taylor étaient propriétaires. Cheyenne, la sœur de Taylor, était mariée à Quade Westmoreland, l'un des cousins d'Aidan.

Lorsqu'il avait découvert que Jillian avait une réservation sur l'un des navires de croisière de Dominic, ce dernier n'avait été que trop heureux de lui offrir son assistance pour l'aider à reconquérir la femme qu'il aimait. Dominic était bien placé pour comprendre : des années plus tôt, il s'était retrouvé dans une situation similaire.

— Taylor t'embrasse. Et nous sommes tous avec

toi. Je ne sais que trop à quel point les malentendus peuvent mettre en danger les relations les plus solides, et je pense que tu fais le bon choix en décidant de tout mettre en œuvre pour regagner sa confiance. Je vais te donner le même conseil qu'une femme brillante — ma mère — m'a donné à l'époque où Taylor et moi étions en pleine crise : *Laisse l'amour guider tes pas, et tu feras ce qui est juste*. J'espère que vous apprécierez cette croisière, tous les deux.

— Merci pour le conseil, Dominic. Quant à la croisière, j'ai pleinement l'intention de faire en sorte que nous l'apprécions autant l'un que l'autre !

Sa conversation terminée, Aidan jeta un coup d'œil autour de lui. La suite que son ami lui avait réservée était celle de l'armateur, la plus luxueuse du navire. Elle comprenait deux balcons privés, une chambre spacieuse dotée d'un lit gigantesque, un salon avec un grand sofa et une télévision géante à écran plat, un coin-salle à manger doté de tout l'équipement nécessaire au confort des invités de marque, y compris un réfrigérateur et un bar bien fourni. La salle de bains, plus grande que celle de son appartement, était équipée d'un Jacuzzi et d'une cabine de douche. Il s'imaginait déjà sous le jet d'eau tiède, Jillian dans ses bras.

Il ressortit sur le balcon… Une foule s'était amassée sur le quai pour assister au départ du navire, brandissant de petits drapeaux symbolisant les pays où ils allaient accoster au cours de leur croisière. Jillian assisterait probablement à la fête de bienvenue, ce soir-là. Il était impatient de voir son expression lorsqu'elle découvrirait qu'il était à bord avec elle, et qu'il le resterait durant les deux semaines à venir.

Il entra dans la salle de bains pour prendre une douche.

Il lui tardait de voir cette soirée commencer.

— Bienvenue, *señorita*. Puis-je vous aider, avec votre masque ?

— Mon masque ? répéta Jillian, levant des yeux étonnés vers l'homme d'équipage en uniforme blanc qui venait d'apparaître devant elle.

— *Sí, señorita,* répondit-il, en lui tendant un loup décoré de plumes noires moirées. Le thème de la soirée est un bal masqué espagnol.

Elle prit le masque et le fixa sur son visage. Il lui allait parfaitement.

— Je vous remercie.

— Quel est votre nom ? s'enquit-il.

— Jillian Novak.

— *Señorita* Novak, le dîner sera servi dans une demi-heure, dans la salle Madrid. Quelqu'un va vous escorter jusqu'à votre table.

— Merci.

La vaste salle à manger était somptueusement décorée. Un groupe de danseurs flamenco encourageaient les passagers à se joindre à eux, et plusieurs serveurs vêtus de l'habit de lumière des toréadors circulaient parmi les tables.

Lorsqu'une femme dans une ravissante robe de gitane vint vers elle pour lui offrir un éventail de dentelle, Jillian l'accepta en souriant.

— La *señorita* désire-t-elle un verre de rioja ? proposa un serveur.

— Oui, je vous remercie.

Jillian en sirota une première gorgée, et aima aussitôt le bouquet fruité de ce vin. Son verre à la main, elle parcourut la salle d'un regard circulaire. Une foule nombreuse s'y pressait, composée presque uniquement de couples. Jillian eut immédiatement l'impression d'être une intruse dans l'assistance, mais s'efforça de refouler ce sentiment. Que lui importait si tout le monde sauf elle avait un partenaire ? Elle savait qu'il en serait ainsi, et elle avait tout de même décidé de venir.

— Pardonnez-moi, *señorita*, dit la jeune femme en robe de gitane en réapparaissant à sa table, mais une personne m'a chargée de vous remettre ceci…

Elle lui tendit une rose rouge. Jillian la prit et lança un regard curieux tout autour d'elle.

— Qui donc ?

— Un homme extrêmement séduisant, répondit la jeune femme avec un sourire mystérieux.

Là-dessus, elle s'éloigna, et Jillian se sentit soudain inquiète. Quelle sorte d'homme extrêmement séduisant participerait tout seul à une croisière ? Elle se souvint d'un film qu'elle avait vu autrefois et qui se passait sur un bateau. Un tueur en série s'attaquait aux femmes seules et les jetait par-dessus bord. Bon sang ! Pourquoi fallait-il que ce film lui revienne à la mémoire justement maintenant ?

Allons… Elle se laissait emporter par son imagination. L'homme en question était probablement quelqu'un qui l'avait vue toute seule, et qui avait voulu lui manifester son intérêt en lui offrant une rose. C'était un geste romantique, mais il perdait son temps. Même s'il était extrêmement séduisant, comme l'avait prétendu la jeune femme, cela ne changeait rien. Elle n'était pas prête à s'engager avec qui que ce soit.

Même si une année s'était écoulée depuis leur rupture, elle ne pouvait s'empêcher de comparer chaque homme qu'elle rencontrait à Aidan. Et c'était ce qui expliquait qu'elle ne soit jamais sortie avec aucun d'eux. Aidan, de son côté, lui avait probablement trouvé sans tarder une remplaçante et, aujourd'hui, il devait sûrement avoir une nouvelle petite amie.

Mais que lui importait aujourd'hui ce qu'Aidan pouvait faire, et avec qui ?

Cédant à sa curiosité, elle parcourut la salle du regard à la recherche d'un homme seul, mais ne vit que des toréadors qui servaient des cocktails.

Elle jeta un coup d'œil à sa montre. Elle était intentionnellement arrivée un peu tard pour éviter d'avoir à attendre le dîner trop longtemps. Elle n'avait avalé qu'un petit déjeuner hâtif avant de prendre l'avion et, comme elle était venue directement de l'aéroport de Barcelone au navire, elle n'avait pas non plus pris le temps de déjeuner.

Elle sirota une nouvelle gorgée de vin, et s'apprêtait à consulter de nouveau sa montre lorsqu'une onde de chaleur parcourut sa peau. Comme si le désir s'était soudain mis à palpiter au centre de son être. Pourquoi ? Et pour qui ? Etrange, vraiment…

Elle scruta la salle plus attentivement, tandis qu'un frisson la parcourait tout entière. Elle déclina l'offre d'un serveur de remplir de nouveau son verre, et elle était sur le point de décider que tout cela n'était qu'un effet de son imagination lorsqu'elle le vit.

Un homme de haute taille, au visage dissimulé derrière un masque de plumes gris-bleu, se tenait debout, seul, à l'autre bout de la salle, et ses yeux paraissaient fixés sur elle. Elle le détailla à son tour de la tête aux pieds. Etait-ce lui qui lui avait offert cette rose ? Qui était-il ? Pourquoi réagissait-elle à sa présence de cette manière troublante ?

Lorsqu'elle l'examina plus attentivement, certains détails de sa personne lui parurent familiers. Etait-elle en train de le comparer à Aidan au point qu'il lui rappelait irrésistiblement son ex-amant ? Sa taille ? Sa silhouette ? Ses épaisses boucles noires ?

Elle fit un effort pour se ressaisir. Elle devenait folle ! Un autre verre serait le bienvenu, après tout. C'est alors que l'inconnu se mit en marche dans sa direction. Non, elle n'était pas folle du tout. Sans savoir à quel moment elle l'avait reconnu, elle sut avec une certitude totale que l'homme qui venait vers elle était Aidan. Aucun autre homme n'avait cette démarche, ces larges épaules…

Il était l'image même de la tentation, et sa démarche renforçait cette impression. Féline, assurée, infiniment érotique. Comment pouvait-il encore avoir cet effet-là sur elle, après une année de séparation ? Mais, surtout, que faisait-il ici, sur ce bateau ? Elle refusait de croire qu'il s'agisse d'une simple coïncidence.

Elle redressa les épaules lorsqu'il s'arrêta devant elle. Tout à coup, l'air autour d'eux sembla crépiter d'électricité.

Elle n'avait pas besoin de cette tension. Elle ne voulait plus ressentir cette attirance sexuelle pour lui.

— Aidan, dit-elle en soupirant, qu'est-ce que tu fais ici ?

Il ne fut pas surpris qu'elle l'ait reconnu malgré son masque. Après tout, ils avaient été amants durant trois ans, et il était bien normal qu'elle le reconnaisse, nu ou habillé… comme lui-même la reconnaîtrait n'importe où. Il devinait même ce qu'elle portait sous sa robe noire moulante. Le minimum, c'est-à-dire un soutien-gorge et un string. Et il était plus que probable que l'un et l'autre étaient faits de dentelle. Elle possédait une silhouette qui lui permettait de porter à peu près n'importe quoi avec grâce — ou ne rien porter du tout. Et, franchement, il la préférait sans rien.

— Je t'ai demandé ce que tu faisais ici !

Sa voix vibrait de colère, à présent, et il jugea plus prudent de lui répondre sans tarder.

— J'ai toujours rêvé de faire une croisière sur la Méditerranée.

— Tu espères me faire croire que ta présence ici

n'est qu'une coïncidence ? Que tu ne soupçonnais pas que je serais à bord de ce navire ?

— Ce n'est pas ce que j'ai dit.

— Alors quoi, Aidan ?

Il posa son verre encore à moitié plein sur le plateau d'un serveur qui passait à proximité, au cas où elle serait tentée de le lui jeter au visage, avant de répondre :

— Je te le dirai après le dîner.

— Après le dîner ? Non. Tu vas me le dire tout de suite !

Sa voix était montée d'une octave, et plusieurs personnes se retournèrent pour jeter des regards curieux dans leur direction.

— Je crois qu'il vaudrait mieux que nous terminions cette discussion dehors, suggéra-t-il.

— Et moi, je suis sûre que non. Tu peux m'apprendre ce que j'ai besoin de savoir ici même.

Visiblement furieuse, elle se planta devant lui, si près que leurs lèvres se touchaient presque. Trop près…

— Si j'étais toi, je ne m'approcherais pas davantage, murmura-t-il, le cœur battant.

Il se souvenait du goût de sa bouche, un goût pour lequel il avait développé une véritable accoutumance, et dont il était privé depuis toute une année.

Il la vit tressaillir, comme si elle venait tout juste de se rendre compte de la proximité de leurs deux corps. Obéissant à sa mise en garde, elle recula d'un pas.

— J'ai toujours besoin de réponses, Aidan, insista-t-elle. Que fais-tu ici ?

Il décida alors de se montrer honnête avec elle. De lui révéler la vérité nue, et de la laisser s'en débrouiller.

— Très bien, Jillian, répondit-il, plongeant son regard tout au fond du sien. Je me suis invité sur cette croisière dans le seul but de te reconquérir.

- 11 -

Jillian assimila lentement le sens de ses paroles, puis décida qu'il vaudrait en effet mieux pour eux deux qu'ils terminent leur discussion dans un endroit plus privé.

— Je pense que nous devrions quitter la salle, Aidan.

Il la suivit dans une coursive déserte. Là, elle se tourna face à lui, ôtant son masque.

— Comment as-tu osé supposer qu'il te suffirait de participer à cette croisière pour me reconquérir ?

Il arracha son masque à son tour et, lorsqu'elle vit son visage, elle dut réprimer l'élan de désir qui la poussait vers lui. Comment un homme pouvait-il devenir encore plus séduisant, en l'espace d'une année ? Certes, elle l'avait revu en quelques occasions depuis leur rupture, mais elle avait toujours soigneusement évité de se trouver près de lui. Il paraissait plus grand de quelques centimètres, plus large d'épaules, et deux fois plus appétissant !

— J'y ai beaucoup réfléchi, répondit-il, s'adossant nonchalamment à la paroi de la coursive.

— Pas assez, cependant, répliqua-t-elle d'un ton acide.

Elle ne parvenait pas à s'empêcher de le boire des yeux, et cela l'agaçait énormément. Dans son élégant costume sombre, il avait l'air d'un mannequin prêt pour une séance de photos. Il était impeccable. Parfait.

— A l'évidence, tu as oublié de prendre en compte un détail important à mon sujet.

— Lequel ? demanda-t-il avec un sourire qui ne fit que l'irriter davantage. Le fait que tu es têtue comme une mule ?

— C'est vrai aussi. Mais je pensais au fait que, lorsque je prends une décision, je m'y tiens vaille que vaille. Et j'ai décidé que ma vie serait beaucoup plus tranquille sans toi !

Elle l'observa attentivement, se demandant si ses paroles avaient eu le moindre effet sur lui, mais rien dans son expression ne le laissait supposer. Il se contenta de lui rendre son regard en silence, avant de déclarer :

— Je suis désolé que tu voies les choses ainsi, Jillian. Mais j'ai l'intention de te prouver que tu as tort.

— Qu'est-ce que tu veux dire ?

— Au cours des deux semaines à venir, j'ai l'intention de te prouver que ta vie ne serait pas plus tranquille sans moi. Je te prouverai même que tu n'aimes pas la tranquillité tant que ça. Tu as besoin de bruit et de fureur autour de toi. Tu ne détestes pas un peu de chaos, de temps à autre.

— Si tu crois ça, c'est que tu ne me connais pas très bien.

— Je te connais, Jillian. Je connais aussi la vraie raison pour laquelle tu as rompu avec moi. Pourquoi tu ne m'as pas dit un mot de ce que tu crois avoir vu dans mon appartement, le soir de mon anniversaire ?

Elle se demanda comment il avait découvert ce détail, mais, à ce stade, cela n'avait plus aucune importance.

— Ce n'est pas que je crois l'avoir vu, Aidan, corrigea-t-elle, sentant revenir sa colère. Je l'ai vu de mes propres yeux ! Une femme se trémoussait sur tes genoux, et tu n'as pas protesté, bien au contraire, lorsqu'elle a commencé à ôter ses vêtements !

— Cette femme était une stripteaseuse professionnelle. Toutes les femmes, à cette soirée, l'étaient. Mes camarades jugeaient que je menais une vie ennuyeuse, et ils ont décidé d'y apporter un peu de piquant. Je reconnais qu'ils ont été un peu trop loin.

— Ce qui ne t'a pas empêché de te délecter de chaque seconde !

— J'avais bu quelques verres, se justifia-t-il avec un haussement d'épaules. Et je…

— Et tu ne te souviens pas de tout ? le coupa-t-elle avec véhémence. C'est ça, ton explication ?

— Je me souviens parfaitement de ce que j'ai fait ! A part ce que tu as vu, il ne s'est rien passé… si ce n'est, peut-être, qu'une ou deux des autres jeunes femmes se sont aussi déshabillées.

Le fait qu'il pense que plusieurs femmes nues dans son appartement soient une anecdote sans importance acheva de la rendre folle de rage.

— Et ce n'est pas suffisant, d'après toi ? gronda-t-elle. Pourquoi n'as-tu pas jugé utile de me parler de cette petite fête ? Tu étais censé regarder la télévision et te coucher tôt.

— D'accord, répondit-il en soupirant. Je reconnais que j'aurais dû t'en parler. J'ai eu tort de ne pas le faire. Mais j'étais en colère contre toi. C'était mon anniversaire ; je voulais le fêter avec toi, mais, toi, tu n'as pas jugé utile de sacrifier une partie de ton week-end pour être auprès de moi. J'ignorais que tu avais modifié tes plans, et que tu avais pris l'avion pour venir me rejoindre.

Il marqua une pause, avant de poursuivre :

— J'ai compris, après notre rupture, combien mon attitude envers toi avait été déplaisante, et je t'en demande pardon. Le secret entourant notre relation devenait trop lourd à porter, et mon travail m'empêchait de retourner à La Nouvelle-Orléans aussi souvent que je l'aurais voulu. Je vivais dans un état constant de frustration.

De l'avis de Jillian, son attitude avait été plus que

déplaisante. Elle était devenue tout à fait inacceptable. Il n'avait pas été le seul à se sentir frustré par leur situation. Elle aussi en avait souffert, au point qu'elle avait décidé de tout avouer à Pam.

— Maintenant que tu as achevé tes études de médecine, il n'y a plus aucune raison de garder ce secret plus longtemps, remarqua-t-il, la tirant de ses réflexions.

— Personnellement, je ne vois aucune raison de le révéler, au contraire, répliqua-t-elle en se rembrunissant. Ni maintenant, ni jamais. Surtout, compte tenu d'un autre fait très important…

— Lequel ?

— Le fait que nous ne sommes plus ensemble, et que nous ne le serons plus jamais !

Si elle croyait vraiment cela, elle se trompait lourdement !

Ils seraient de nouveau ensemble, il en était certain. C'était pour cette raison qu'il avait pris part à la croisière. Elle lui avait dit beaucoup de choses, sauf qu'elle ne l'aimait plus. Et aussi longtemps qu'elle aurait des sentiments pour lui, tout restait possible. Quand bien même elle le prétendrait, il lui prouverait qu'elle se trompait, parce qu'il était persuadé qu'elle l'aimait autant qu'il l'aimait. Leur relation traversait simplement une zone de turbulences. Rien qu'ils ne puissent facilement résoudre.

— Bien… Dans ce cas, tu n'as aucun souci à te faire, répondit-il d'un ton serein.

— Que suis-je censée comprendre ?

— Que ma présence à bord de ce navire ne devrait donc pas te gêner le moins du monde…

— Elle ne me gênera pas, à moins que tu ne deviennes une nuisance, répondit-elle, relevant le menton.

— Une nuisance ?

Il esquissa un lent sourire.

— Je ne crois pas, non. Mais, comme je te l'ai dit, je suis déterminé à te reconquérir. Ensuite, nous pourrons retourner à la vie réelle. Je vois un grand mariage et des bébés, dans notre avenir.

Elle pouffa.

— Tu plaisantes, j'imagine… Je te le répète : nous ne serons jamais un couple. Nous n'avons aucun avenir ensemble, toi et moi.

— Tu serais donc prête à jeter aux orties ces trois années ?

— Ce que j'ai fait, c'est te rendre la vie plus simple.

— Comment ça ?

— En te laissant le champ libre pour te permettre de retrouver ta vie de don Juan. Tu avais l'air de t'amuser énormément, à ta fête d'anniversaire, et je ne voudrais pas te priver d'autres opportunités du même genre !

— J'ai laissé derrière moi ce que tu appelles ma vie de don Juan en tombant amoureux de toi, Jillian…

— A te voir avec cette stripteaseuse qui se trémoussait sur les genoux, et plusieurs autres qui attendaient leur tour, j'aurais pu m'y tromper.

— Comme je te l'ai déjà dit, je ne les avais pas invitées.

— Mais tu aurais pu leur demander de partir.

— Oui, convint-il avec un haussement d'épaules. J'aurais pu le faire. Mais tu vas devoir apprendre à me faire confiance, Jillian. Je conçois que mon attitude jusqu'à cette fameuse soirée ait pu t'irriter, mais à aucun moment je ne t'ai trahie avec une autre femme. Tu comptes me punir toute ma vie pour une petite soirée d'anniversaire sans importance ?

— Je ne cherche pas à te punir, Aidan. Le fait est que je ne t'ai pas invité à me rejoindre sur ce bateau. Tu l'as décidé par toi-même, et…

Le reste de sa phrase mourut sur ses lèvres, et elle le dévisagea d'un air soupçonneux.

— Paige et moi devions faire cette croisière ensemble... Si je suis seule à bord, c'est parce qu'elle a dû annuler sa réservation à la dernière minute. Jure-moi que tu n'as joué aucun rôle dans cette histoire !

Il s'était douté qu'elle finirait par le deviner, mais il avait espéré que cela lui prendrait un peu plus de temps.

— Je ne peux pas te le jurer.

— Alors, tu as révélé notre relation à Paige ! s'exclama-t-elle en se rapprochant. Et maintenant, elle sait que j'ai été dupée par un coureur de jupons !

Ses lèvres étaient de nouveau à quelques centimètres à peine des siennes. A l'évidence, elle avait oublié son avertissement de tout à l'heure.

— Je ne suis pas un coureur de jupons, se défendit-il. Et je ne lui ai rien dit à notre sujet. Elle l'a deviné toute seule. Ivy lui a raconté l'histoire de cette fille sur mes genoux ; Paige me l'a répétée. Et je suis content qu'elle l'ait fait.

— Et moi, j'en suis furieuse ! rétorqua-t-elle, se rapprochant encore sur un mouvement de colère. Tu es...

Il la prit brusquement dans ses bras, sans lui laisser le temps de finir sa phrase.

— Je t'avais prévenue...

Puis sa bouche vint s'emparer de la sienne.

Repousse-le ! Repousse-le ! Repousse-le ! criait une voix dans son esprit. Mais son corps refusait de l'écouter. Au lieu de mettre un terme à ce baiser, elle se blottit contre lui et noua ses bras autour de son cou, tandis qu'un torrent de feu liquide déferlait dans ses veines, pour se concentrer au centre de sa féminité.

Il lui semblait tout simplement incroyable d'avoir dû

se passer durant toute une année du merveilleux goût de sa bouche. Quelle femme pourrait résister à ce magicien des baisers ? Chaque nuit de cette année passée, elle avait rêvé de cet instant, mais la réalité dépassait de loin tous ses rêves.

Ce fut un bruit de voix qui les fit s'écarter l'un de l'autre. Reprenant son souffle, elle lui tourna le dos, afin de pouvoir se passer la langue sur les lèvres sans qu'il la voie. Ce baiser avait été fantastique. Ses lèvres en étaient encore électrifiées.

Lorsqu'elle pivota de nouveau face à lui, elle le surprit en train de faire de même.

— Je crois que tu ne m'as pas bien comprise, Aidan, parvint-elle à articuler.

— Après ce baiser, je pense, au contraire, que j'ai tout compris.

— Eh bien, crois donc ce qui te plaît ! répliqua-t-elle en s'éloignant à grands pas.

— Eh ! Où vas-tu ? La salle Madrid est par ici…

— Je me ferai apporter mon dîner dans ma cabine.

Tandis qu'elle longeait la coursive, elle sentait distinctement son regard brûlant vriller dans son dos.

Aidan la suivit des yeux, admirant tout à loisir le balancement de ses hanches, puis il soupira. Pas de doute, vraiment… il l'aimait.

Il tourna les talons et se dirigea vers sa suite. Le service en cabine n'était pas une mauvaise idée, après tout. Au demeurant, il avait suffisamment choqué les sens de Jillian pour un premier jour. Le lendemain, il était déterminé à aller bien plus loin. Elle l'avait prévenu de ne pas devenir une nuisance pour elle, et cette idée le fit sourire. Au lieu d'une nuisance, elle serait confrontée à un plan d'une totale efficacité.

Ils avaient parlé, c'était déjà cela, même s'il n'avait réussi qu'à l'irriter. Lui-même l'avait aussi trouvée assez agaçante. Mais, au moins, chacun connaissait désormais le point de vue de l'autre. Il connaissait la véritable raison pour laquelle elle avait rompu. Il lui restait à présent à la convaincre que sa vie de coureur de jupons était réellement derrière lui, et qu'il n'avait aucun désir d'y retourner.

Il n'avait pas été facile de se débarrasser de cette fille rousse qui avait dansé sur ses genoux. Elle s'était imaginé qu'elle pourrait finir la nuit avec lui au lieu de rentrer chez elle, suggérant même que ce serait un extra non inclus dans sa facture. Il lui avait gentiment fait comprendre qu'il n'était pas intéressé.

Il n'y avait qu'une seule femme dans sa vie. Et il lui tardait de la serrer de nouveau dans ses bras.

Jillian vérifia l'heure à sa montre, puis appela Paige. Il était presque 10 heures du matin à Los Angeles, et il n'y avait aucune raison pour que sa sœur ne réponde pas au téléphone. Et elle allait devoir s'expliquer !

— Pourquoi est-ce que tu m'appelles ? s'étonna Paige. Le prix des communications doit être astronomique en mer, non ?

— Ne t'inquiète pas pour ça, répondit Jillian un peu sèchement. Pourquoi ne m'as-tu jamais dit que tu étais au courant, pour Aidan et moi ?

— Et toi ? Pourquoi ne m'en as-tu jamais dit un mot ? Et ne me réponds surtout pas que c'était un secret !

— Eh bien, si, ça l'était justement, convint Jillian en soupirant. Comment l'as-tu deviné ?

— Ce n'était pas très difficile, à vous voir ! Aidan avait un air d'amoureux transi lorsqu'il prononçait ton nom, et toi, tu le dévorais des yeux chaque fois qu'il entrait dans la pièce !

— Ce n'est pas vrai.

— Mais si, et tu le sais. D'ailleurs, j'ai compris que tu avais le béguin pour lui le jour où nous avons fait connaissance de la famille Westmoreland, le jour des fiançailles de Pam. Tu m'as empêchée de dormir toute la nuit en me répétant qu'il était mignon.

Jillian sourit à ce souvenir. Elle était tombée sous le charme d'Aidan au premier regard en effet. Adrian et lui avaient beau se ressembler de manière impressionnante, c'était Aidan qui lui faisait battre le cœur.

— Eh bien, sache que, grâce à toi, il est ici, à bord de ce navire, et il se dit déterminé à me reconquérir.

— Et toi ? Tu as envie d'être reconquise ?

— Absolument pas ! On voit bien que tu n'as pas vu cette fille quasiment nue se trémousser sur ses genoux. Moi, si.

— C'était son anniversaire, Jillian. Ses amis avaient organisé une petite fête pour lui, et ces filles étaient des professionnelles engagées pour mettre de l'ambiance.

— Une drôle d'ambiance, marmonna Jillian. Il a adoré. Tu aurais vu son expression, lorsque cette fille a poussé ses seins contre son visage !

— Jillian… Aidan est un homme. Et tous les hommes adorent voir une paire de jolis seins. Est-ce que tu te sentirais mieux, si je faisais venir les Chippendales à ton prochain anniversaire ?

— Tu n'es pas drôle, Paige !

— Tu t'imagines, dansant sur les genoux d'un de ces mâles magnifiques ? J'en frissonne rien que d'y penser…

— Avant de te quitter, la coupa Jillian, j'ai une autre question à te poser. Est-ce que tu as obtenu ce rôle dans le prochain film de Spielberg ?

— Non.

— Alors, tu m'as menti ?

— Je jouais un rôle, nuança Paige. Et, manifestement, je l'ai joué à la perfection. Je crois que tu as de sérieuses décisions à prendre, concernant Aidan. Mais ne te précipite pas. Tu as deux semaines devant toi. Entre-temps, amuse-toi bien. Profite de la vie. Profite d'Aidan. Il projette de te reconquérir, non ? Je regrette seulement de ne pas être là pour le voir essayer. J'ai parié sur sa réussite.

— Si tu as de l'argent à jeter par les fenêtres... Au revoir, Paige.

Jillian coupa la communication, privant sa sœur de l'opportunité d'avoir le dernier mot.

Paige avait beau dire, ce n'était pas elle qui avait vu cette femme exécuter une danse érotique sur les genoux d'Aidan ! Ce n'était pas elle non plus qui avait vu son sourire béat ! Il avait adoré cela. Et, bien qu'il affirme le contraire, une de ces filles avait très bien pu rester toute la nuit avec lui... Après tout, il n'avait jamais eu l'intention de lui parler de cette fête et elle était bien placée pour savoir qu'il était doté d'un appétit sexuel insatiable.

Avant de se mettre au lit, plus tard ce soir-là, Jillian consulta l'agenda de bord. Le lendemain, ils vogueraient toute la journée en haute mer, et elle refusait de rester enfermée dans sa cabine. C'était un très grand navire, et, avec un peu de chance, elle ne croiserait pas Aidan.

C'était beaucoup espérer, elle le savait, étant donné qu'il n'était à bord que pour la reconquérir. Libre à lui d'essayer !

Elle ne pouvait nier qu'elle avait adoré l'embrasser. Mais il fallait davantage que des baisers pour construire une relation. Même si ces baisers étaient ceux d'Aidan, brûlants, passionnés, charnels. Et, lorsque ces baisers s'appliquaient à d'autres parties de son corps…

Elle fit un effort pour se ressaisir. Il allait utiliser tout son sex-appeal pour la séduire. Et elle allait veiller à ce qu'il soit déçu !

- 12 -

— Bonjour, Jillian.

Jillian leva les yeux du livre qu'elle lisait. Aidan était en train de s'installer sur le transat voisin du sien. Elle était au bord de la piscine, sur le pont supérieur. Comment avait-elle pu croire qu'il ne la retrouverait pas ici ?

— Bonjour, marmonna-t-elle, retournant aussitôt à sa lecture.

Bien qu'elle se soit couchée tôt, elle n'avait pas très bien dormi. L'homme allongé à côté d'elle avait hanté ses rêves durant toute la nuit.

— Tu as déjà pris ton petit déjeuner ?

— Oui, répondit-elle, abandonnant de nouveau son livre pour se tourner vers lui. Des pancakes au sirop. C'était délicieux.

— Pas aussi délicieux que toi, j'en suis sûr. Que dirais-tu de m'accompagner dans ma cabine, et d'être mon petit déjeuner ?

Sa proposition fit aussitôt naître en elle une étincelle de désir. C'était la dernière chose au monde dont elle avait besoin, après tous ses rêves érotiques de la nuit passée.

— Tu ne devrais pas me dire de telles choses.

— Tu préférerais que je les dise à une autre ?

— Fais ce qu'il te plaira, répondit-elle, irritée. Au petit déjeuner, j'ai remarqué un groupe de femmes qui font cette croisière ensemble. Elles m'ont l'air toutes célibataires, et membres d'un club de lecture.

— Tu veux que j'aille faire la cour à d'autres femmes ?

— Ça m'est parfaitement égal. Dois-je te rappeler que nous ne sommes pas ensemble ?

— Dois-je te rappeler que je suis ici pour y remédier ? Et, justement, j'ai une proposition à te faire.

— Quelle que soit ta proposition, la réponse est non.

— Attends ! protesta-t-il en riant. Tu ne l'as pas encore entendue !

— Ça ne changera rien.

— Tu en es sûre ?

— Tout à fait certaine.

— Très bien, dit-il en souriant. Je m'en réjouis. A vrai dire, je suis soulagé que tu n'aies pas accepté.

— Vraiment ? Et quelle était cette proposition ?

— Je croyais que tu n'avais pas envie de l'entendre, la taquina-t-il gentiment.

— J'ai changé d'avis.

— Je suppose que tu en as le droit.

Il se redressa en position assise, et elle fit de son mieux pour ne pas remarquer les cuisses musculeuses sous son short kaki, ou ses pectoraux saillants sous sa chemise de sport.

Il s'empara de sa main et la fit asseoir à son tour, puis il se pencha vers elle, comme s'il avait quelque chose à lui dire sans être entendu par des oreilles indiscrètes.

— Alors ? insista-t-elle, s'efforçant d'ignorer le frisson que déclenchait en elle le contact de sa main.

— Tu sais que je suis ici dans le but de te reconquérir ?

— Si tu le dis, ce doit être vrai, répondit-elle en haussant les épaules.

— Eh bien, j'ai réfléchi à une ou deux petites choses que tu m'as dites, hier soir. Et j'ai voulu t'offrir une chance de prendre quelques décisions.

— Lesquelles ?

— Pour commencer, est-ce que je dois continuer à te poursuivre de mes assiduités ? Je ne voudrais pas devenir une nuisance, comme tu l'as insinué. Ce que je te proposais, c'était donc de te laisser tranquille, et d'attendre patiemment que tu viennes à moi. J'espère que tu l'avais compris, puisque tu viens de refuser ma proposition.

Elle n'aurait pas refusé si elle l'avait écouté jusqu'au bout, et il le savait parfaitement. Elle devinait déjà les conséquences de sa réponse, et avait le sentiment que cela n'allait pas lui plaire.

— Où veux-tu en venir, Aidan ?

Il se pencha pour chuchoter à son oreille, et son souffle tiède sur sa peau, telle une caresse douce et sensuelle, la troubla bien plus qu'elle ne l'aurait voulu.

— Je te désire à en mourir, Jillian. Je ne renoncerai jamais à toi. Mais ce n'est pas seulement une question de sexe. Tu manques toujours autant à mon cœur, même si nous n'avons pas fait l'amour depuis bientôt un an.

Elle réprima un soupir. *Un an.* Leur vie sexuelle avait toujours été très riche, même s'ils restaient loin l'un de l'autre durant de longues périodes. Mais, lorsqu'ils se retrouvaient, ils rattrapaient largement le temps perdu !

— Ton absence de vie sexuelle n'est pas mon problème, Aidan, répondit-elle enfin.

— Vraiment ? Peux-tu me regarder droit dans les yeux et m'affirmer que tu ne me désires pas autant que je te désire ? Que, la nuit dernière, tu n'as pas rêvé que nous faisions l'amour ? Que je dévorais ton corps de baisers ?

Elle se contenta de le dévisager en silence, mais ces paroles avaient allumé un incendie dans tout son corps. A la différence de Paige, elle n'était pas une bonne comédienne, et n'avait jamais su mentir de façon convaincante. Il n'était pas question, bien entendu, de reconnaître qu'elle brûlait de désir pour lui. Ce serait lui donner trop de pouvoir sur elle.

— Je n'affirme rien du tout, Aidan.

— Tu n'as pas besoin de le faire, répondit-il, esquissant un sourire sans joie. Ce qui me manque le plus, ce n'est pas le sexe. C'est toi.

Il marqua une pause, comme s'il lui laissait le temps d'assimiler ses paroles, puis reprit :

— Et cela m'amène à te faire une nouvelle proposition…

— De quoi s'agit-il, cette fois-ci ? s'enquit-elle, se préparant déjà au pire.

— J'aimerais que, durant le restant de cette croisière, tu baisses ta garde, murmura-t-il en se penchant plus près. Que tu croies en moi. Que tu croies en toi-même. Et que tu croies en nous. Je veux que tu voies en moi l'homme qui t'aimera toujours. Toutefois, si à la fin de cette croisière, pour une raison ou pour une autre, tu ne crois toujours pas en nous, si tu sens que nous ne sommes pas destinés à unir nos vies, nous repartirons chacun de notre côté dès notre retour à Barcelone.

Elle se détourna de lui pour contempler l'immensité de la mer. C'était une belle journée, calme et ensoleillée, mais en elle-même une tempête faisait rage. Il lui demandait beaucoup, et il le savait. Ce qu'il lui proposait, c'était d'oublier la raison même qui l'avait incitée à rompre avec lui.

— Si je comprends bien, tu me demandes d'oublier tout ce qui s'est passé, et plus spécialement l'incident qui a conduit à notre rupture. C'est bien ça ?

— Non. Je ne te demande pas d'oublier quoi que ce soit.

— Tiens donc ?

— Oui… Il est essentiel que chacun de nous apprenne de ses erreurs, et nous ne pourrons pas le faire si nous

évitons d'y réfléchir. Nous devons en parler franchement, au contraire, et en toute honnêteté. Avec un peu
de chance, ces discussions nous aideront à bâtir une
relation positive. Tu te plains constamment des choses
que j'ai faites. Mais, et toi, Jillian ? Tu te crois au-dessus
de tout reproche ?

— Non, mais…

— Voilà ! Mais… Avec toi, il y a toujours un « mais »
quelque part ! Tu n'y as jamais fait attention ?

— Non, répondit-elle, fronçant les sourcils, mais,
visiblement, toi, si !

— Ma proposition tient toujours. J'ai été totalement
honnête avec toi, Jillian. Je t'ai dévoilé clairement mes
intentions, mes rêves et mes désirs.

C'était vrai. Et elle savait que, si elle le laissait faire,
elle se retrouverait nue dans ses bras plus vite qu'il ne
faut pour le dire.

Elle plongea son regard tout au fond du sien, avant
de répondre :

— Tu me promets qu'à la fin de cette croisière, si ça
ne fonctionne pas entre nous, tu partiras de ton côté,
et moi du mien ?

— Ce sera difficile, convint-il, hochant lentement
la tête. Mais, oui, je te le promets. Je désire que tu sois
heureuse et, s'il faut pour ça que je sorte de ta vie, qu'il
en soit ainsi. Ce sera ta décision, et j'aimerais l'entendre
de ta bouche la veille de notre retour à Barcelone.

Elle prit le temps d'assimiler ce qu'il venait de lui
dire et l'engagement qu'il venait de prendre. Il était
homme de parole, elle le savait. Mais elle savait aussi
que, même si elle décidait de ne pas poursuivre avec lui,
il ne pourrait jamais sortir totalement de sa vie. Leurs
familles étaient très proches. Comment feraient-ils pour
ne pas se rencontrer ?

— As-tu pensé à la famille ? Paige, Stern et Adrian

connaissent déjà notre secret. Si notre histoire est un échec, ça pourrait leur faire de la peine.

— Nous résoudrons ce problème s'il se pose. Même si nous ne sommes plus amants, rien ne nous interdit de rester amis. D'ailleurs, es-tu vraiment sûre que, dans la famille, personne d'autre n'est au courant ? A mon avis, certains doivent avoir des soupçons, même s'ils n'en ont rien dit.

— Peu importe qui est au courant, désormais, répondit-elle avec un haussement d'épaules. De toute façon, j'avais l'intention de tout dire à Pam.

— Vraiment ?

— Oui.

— Quand ?

— Après en avoir discuté avec toi. Ce que j'avais l'intention de faire, lorsque j'ai pris l'avion pour Portland, le jour de ton anniversaire.

— Oh…

Elle exhala un soupir. A l'évidence, il ne s'était jamais douté qu'elle projetait de le libérer de son serment.

— Vu la façon dont les choses ont tourné, poursuivit-elle, il m'a semblé inutile d'informer Pam de quoi que ce soit. Moins elle en savait, mieux c'était pour tout le monde.

Ils demeurèrent silencieux durant un long moment. Aidan songeait sans doute à ce week-end, qui avait changé le cours de leur relation.

Il fut le premier à reprendre la parole :

— Alors ? Quelle est ta réponse à ma proposition ?

Jillian hésitait, tout en s'irritant de ne pas refuser, tout simplement, de tourner les talons et de partir sans se retourner. La raison qui lui venait à l'esprit était le souvenir des bons moments qu'ils avaient partagés. Tout n'avait pas été aussi mauvais entre eux.

Serait-il si terrible de laisser une seconde chance à

Aidan ? Qu'avait-elle à perdre ? Elle avait déjà eu le cœur brisé à cause de lui. Et elle avait déjà souffert d'une année de séparation. En outre, elle ne pouvait nier qu'il serait merveilleux de pouvoir sortir avec lui en public, sans devoir se cacher. Lorsqu'il venait la voir à Laramie, elle était toujours sur ses gardes, jetant sans cesse des regards par-dessus son épaule, craignant de croiser une connaissance de Pam. Et, comme il l'avait remarqué à juste titre, la durée de la croisière serait une bonne façon de tester la solidité de leur relation.

— D'accord, répondit-elle en le fixant droit dans les yeux. J'accepte ta proposition, et je veillerai à ce que tu tiennes parole, Aidan.

Plus tard, ce soir-là, alors qu'il se changeait pour le dîner, Aidan revint en pensée sur les paroles de Jillian.

— Très bien, chérie, murmura-t-il en boutonnant sa chemise blanche devant le miroir. Veille donc à ce que je tienne parole ! C'est ce qui doit être. Et c'est ce qui sera.

Cette journée s'était déroulée exactement comme il l'avait espéré. Après leur discussion, il avait réussi à la convaincre de l'accompagner sur le pont Terelle, et elle était restée assise en face de lui, tandis qu'il avalait un solide petit déjeuner. Ils avaient choisi une table avec une vue magnifique sur le large, et il avait adoré la façon dont la brise marine faisait voleter ses longs cheveux. Plus d'une fois, il avait été tenté de tendre la main par-dessus la table et d'y glisser ses doigts avec délectation.

Après le petit déjeuner, il avait insisté pour qu'elle l'accompagne au cocktail-bar, le Vénus, où une partie de bingo battait son plein. Ils avaient trouvé une table au fond de la salle, et elle avait rempli cinq cartons, tandis qu'il se contentait de trois. Au bout du compte, ni l'un ni l'autre n'avaient rien gagné, mais ils s'étaient bien amusés.

Un peu plus tard, ils s'étaient rendus à la galerie d'art où étaient exposées de nombreuses œuvres d'art contemporain, après quoi ils avaient dégusté un délicieux déjeuner dans la Coppeneria Room.

Lorsque Jillian avait exprimé le souhait de passer un moment au sauna, il était allé se promener sur le pont. Le bateau était magnifique, avec des équipements extrêmement luxueux. Le lendemain matin, avant l'aube, ils accosteraient à Monte-Carlo et, le jour suivant, ils mettraient le cap sur Florence. Il n'avait jamais visité ces lieux, mais Adrian lui avait assuré qu'il serait très impressionné, et il était impatient de les découvrir.

En attachant ses boutons de manchettes, il souriait aux anges. Ces heures qu'il avait passées en compagnie de Jillian lui avaient rappelé à quel point elle aimait avoir le dernier mot en tout. Par le passé, il lui avait pardonné ce petit travers. Mais pas cette fois-ci. Durant cette croisière, il n'était pas question de lui permettre de faire ses quatre volontés. Il avait bien l'intention de lui enseigner l'art du compromis ! C'était dans ce but qu'il lui avait demandé de le rejoindre dans sa cabine pour qu'ils se rendent ensemble au dîner. Bien qu'elle n'ait pas protesté, il avait senti que cette idée ne lui plaisait guère.

Il se détourna du miroir en entendant quelques coups discrets frappés à sa porte. Elle était un peu en avance, mais cela ne le dérangeait pas du tout. Il traversa la suite pour aller lui ouvrir, et se figea sur le seuil, muet de stupéfaction, lorsqu'il la vit. Elle était vêtue d'une robe longue écarlate qui moulait chacune de ses courbes. Elle avait relevé sa magnifique chevelure sur le sommet de sa tête en un chignon d'où s'échappaient quelques boucles folles qui encadraient son ravissant visage. Elle était belle à couper le souffle.

Faisant un gigantesque effort pour se ressaisir, il s'effaça pour la laisser passer.

— Entre. Tu es très en beauté.

— Merci, répondit-elle. Je suis un peu en avance. Le steward s'est présenté pour faire le ménage dans ma cabine, et je n'ai pas voulu l'empêcher de travailler.

— Pas de problème. Il me reste seulement à nouer ma cravate.

— Cette suite est fantastique ! Je croyais que la mienne était grande, mais celle-ci fait trois fois sa taille.

— C'est la suite personnelle de l'armateur, lorsqu'il décide de faire une croisière.

— Vraiment ? Et qu'est-ce qui te vaut le privilège de l'occuper ?

— C'est un ami. Tu te souviens de mon cousin Quade, qui vit en Caroline du Nord ?

— Le père des triplés ?

— Oui, celui-là même. Quade et Dominic Saxon, l'armateur, sont beaux-frères. Ils ont épousé deux sœurs — Cheyenne et Taylor Steele.

— Je me souviens d'avoir rencontré Cheyenne au mariage de Pam et de Dillon. Les triplés sont adorables. En revanche, je ne me souviens pas d'avoir jamais rencontré Taylor.

— Je m'arrangerai pour que tu fasses la connaissance de Taylor et de Dominic, si tu le souhaites.

Il avait soigneusement choisi ses mots pour lui faire comprendre que, si cette rencontre avait lieu, ce serait parce qu'elle l'aurait décidé elle-même.

Il acheva de nouer sa cravate et se retourna vers elle, faisant de son mieux pour ne pas la boire des yeux.

— Voilà, dit-il. Je suis prêt.

— Allons-y, alors…

Il fut tenté de l'embrasser, mais refoula cet élan. Elle le connaissait et s'attendait probablement à une manœuvre de ce genre. Or, ce soir, il entendait bien la tenir en haleine. Autrement dit, elle n'était pas au bout de ses surprises.

— Bonsoir, Aidan !

En entendant le groupe de jeunes femmes qui partageaient leur table roucouler le prénom d'Aidan à l'unisson, Jillian se dit que la soirée risquait d'être longue. Elle aurait dû se douter qu'elles le trouveraient. Ou peut-être était-ce lui qui les avait trouvées.

— Je suppose que tu les connais déjà, chuchota-t-elle alors qu'il tirait une chaise pour l'aider à s'asseoir.

— Oui. J'ai fait leur connaissance pendant ma promenade, tout à l'heure, lorsque tu te prélassais au spa.

— Bonsoir, ravissantes demoiselles, lança-t-il d'un ton charmeur. Tout va bien ?

— Oui ! répondirent-elles en chœur, l'inondant de sourires.

Jillian réprima une grimace.

— Mesdemoiselles, ajouta Aidan, j'aimerais vous présenter Jillian Novak, la femme de ma vie.

— Oh !

Qu'était-il donc advenu de leurs sourires pâmés, tout à coup ? Elle allait devoir leur montrer comment on s'y prenait !

— Bonsoir, les salua-t-elle avec un sourire rayonnant.

Seules quelques-unes des jeunes femmes lui répondirent, mais cela lui était égal. Elle réfléchissait à la façon dont Aidan l'avait présentée.

La femme de sa vie.

Au moment de leur rupture, ils étaient ensemble depuis trois ans, mais c'était la première fois qu'il la présentait à quiconque, à cause de leur secret. Elle-même ne l'avait jamais présenté non plus à qui que ce soit, à l'exception d'Ivy.

Un serveur apparut à leur table pour prendre leur commande. Jillian opta pour les fruits de mer ; Aidan commanda un filet de bœuf.

Elle examina discrètement les six femmes qui partageaient leur table. Toutes belles. Eduquées. Célibataires.

— Depuis quand êtes-vous ensemble ? s'enquit l'une d'elles, une certaine Wanda.

Comme, à l'évidence, cette question s'adressait à Aidan, Jillian le laissa répondre.

— Quatre ans, précisa-t-il en beurrant sa tranche de pain.

— Quatre ans ? Vraiment ? s'étonna celle qui se prénommait Sandra, avec un sourire contraint.

— Oui, vraiment, confirma Jillian d'un ton sans chaleur.

Elle savait où cette fille voulait en venir. Au bout de quatre ans, elle aurait dû avoir une bague à son doigt. Ou, mieux dit, elle aurait dû être son épouse et pas simplement la femme qu'il était censé aimer.

— Dans ce cas, je suppose que vous allez bientôt vous marier ?

Manifestement, Wanda allait à la pêche aux informations. Mais toutes tendirent l'oreille, comme si elles aussi attendaient impatiemment sa réponse.

Jillian fit de son mieux pour dissimuler sa surprise, lorsque Aidan tendit une main à travers la table pour la poser sur la sienne et répondit :

— Pour moi, le plus tôt sera le mieux. Mais je dois prendre mon poste au service de cardiologie de l'hôpital Johns Hopkins, cet automne, et Jillian vient tout juste de terminer ses études de médecine. Aussi n'avons-nous pas encore fixé une date précise.

— Vous êtes donc médecins tous les deux ?

— Oui, répondirent Jillian et Aidan simultanément.

— C'est génial ! s'exclama Sandra. Nous aussi ! Nous venons également de terminer nos études de médecine.

— Bravo à vous toutes, alors, les félicita Jillian, se détendant pour la première fois.

— Et bravo aussi à vous deux !

— Merci, dit Jillian en leur offrant cette fois un sourire sincère.

Depuis le dîner, Jillian était restée étrangement silencieuse, et Aidan ne pouvait s'empêcher de se demander ce qu'elle pensait.

— As-tu aimé le dîner ? s'enquit-il, alors qu'ils sortaient du bar de jazz où ils avaient assisté à la performance d'un quartet de musiciens.

— Oui, répondit-elle, levant les yeux vers lui. Et toi ?

— C'était bien.

— Seulement « bien » ? Tu étais le seul homme à la table, entouré de femmes plus belles les unes que les autres ! Pourquoi ce manque d'enthousiasme ?

Il espérait que cette conversation n'allait pas dégénérer en dispute, mais ils s'étaient promis de tout se dire. Autant commencer tout de suite.

— Qu'est-ce que tu as pensé d'elles ? s'enquit-il prudemment.

Elle ne répondit pas immédiatement et alla s'accouder au bastingage.

— C'est peut-être moi qui devrais te demander ce que tu as pensé d'elles.

— Elles étaient toutes jolies, dit-il en allant s'accouder près d'elle. Mais, la plus belle, c'était celle qui portait une robe rouge. Je crois qu'elle s'appelle Jillian Novak.

Le mot « sexy » semble avoir été créé tout spécialement pour elle.

— Tu ne crois pas que tu exagères un peu, Aidan ?

— Le principal, c'est que tu comprennes le message.

— Ah ? Et quel est ce message ?

— Que tu es la seule femme que je désire. La seule qui fait bouillir mon sang dans mes veines.

— Votre cas me paraît grave, docteur Westmoreland ! remarqua-t-elle en pouffant de rire.

— Il l'est, confirma-t-il après une seconde de silence. Tu te rends compte que c'est la première fois que tu m'appelles « Dr Westmoreland » ?

— Oui. Je me suis aussi aperçue, durant le dîner, que c'était la toute première fois que tu me présentais à d'autres personnes depuis que nous sommes ensemble.

— C'est vrai. Et j'ai souvent regretté de ne pas pouvoir le faire.

Mais ça t'était interdit, songea-t-elle. *Parce que je t'avais fait promettre de garder le secret.*

— Ce soir, je l'ai fait.

— Oui, mais tu as menti. Au moins deux fois.

— Ah ? fit-il, étonné. Et quand ça ?

— En premier lieu, lorsque tu leur as dit que j'étais la femme de ta vie.

— Ce n'était pas un mensonge, Jillian, corrigea-t-il d'une voix douce. C'est la pure vérité. Il n'y a aucune autre femme que toi dans ma vie.

Cette déclaration la laissa sans voix. Qu'aurait-elle pu répondre ? Qu'elle le croyait ? Le croyait-elle vraiment ?

— Et la seconde fois ?

— Quelle seconde fois ?

— Tu as dit que j'avais menti au moins deux fois.

— Oh… Ça concernait la durée de notre relation.

Tu as dit quatre ans, alors que nous ne sommes restés ensemble que trois ans.

— Non, Jillian. Personnellement, j'en compte quatre. Le fait que nous soyons séparés depuis un an ne signifie rien à mes yeux, si ce n'est une source de frustration. Tu es toujours restée la seule dans mon cœur, et c'est toi que je voyais dans tous mes rêves.

Ils s'étaient remis à marcher. Elle demeura silencieuse un instant, le regard fixé droit devant elle, puis elle se décida à lever les yeux vers lui.

— Ce n'est pas très gentil pour les autres.

— Quelles autres ?

— Celles avec qui tu es sorti durant cette dernière année…

Il s'arrêta net et, prenant sa main, l'entraîna de nouveau vers le bastingage, la fixant d'un regard désapprobateur.

— De quoi parles-tu ? Je ne suis sorti avec aucune femme, Jillian !

Elle scruta attentivement son visage et n'y lut que la plus totale sincérité.

— Pourquoi ? J'ai toujours pensé que tu le ferais. J'ai supposé que tu l'avais fait.

— Je vois, ironisa-t-il. Je suis censé être un bourreau des cœurs, n'est-ce pas ?

Jillian entendait l'irritation dans sa voix, mais elle ne disait que la vérité. Si elle avait rompu avec lui, n'était-ce pas pour le laisser libre de retourner à ses fredaines ?

— Aidan, je…

— Non, ne dis rien, Jillian, s'il te plaît, la coupa-t-il en consultant sa montre. Je sais que tu préfères rentrer de bonne heure, aussi vais-je te raccompagner jusqu'à ta cabine. Ensuite, je crois que je vais aller boire un verre.

Elle demeura silencieuse un instant, avant de demander :

— Est-ce que tu as envie de compagnie ?

— Non, répondit-il d'une voix douce. Pas maintenant.

Jillian eut la sensation qu'une main de glace lui serrait subitement le cœur, mais elle s'efforça de garder une expression sereine.

— Très bien, répondit-elle. En ce cas, ne te donne pas la peine de me raccompagner à ma cabine. Tu peux y aller tout de suite.

— Tu en es sûre ?

— Oui, je connais le chemin.

— Très bien. Je passerai te chercher vers 8 heures, demain, pour le petit déjeuner.

Si tu supportes encore ma compagnie, songea-t-elle.

— D'accord, répondit-elle simplement. A demain…

Aidan hocha la tête. Elle le suivit des yeux, tandis qu'il s'éloignait, le cœur déchiré d'une souffrance dont elle se savait seule responsable.

13

Aidan s'obligea à ouvrir les yeux en entendant qu'on frappait à la porte de sa suite.

Une violente migraine lui vrilla aussitôt les tempes, et il referma les yeux. La soirée de la veille lui revint alors à la mémoire. Dans le plus petit détail.

Il s'était arrêté au bar et, constatant qu'il était bondé, était retourné à sa cabine, et avait commandé une bouteille de son scotch favori. Assis sur son balcon privé, il avait contemplé la mer toute scintillante sous le ciel étoilé, et avait bu seul pour apaiser la douleur de son cœur blessé. Il n'avait pas terminé la bouteille, mais il avait bu suffisamment pour se réveiller affligé de la mère de toutes les migraines. D'ailleurs, quelle heure était-il ?

Par un gigantesque effort de volonté, il rouvrit les yeux pour lire l'heure au réveil posé sur la table de nuit. 10 heures ? *10 heures du matin ?* Il avait promis à Jillian de passer la prendre à 8 heures pour le petit déjeuner, et il imaginait sans peine ce qu'elle avait dû penser, en constatant qu'il lui avait fait faux bond.

Il se redressa et, s'asseyant sur le bord du lit, prit une profonde inspiration. Ce qu'elle pensait de lui avait-il encore une importance, au fond ? Elle l'avait définitivement classé dans la catégorie des libertins, et elle se méfiait de lui.

— Monsieur Westmoreland ? appela le steward.

Voulez-vous que nettoie votre chambre tout de suite, ou bien plus tard ?

— Revenez plus tard, Rowan.

Aidan entendit la porte d'entrée de la suite se refermer, et s'allongea de nouveau sur son lit. Il devait appeler Jillian sans tarder, mais il y avait de fortes chances pour qu'elle se soit lassée de l'attendre, et qu'elle soit allée déjeuner sans lui. Il l'imaginait devant ses pancakes, en train de ruminer des idées noires. Toutes le concernant.

Il s'apprêtait à quitter son lit pour s'habiller, prêt à arpenter le navire à sa recherche pour calmer le jeu, lorsqu'il entendit qu'on frappait de nouveau à sa porte. C'était probablement l'un des employés de cabine qui venait ramasser le linge à laver. Il enfila son pantalon de pyjama, bien décidé à lui demander de repasser plus tard.

Il ouvrit la porte d'un geste décidé, mais, au lieu d'un steward, ce fut Jillian qu'il trouva devant lui, chargée d'un plateau de victuailles.

— Jillian ?

Elle le considéra un instant en silence, avant de remarquer :

— Tu as une mine affreuse !

— Je me sens encore pire que ça, marmonna-t-il, s'effaçant pour la laisser entrer.

Il la suivit des yeux, tandis qu'elle allait poser le plateau sur la table. La migraine pulsait encore à ses tempes, mais une autre pulsation, plus forte, était née au centre de son corps. Jillian portait un short ultra-sexy qui mettait en valeur ses jambes superbes. Sa magnifique chevelure, attachée en chignon la veille, reposait librement sur ses épaules, et des pendants d'oreilles en or brillaient sous ses boucles brunes.

— Pour répondre à ta question, dit-elle en se retournant vers lui, je suis ici parce que tu as manqué le petit déjeuner. Je t'ai apporté de quoi te restaurer, comme tu as pu le remarquer.

— Et… quoi d'autre ? murmura-t-il, s'adossant à la porte qu'il venait de refermer.

— Que veux-tu dire ?

— Quelle autre raison avais-tu pour venir ici ? Laisse-moi deviner… Tu as supposé que j'avais ramené une femme dans ma cabine, hier soir, et tu voulais me prendre sur le fait, n'est-ce pas ? Ne te gêne pas, Jillian. Fouille ma suite de fond en comble, sans oublier la salle de bains. Et, pendant que tu y es, jette un coup d'œil sur les balcons, au cas où une starlette s'y serait cachée jusqu'à ton départ !

— Je suppose que je l'ai mérité, dit-elle, mais…

— S'il te plaît, Jillian, pas de « mais » ! Tu es persuadée que j'ai fait une hécatombe de conquêtes, durant cette année passée, mais laisse-moi te poser une question : avec combien d'hommes, toi, as-tu fait l'amour ?

— Pas un seul, avoua-t-elle, soutenant son regard.

— Pourquoi ?

— Parce que je n'en avais pas envie, répondit-elle, relevant le menton d'un air de défi.

— Pourquoi pas ? Nous n'étions plus ensemble. Comment se fait-il que tu n'aies pas fait l'amour avec un autre homme ?

Elle s'était comportée de façon idiote, la veille au soir, avec lui, et il lui avait tardé de voir le jour se lever pour courir chez lui et lui faire des excuses. Lorsqu'il n'était pas passé la prendre pour le petit déjeuner, l'idée qu'il ait été suffisamment furieux contre elle pour passer la nuit avec une autre femme lui avait effectivement traversé l'esprit. Mais il lui avait suffi de se rappeler le regard qu'il avait posé sur elle lorsqu'il l'avait appelée

« la femme de sa vie » pour que cette idée s'efface aussitôt de son esprit.

La femme de sa vie.

Elle le croyait. S'il n'avait pas fait l'amour avec une autre femme depuis un an, c'était pour la même raison qu'elle-même.

— Alors, Jillian ?

Elle rencontra de nouveau son regard. Il attendait une réponse, et elle allait lui en fournir une. La vérité, rien que la vérité.

— Il ne m'est jamais venu à l'esprit de faire l'amour avec un autre homme durant tous ces mois, Aidan, parce que je t'aime encore. Malgré ce que j'avais vu, ou cru voir, le soir de ton anniversaire, je n'ai jamais cessé de t'aimer. Tu as laissé ton empreinte sur tout mon corps, et la seule idée qu'un autre homme puisse me toucher me rend malade.

Elle marqua une pause, avant d'ajouter :

— Et je ne suis pas venue ici en pensant te surprendre avec une autre femme, mais pour te présenter des excuses. J'ai supposé que, si tu n'étais pas venu me chercher pour le petit déjeuner, c'était parce que tu étais encore furieux contre moi. Et, après la façon dont je me suis comportée avec toi, hier soir, je méritais ta colère.

— Pourquoi ?

— Parce que tout est ma faute ! Tu as gardé le secret au sujet de notre relation, parce que je te l'avais demandé. La nuit dernière, je suis restée assise un long moment sur mon balcon, et j'ai beaucoup réfléchi. Je me suis efforcée d'analyser la situation comme le ferait une personne extérieure et sais-tu ce que j'ai vu, Aidan ?

— Non. Mais tu vas me le dire…

— J'ai vu un homme qui m'aimait assez pour accepter un véritable enfer, répondit-elle, luttant pour refouler les larmes. Je n'avais jamais pleinement compris ce qu'entraînerait ce secret : la relation à distance, les sacrifices auxquels tu as consenti pour venir me rendre visite chaque fois que tu en avais l'occasion. Le coût des billets d'avion, ton temps. Je n'étais pas la seule à vouloir faire carrière. Tu avais une vie, toi aussi, des engagements professionnels à tenir. Et j'imagine facilement ce que tes amis ont dû penser, lorsque tu as commencé à mener une vie d'ermite, du jour au lendemain, sans la moindre explication. Tu ne pouvais pas leur parler de moi, et je comprends maintenant qu'ils aient essayé de t'aider à retrouver ta joie de vivre, en engageant ces danseuses. C'était le Aidan qu'ils connaissaient, et j'ai pensé, moi aussi, que cette vie-là te manquait. Le soir de ton anniversaire, j'aurais dû comprendre que tu ne faisais que profiter d'un moment de détente que tu avais bien mérité, et que tu t'étais refusé depuis le début de notre relation. J'aurais dû t'aimer assez fort, avoir suffisamment confiance en toi pour comprendre que tu ne me trahirais pas, quoi qu'il advienne. Que je comptais davantage pour toi qu'une bimbo siliconée.

— Et tu as raison, Jillian. Tu comptes davantage pour moi que n'importe quelle danseuse, stripteaseuse ou membre d'un club de lecture. En revanche, tu te trompais en pensant que mon ancienne vie me manquait. La seule chose qui me manque, c'est ta compagnie. Je pense que nous nous en sommes bien tirés durant notre première année, mais, les deux suivantes, il m'est devenu de plus en plus difficile de concilier mon travail à l'hôpital et notre vie amoureuse. Et l'obligation de garder le secret sur notre relation me pesait chaque jour davantage. Seulement, je savais qu'en m'en plaignant à toi je ne ferais que te soumettre à des pressions supplémentaires, ce qui t'aurait empêchée de te concentrer sur tes études.

Il s'interrompit un instant, poussant un long soupir.

— Tu étais jeune, à l'époque où notre relation a

commencé. Vingt et un ans à peine. Et tu n'avais pas
connu beaucoup d'hommes. A vrai dire, aucun, car
ton expérience avec ce garçon, au lycée, ne comptait
pas vraiment. Tout au fond de moi, je savais que tu
n'étais pas prête pour le type de relation que je désirais
construire avec toi. Mais je t'aimais et j'avais besoin
de toi, alors j'ai pensé que tout finirait par s'arranger.
Je savais combien les études de médecine peuvent être
exigeantes, et je n'ai pas voulu devenir une source de
stress pour toi, au moment où tu avais le plus besoin
de vivre dans un climat serein.

Il marqua une pause, et poursuivit d'une voix douce :

— Mais on dirait bien que c'est ce que j'ai été, au
bout du compte. J'ai fait de mon mieux, mais, dans des
moments de mauvaise humeur dus aux difficultés de
mon travail, je me suis emporté contre toi, au lieu de te
parler raisonnablement. Tu ne méritais pas ma colère,
et je te demande pardon.

— Tout ça n'a plus d'importance, lui assura Jillian
en tirant une chaise. Viens t'asseoir et mange. Ton petit
déjeuner est en train de refroidir.

Debout près de la table, elle le suivit des yeux, tandis
qu'il venait vers elle. Sitôt qu'il fut assis, il glissa un bras
autour de sa taille et la força à s'asseoir sur ses genoux.

— Aidan ! protesta-t-elle. Qu'est-ce que tu fais ?

— Ce que j'aurais dû faire hier soir, répondit-il,
l'enlaçant de ses deux bras, pour l'empêcher de s'enfuir.
J'aurais dû te ramener ici, t'asseoir sur mes genoux et
te convaincre que je suis sincère, lorsque je dis que tu
es la femme de ma vie. Au lieu de ça, je me suis mis
en colère et je suis parti.

— Je suis désolée de t'avoir fâché, hier soir, murmura-
t-elle, appuyant son front contre le sien.

— Je t'aime tant, Jillian ! Et l'idée que tu ne croies
pas à la sincérité de mon amour me fait bouillonner de

frustration. Que dois-je faire pour te convaincre ? Je ne suis pas parfait, je le sais. Je ne suis qu'un homme, et il m'arrivera encore de commettre des erreurs, tout comme toi. Mais, ce que je ne ferai jamais, c'est trahir ton amour. Cette période de ma vie est derrière moi. Je n'aurai pas d'autre amante que toi.

— Je te crois, murmura-t-elle en s'écartant légèrement, pour plonger son regard tout au fond du sien. Je te mentirais en t'affirmant que je ne me sentirai jamais plus jalouse, mais, si c'est le cas, ce sont les motivations de l'autre femme que je questionnerai, pas les tiennes.

Elle était sincère. Comme il ne passait pas la chercher, elle avait décidé d'aller prendre son petit déjeuner toute seule. En entrant dans la grande salle à manger, elle était tombée sur les jeunes femmes du club de lecture, et avait petit-déjeuné avec elles. Elle avait passé un moment très agréable. A présent qu'elles savaient qu'Aidan n'était pas disponible, elles avaient refréné leurs ardeurs. Elles s'étaient trouvé énormément de points communs. Comme elle, elles venaient de terminer leurs études de médecine, et elles avaient pris beaucoup de plaisir à partager leurs différentes expériences pendant le repas. Aussi, lorsque leur petit groupe lui avait proposé de faire un peu de shopping au cours de leurs deux jours d'escale à Rome, elle avait accepté.

Elle s'installa plus confortablement sur les genoux d'Aidan, et il observa d'une voix un peu rauque :

— Si j'étais toi, je ne ferais pas ça trop souvent.

Une vague de désir brûlant déferla aussitôt sur elle.

— Et pourquoi pas ? le taquina-t-elle.

— Parce que, si tu continues, c'est toi qui risques de devenir mon petit déjeuner !

Cette image déclencha une véritable tempête dans ses sens. Elle avait la sensation que tout son sang s'était mis à pétiller comme du champagne.

— Mais tu adores les pancakes au sirop, lui rappela-t-elle d'un ton faussement innocent.

— Faute de mieux, répondit-il, posant sur elle un regard gourmand.

— C'est vrai ? murmura-t-elle, enfouissant son visage dans le creux de sa gorge pour respirer avec délices son odeur.

— Ça fait un an, Jillian. Si je réussis à t'amener dans mon lit aujourd'hui, il s'écoulera beaucoup de temps avant que je ne te laisse repartir.

— Et tu manquerais la visite de Monte-Carlo ? Le navire est déjà à quai.

— Nous avons tout notre temps.

Il se leva, la serrant toujours contre lui, et elle noua ses bras autour de son cou pour s'accrocher à lui.

— Fais-moi confiance, dit-il en riant. Je n'ai pas l'intention de te lâcher.

Sur ces mots, il l'emporta à grands pas vers la chambre et la déposa délicatement sur le lit.

— Et, maintenant, place au petit déjeuner façon Westmoreland ! Je te désire à en mourir, Jillian. Et je t'aimerai toujours, même après avoir rendu mon dernier souffle.

— Moi aussi, je t'aime, Aidan, murmura-t-elle, luttant de nouveau contre les larmes. Et je ne désire que toi.

Fort de cet encouragement, il se pencha pour lui ôter ses chaussures, avant de la débarrasser de tous ses vêtements avec une dextérité née d'une longue pratique. Puis il utilisa sa bouche pour la rendre folle de jouissance, prenant son temps pour explorer son corps.

Frissonnant de plaisir sous cet assaut sensuel, Jillian ne put que s'abandonner à ses caresses, flottant sur un nuage de sensations délicieuses.

La bouche brûlante d'Aidan s'attarda longuement sur ses seins, butinant les pointes durcies avec une insistance qui acheva de lui faire perdre ce qui lui restait de raison. Elle se demandait combien de temps encore elle pourrait survivre à ces sensations, lorsque sa bouche abandonna sa poitrine pour descendre jusqu'à son ventre, traçant un chemin de baisers incandescents autour de son nombril.

Un instant plus tard, il releva la tête pour la dévisager, un demi-sourire aux lèvres. L'un et l'autre savaient parfaitement ce qui allait suivre. Aidan s'apprêtait à passer au dessert.

A l'instant où sa bouche se posa sur son sexe, Jillian cria son nom, soulevée par un orgasme monumental. Sous ses caresses expertes, un kaléidoscope de sensations divines se bousculait en elle, oblitérant sa conscience. Son cœur battait comme s'il allait bondir hors de sa poitrine et, lorsqu'un second orgasme monta en elle juste après le premier, elle jugea qu'il était grand temps de reprendre le contrôle de la situation, avant de devenir folle.

Rassemblant ses dernières forces, elle essaya de le repousser, mais ce fut peine perdue. Aidan n'entendait pas se laisser priver de son plaisir. Ses mains lui agrippèrent fermement les hanches, lui interdisant tout mouvement. Renonçant alors à lutter, elle le laissa faire, et l'emporter à travers un éther infini dans une explosion de tous ses sens.

Il releva enfin la tête, un sourire satisfait aux lèvres, et se positionna au-dessus d'elle.

— Heureuse ? murmura-t-il.

Heureuse, elle l'était, d'autant plus qu'à présent elle sentait son membre dur prendre la place de ses lèvres à l'endroit le plus intime de son anatomie. Il entra lentement en elle… Après cela, tout devint flou. Son cerveau se mit en veille, et elle se laissa voguer sur la crête d'une vague de passion, qui l'emportait jusqu'au bord de l'abîme, l'en éloignait avant de l'y ramener, encore et encore.

Dans ses yeux, elle lut l'imminence de l'explosion finale, et cria son nom. Aidan lui souleva les jambes et ses coups de boutoir se firent plus forts, jusqu'à ce qu'ils basculent ensemble dans un abîme de délices.

Ensuite, le corps luisant de transpiration, ils demeurèrent longtemps immobiles, serrés l'un contre l'autre, les membres emmêlés. Jillian se sentait comblée. Elle était enfin là où elle désirait être. Et pour toute la vie.

Quelques heures plus tard, elle se réveilla dans les bras d'Aidan, et se blottit tout contre lui pour lui murmurer à l'oreille :

— Rappelle-moi de ne plus jamais te permettre de te passer de moi durant toute une année.

Ouvrant les yeux à son tour, il lui sourit.

— Un an, deux mois et quatre jours, précisa-t-il.

— Je te crois sur parole. Mais, à présent, nous avons besoin d'une bonne douche.

— Encore ?

— La dernière fois ne compte pas, répondit-elle en riant.

— Pourquoi ?

— Tu sais très bien pourquoi.

Il l'avait emmenée sous la douche après leurs derniers ébats, et là il lui avait de nouveau fait l'amour sous le jet d'eau tiède. Ensuite, il l'avait frictionnée avec un drap de bain et l'avait portée jusqu'au lit, où il lui avait encore ouvert les portes du paradis à plusieurs reprises, avant qu'ils ne glissent enfin dans le sommeil.

— Je suppose que nous devrions nous lever, nous doucher et nous habiller, si nous voulons profiter de cette escale pour explorer Monte-Carlo.

— C'est toi que j'ai envie d'explorer, répliqua-t-il en se reculant un peu pour admirer tout à loisir son corps nu. Est-ce que tu as la moindre idée d'à quel point tu m'as manqué ?

— Autant que toi, tu m'as manqué ?

— Encore davantage, murmura-t-il, effleurant délicatement sa hanche du bout des doigts.

— Ça, docteur Westmoreland, j'en doute fort ! répondit-elle, frissonnant sous cette caresse délicieuse.

— Crois-moi sur parole.

Elle ne doutait pas de sa sincérité. Et elle l'aimait tant qu'elle avait envie que le monde entier le sache.

— J'ai hâte que nous retournions à Denver pour le mariage d'Adrian.

— Pourquoi ?

— Parce que nous allons enfin pouvoir révéler la vérité à Pam et à Dillon.

— Es-tu certaine d'être prête ?

— Plus que prête ! Penses-tu qu'ils le sachent déjà ? Je ne serais pas surprise qu'ils l'aient deviné. Dillon n'est pas stupide. Et Pam non plus.

— Dans ce cas, pourquoi n'ont-ils rien dit ?

— Ils attendent probablement que nous le leur annoncions nous-mêmes, répondit-il avec un haussement d'épaules.

— A ce stade, ça n'a plus d'importance. Ils le découvriront bien assez tôt. Tu es prêt ?

— A faire encore l'amour ?

— Non. A prendre une douche, afin que nous puissions retrouver la terre ferme durant un petit moment.

— Euh… peut-être, répondit-il en la serrant de nouveau dans ses bras. Mais… si nous faisions d'abord l'amour une toute dernière fois ?

14

— J'espère que tu ne cherches pas à me punir pour mon comportement de ces deux derniers jours.

Jillian leva les yeux vers Aidan, et lui sourit.

— Pourquoi ferais-je ça?

Ils marchaient main dans la main dans les rues de Rome, et elle songeait qu'elle n'avait jamais visité un lieu aussi chargé d'histoire. Leur escale devait durer deux jours, et elle doutait d'avoir le temps de visiter tous les endroits qu'elle avait envie de découvrir. Elle allait devoir revenir plus longuement dans cette ville fascinante, et ce, dans un avenir prochain.

— Parce qu'il était déjà très tard lorsque nous avons quitté le bateau, expliqua-t-il. Et que la même situation s'est produite hier, lors de notre escale à Florence. J'ai le sentiment que tu m'en veux un peu de t'avoir empêchée de profiter de ces lieux.

— A qui d'autre pourrais-je en vouloir? répliqua-t-elle en riant. Chaque fois que je te faisais remarquer qu'il était temps de nous lever et de prendre une douche, tu avais d'autres idées.

— Mais nous avons fini par descendre à terre. Peut-être un peu tard, mais nous l'avons fait...

C'était vrai. Dans un sens. Trois heures à Monte-Carlo, à faire le tour du Rocher en taxi. La veille, ils étaient tout de même montés à Piazzale Michelangelo par la route la plus spectaculaire de Florence. De là, ils avaient visité plusieurs palais et musées, avant qu'il ne soit l'heure de remonter à bord.

Pour leur visite de Rome, ce matin-là, elle avait veillé à ce qu'ils soient levés et habillés à une heure raisonnable. Ils avaient déjà énormément marché, ce qui expliquait sans doute l'humeur chagrine d'Aidan.

— De quoi te plains-tu, Aidan ? Tu es dans une forme physique éblouissante.

Elle était bien placée pour le savoir. Il n'avait pas perdu de temps pour faire transporter toutes ses affaires dans sa suite, où elle avait passé la nuit… et avait très peu dormi jusqu'à l'aube. Toutefois, pour une raison mystérieuse, elle ne s'était jamais sentie aussi pleine d'énergie qu'en cet instant.

— Penses-tu vraiment que je te punis parce que nous marchons au lieu de visiter la ville en taxi ? demanda-t-elle, alors qu'ils traversaient une rue noire de monde.

— Non. Je crois que tu me punis parce que tu m'as empêché de louer cette Ferrari rouge. Pense seulement à tous les endroits où j'aurais pu te conduire à bord de ce bolide !

— C'est vrai, convint-elle en riant. Mais je préfère y arriver plus lentement, et sans craindre à tout moment de succomber à une crise cardiaque.

Il lui entoura les épaules de son bras, et murmura d'une voix tendre :

— As-tu oublié que je compte bien devenir un jour l'un des cardiologues les plus renommés de la planète ?

— Comment pourrais-je l'oublier ? Je suis déjà incroyablement fière de toi !

La nuit précédente, entre deux joutes amoureuses, ils avaient parlé de leurs projets d'avenir. Il savait qu'elle allait commencer son programme d'internat dès l'automne, à l'hôpital d'Orlando, en Floride. La bonne nouvelle, c'était qu'après un an d'internat elle serait autorisée à poursuivre sa formation dans un autre hôpital. Aidan travaillerait encore au moins trois ans à Johns Hopkins, et elle essaierait d'obtenir un poste dans le Maryland pour se rapprocher de lui.

Quelques heures plus tard, ils avaient visité bon nombre de sites célèbres : le Colisée, la basilique Saint-Pierre, la Fontaine de Trevi et les Catacombes. Aidan venait de la quitter pour retourner à l'intérieur de l'église de la Trinité-des-Monts, où elle avait oublié son éventail de dentelle, et elle l'attendait sur les Escaliers Espagnols, lorsqu'elle vit passer un homme qu'il lui sembla reconnaître.

Riley Westmoreland... Que faisait le cousin d'Aidan à Rome ?

— Riley ! appela-t-elle.

L'homme ne se retourna pas et, supposant qu'il ne l'avait pas entendue, elle dévala les marches à sa poursuite. Elle le rattrapa bientôt, et le saisit par le bras.

— Riley ! Je ne savais pas que vous...

Le reste de sa phrase mourut sur ses lèvres. L'homme qui s'était retourné n'était pas Riley. Mais il lui ressemblait suffisamment pour être son jumeau.

— Je suis désolée, s'excusa-t-elle. Je vous ai pris pour quelqu'un d'autre.

L'homme lui sourit, augmentant encore sa confusion, car il avait aussi le même sourire que Riley. Ou, plus exactement, le sourire typique des Westmoreland. Tous les hommes de la famille avaient ces fossettes caractéristiques. Et, comme tous les hommes de la famille Westmoreland, il était extrêmement séduisant.

— Pas de problème, *signorina*.

— Vous êtes italien ? s'enquit-elle dans un sourire.

— Non, américain. Je suis ici pour affaires. Et vous ?

— Je suis américaine, moi aussi, répondit-elle en lui tendant la main. Je m'appelle Jillian Novak.

— Garth Outlaw, se présenta-t-il à son tour, serrant sa main offerte.

— Ravie de faire votre connaissance, Garth. Et encore toutes mes excuses pour cette méprise. Mais Riley Westmoreland vous ressemble comme un jumeau.

— Une femme aussi ravissante que vous peut tout se permettre, *signorina*, remarqua-t-il en riant. Inutile de vous excuser.

Sur ces mots, il s'empara de sa main et la porta à ses lèvres avant d'ajouter d'un ton suave :

— Passez une excellente journée, Jillian Novak. Et profitez bien de votre visite à Rome.

— Vous aussi.

Là-dessus, il tourna les talons et s'éloigna. Elle le suivit des yeux, pensive. Il avait le flirt facile, comme tous les Westmoreland avant leur mariage. Et la même démarche ultra-sexy. N'était-ce pas étrange ?

— Jillian ?

Aidan venait d'apparaître près d'elle.

— Je croyais que tu devais m'attendre au sommet des marches.

— C'est vrai, mais j'ai cru reconnaître Riley, et…

— Riley ? Crois-moi sur parole, Riley n'est pas à Rome. Surtout pas maintenant, alors qu'Alpha s'apprête à mettre au monde leur bébé d'un jour à l'autre.

— Je sais, mais cet homme lui ressemblait à un point incroyable ! En constatant ma méprise, je me suis excusée, et il s'est montré très aimable. C'est un Américain ; il est ici pour affaires. Il m'a dit qu'il s'appelait Garth Outlaw.

— Outlaw ? répéta Aidan, fronçant les sourcils.

— C'est ça.

— Hum ! Voilà qui est intéressant. Lors de notre dernière réunion de famille, concernant l'affaire sur laquelle enquête Rico, il me semble me souvenir qu'il a mentionné ce nom. Il disait avoir retrouvé la trace d'une branche de la famille Westmoreland portant le nom de Outlaw.

— Vraiment ?

— C'est ce que je crois me rappeler, mais Dillon le sait sûrement, répondit-il. Je lui en parlerai à notre retour. Cette information pourra peut-être aider Rico dans son enquête.

Rico Claiborne, détective privé de son état, était marié à Megan, la sœur d'Aidan. Jillian savait que son agence enquêtait sur les liens supposés entre Raphel Westmoreland, le grand-père d'Aidan, et quatre femmes. Une recherche généalogique avait révélé qu'avant d'épouser Gemma, la grand-mère d'Aidan, Raphel avait partagé la vie de quatre autres femmes, présentées comme des ex-épouses. Mais l'enquête de Rico avait confirmé que Raphel n'en avait épousé aucune ; l'une d'elles avait cependant donné naissance à un fils que Raphel n'avait jamais connu. A l'évidence, Rico avait retrouvé la trace de ce garçon chez la famille Outlaw.

— Prête à regagner le navire ? s'enquit Aidan, interrompant ses réflexions.

— Oui. Il commence à se faire tard. Demain, les membres du club de lecture et moi allons faire un peu de shopping en ville. Tu peux te joindre à nous, si ça te tente.

— Non, je te remercie. Rome est une ville magnifique, mais je crois que je l'ai assez vue, pour l'instant. Toutefois, nous y reviendrons ensemble, je te le promets.

— Vraiment ? s'étonna-t-elle.

— Oui.

— Quand ?

— Pour notre lune de miel, j'espère.

Aidan mit alors un genou à terre et prit sa main entre les siennes.

— Je t'aime, Jillian. Veux-tu m'épouser ?

Jillian le dévisagea d'un air stupéfait, et c'est seulement alors qu'elle remarqua la bague qu'il venait de glisser à son annulaire.

— Mon Dieu ! s'exclama-t-elle, éblouie.

— Alors ? Tout un tas de gens nous regardent. Vas-tu me faire honte en me repoussant ?

Des passants s'étaient en effet arrêtés pour contempler la scène qu'ils offraient. Ils avaient entendu la proposition d'Aidan et, tout comme lui, attendaient sa réponse. Elle ne parvenait pas à croire qu'Aidan lui ait demandé de l'épouser ici même, dans cette merveilleuse ville de Rome, sur les Escaliers Espagnols. Elle se souviendrait de cet instant jusqu'à la fin de ses jours.

— Oui ! répondit-elle alors, au comble du bonheur. Mille fois oui !

— Merci, murmura-t-il, se relevant pour la prendre dans ses bras. J'avoue que tu m'as fait un peu peur, le temps d'une seconde.

Au milieu des hourras et des applaudissements enthousiastes de la petite foule qui les entourait, Aidan la serra très fort dans ses bras, et l'embrassa.

Aidan regagna sa suite à l'autre bout de la coursive. Jillian l'avait renvoyé en lui recommandant de ne pas revenir avant une heure, car, à son retour, une surprise l'attendrait. Elle lui avait probablement préparé un dîner aux chandelles pour leur dernière soirée à bord, et à cette pensée un sourire étira le coin de ses lèvres.

Il lui paraissait incroyable que ces deux semaines soient déjà écoulées. Le lendemain, le navire arriverait à Barcelone. Après leur escale à Rome, ils avaient passé deux jours en mer avant de visiter Athènes, où ils avaient participé à une excursion de dégustation de vins et avaient visité quelques musées. De là, ils étaient partis à la découverte de la Turquie, des îles de Mykonos et de Malte. A présent, ils voguaient vers le Portugal, où ils arriveraient un peu avant l'aube.

Il était fiancé, désormais, et à cette idée il se sentait rempli d'un sentiment de totale félicité. Bien sûr, ils n'avaient pas encore fixé de date pour leur mariage, mais l'essentiel, c'était qu'il lui avait fait sa proposition, et qu'elle avait dit oui. Chaque jour, ils avaient de longues discussions au sujet de leur avenir. Il s'écoulerait encore au moins une année avant qu'elle ne puisse venir le rejoindre dans le Maryland, mais cela ne leur posait pas de problème, car ils savaient qu'un jour prochain ils seraient ensemble.

Ils avaient décidé de ne pas attendre jusqu'au mariage d'Adrian pour annoncer la nouvelle à la famille. Certains seraient choqués. D'autres, qui étaient déjà au courant de leur relation, se sentiraient soulagés que leur secret soit enfin révélé. Sitôt que le navire arriverait à quai, le lendemain, ils prendraient immédiatement l'avion pour Denver.

Il rit silencieusement en se rappelant l'expression émerveillée de Jillian, lorsqu'elle avait posé les yeux sur sa bague. Les jeunes femmes du club de lecture avaient aussi été très impressionnées, et avaient poussé des cris d'admiration au dîner. Les créations Zion étaient extrêmement recherchées, car Zion était le bijoutier personnel de la Première dame des Etats-Unis. Jillian ignorait qu'Aidan connaissait Zion personnellement, car le créateur de bijoux était très proche de la famille Steele, eux-mêmes des amis de longue date. Zion avait créé à Rome, où il résidait depuis une dizaine d'années, la plupart des pièces qui l'avaient rendu célèbre. Grâce à Dominic, Aidan avait pu le rencontrer en privé à bord aux premières lueurs de l'aube, alors que Jillian dormait encore, et que le navire était à quai dans un port proche de Rome. Zion avait apporté une mallette contenant un assortiment de bagues magnifiques — toutes des créations originales. Au premier regard, Aidan avait su précisément quelle était celle qu'il voulait glisser au doigt de Jillian.

Une heure plus tard, il frappa à la porte pour annoncer à Jillian qu'il était de retour.

— Entre.

Il déverrouilla avec sa carte magnétique et, devant le spectacle qu'il découvrit, un sourire s'épanouit sur ses lèvres. Jillian avait allumé une profusion de bougies un peu partout dans la pièce, dans le but de créer le décor d'un dîner romantique en tête à tête, car la table avait été dressée avec un grand soin.

Refermant la porte derrière lui, il jeta un coup d'œil circulaire dans la suite à peine éclairée par la lumière dansante des bougies, mais il ne vit aucune trace de Jillian. Etait-elle dans la chambre en train de l'attendre ? Il s'y dirigeait, lorsqu'il sentit soudain une main se poser sur son épaule. Il pivota sur les talons, et cessa de respirer. Jillian se tenait devant lui dans un teddy de dentelle noire provocant qui ne dissimulait pas grand-chose de son corps superbe, couplé à un porte-jarretelles assorti. Ses jolis pieds étaient chaussés d'escarpins à talons aiguilles.

Il décida qu'il n'avait jamais posé les yeux sur une femme aussi sexy. Il en resta hypnotisé. Elle s'approcha très près et lui murmura à l'oreille d'une voix capiteuse :

— Aidan Westmoreland, puisque tu aimes qu'une femme danse sur tes genoux, je vais t'offrir une danse que tu n'oublieras pas de toute ta vie.

Avant qu'il ait compris ce qui lui arrivait, elle le repoussa gentiment et le fit asseoir sur une chaise.

— Et, souviens-toi, on ne touche pas ! Place tes mains derrière ton dos, s'il te plaît.

Il suivit ses instructions dans un état second. Sa sensualité à fleur de peau faisait flamber son propre désir. Son cœur battait très fort, et il sentait venir une érection monumentale.

— Et que voudrais-tu que je fasse ? murmura-t-il.

— Rien, répondit-elle avec un sourire coquin. Je me charge de tout. Mais, je te préviens, lorsque j'en aurai fini avec toi, tu seras trop épuisé pour faire le moindre mouvement.

Lui ? Vraiment ? Trop épuisé pour bouger ? Et c'était elle qui allait faire tout le travail ? C'était une expérience qu'il n'aurait manquée pour rien au monde.

— Et, maintenant, te crois-tu capable de contrôler tes mains, ou va-t-il falloir que je te menotte ?

A cette idée, il ne put s'empêcher de sourire. Possédait-elle réellement une paire de menottes ? Serait-elle aussi hardie ? Il décida de le découvrir.

— Je ne peux rien te promettre, ma chérie. Tu vas devoir me passer les menottes.

— Aucun problème.

En moins de temps qu'il n'en faut pour le dire, elle produisit une paire de menottes, qu'elle referma vivement sur ses poignets derrière le dossier de la chaise. Au même moment, il entendit les premiers accords d'une musique langoureuse provenant des enceintes stéréo dissimulées dans la pièce.

Menotté à sa chaise, il contempla alors Jillian, qui commençait à onduler au rythme de la musique avec des mouvements lents, lascifs, qui mobilisaient son ventre, ses hanches et son joli derrière rond, avec une grâce éminemment érotique. Frappé d'admiration, fasciné, il la buvait passionnément des yeux, tandis qu'elle dansait devant lui. Son cœur battait de plus en plus fort, et son désir avait pris les proportions d'un incendie rageur.

Il n'avait pas le droit de la toucher, mais Jillian, elle, ne s'en privait pas — caressant son torse à travers sa chemise, glissant ses doigts sous le tissu, puis s'attaquant aux boutons avec des gestes délibérés, avant de faire glisser la chemise sur ses épaules.

— T'ai-je déjà dit combien j'adore ton torse, Aidan ? s'enquit-elle d'une voix de gorge un peu rauque.

— Non, parvint-il à articuler. Jamais.

— Alors, je te le dis maintenant. Et je compte même te montrer à quel point je l'apprécie.

Sur ces mots, elle se pencha sur lui et entreprit de parcourir lentement la largeur de ses épaules avec ses lèvres et sa langue, avant de descendre lentement jusqu'à ses pectoraux saillants qu'elle explora avec gourmandise, en prenant tout son temps. Sa bouche magique faisait naître de telles sensations en lui, qu'il aurait bondi hors de sa chaise s'il n'y avait pas été menotté.

— Alors ? murmura-t-elle tout contre ses lèvres. Est-ce agréable ? Dois-je continuer ?

Oh ! oui ! songea-t-il. Il voulait davantage. Mais sa gorge nouée ne lui permettait pas d'articuler le moindre son, et il se contenta de hocher la tête.

Un sourire sensuel aux lèvres, elle s'accroupit devant lui pour lui ôter ses chaussures. Ensuite, elle déboutonna son pantalon, et il souleva les hanches pour lui permettre de le faire glisser sur ses jambes, en même temps que son caleçon. Cela fait, elle leva les yeux vers lui et lui offrit un nouveau sourire.

— La dernière fois, tu as exploré la totalité de mon corps avec ta bouche, Aidan, et tu as semblé beaucoup apprécier ta dégustation. Aujourd'hui, je vais faire de même avec toi, et j'ai la ferme intention d'y prendre énormément plaisir, moi aussi.

Dès le premier contact de ses lèvres sur sa peau, Aidan eut l'impression qu'un torrent de lave avait remplacé le sang dans ses veines. Sous les caresses divines de sa bouche, un désir insensé s'était emparé de tout son corps, mais elle poursuivait sa sensuelle exploration sans hâte aucune, comme si elle désirait lui montrer qu'elle avait un contrôle total de la situation.

Il trépignait d'envie de la saisir aux épaules, de lui rendre ses caresses au centuple, mais il en était incapable. Il se sentait totalement sans défense, mais il adorait chaque seconde de cette douce torture, et ne put que continuer à l'observer à travers une brume de désir incandescent.

— Jillian !

Il la désirait avec une intensité qui le terrifiait. Lorsqu'elle leva les yeux pour lui adresser un nouveau sourire, il eut la révélation de ce que l'on pouvait ressentir lorsqu'on aimait quelqu'un avec son corps, son cœur, et toute son âme.

Au son de cette musique langoureuse qui n'avait pas cessé de jouer, elle se redressa et commença à se livrer à un lent strip-tease devant lui, ôtant un à un les accessoires de dentelle noire qui dissimulaient si peu son corps, lui permettant de les respirer brièvement avant de les jeter négligemment à ses pieds. Aidan tremblait littéralement de désir. Lorsqu'elle fut entièrement nue, elle recommença à danser, ondulant lentement les hanches, se caressant elle-même. De toute sa vie, Aidan n'avait jamais assisté à un spectacle aussi érotique.

Lorsqu'elle se blottit sur ses genoux, tout en continuant à danser, la sensation de ses courbes pressant sa virilité lui arracha un gémissement rauque. Il avait besoin de la caresser, lui aussi, d'explorer chaque recoin de son corps.

— Libère-moi, la supplia-t-il d'une voix faible.

— Pas encore, ronronna-t-elle tout contre son oreille, le faisant frissonner.

Là-dessus, elle se retourna, appuyant son dos contre son torse, puis elle se laissa descendre lentement sur son sexe, le prenant en elle, centimètre par centimètre. Le lent va-et-vient de ses hanches s'accéléra, devint une chevauchée fantastique. Il n'avait jamais vécu une telle expérience et, lorsqu'elle pivota de nouveau face à lui, la pression de ses seins contre son torse généra une vague de sensations inouïes dans tout son corps.

— Jillian !

Il cria son nom au moment où l'orgasme le secouait tout entier, et il respira profondément sa fragrance féminine. S'il ne pouvait la caresser avec ses mains, il lui restait sa bouche. Il se pencha en avant, posant ses lèvres sur sa joue, mordillant le lobe de son oreille, avant de murmurer dans un souffle :

— Détache-moi, chérie, je t'en supplie ! Ote-moi ces menottes tout de suite.

Elle tendit ses bras derrière lui, et il entendit bientôt le déclic libérateur. Sitôt qu'il fut libre de ses mouvements, il se leva d'un bond, la soulevant dans ses bras, et il l'emporta à grands pas dans la chambre.

— En principe, c'était toi qui devais finir épuisé, murmura-t-elle tout contre sa poitrine.

— Désolé que ça n'ait pas fonctionné de cette façon, ma chérie.

Et, là-dessus, il l'allongea sur le lit et vint aussitôt la rejoindre. Il entra en elle avec délices, mettant tout son amour dans chacun de ses mouvements. Rien ne pouvait égaler le plaisir érotique qu'il éprouvait en sentant ses muscles internes se contracter autour de lui comme si elle cherchait à le retenir prisonnier, à l'obliger à la supplier.

Ses coups de boutoir se firent plus intenses, les gémissements de Jillian plus forts, et le désir qu'il éprouvait pour elle plus brûlant que jamais. Ils explosèrent ensemble dans l'éblouissement final, un orgasme cataclysmique, inouï, qui les projeta à travers les cieux dans un paradis de lumière. Jillian l'avait initié au plaisir que tout homme devrait connaître au moins une fois dans sa vie. Et il lui en était reconnaissant.

Un moment plus tard, il la libéra du poids de son corps et la serra dans ses bras. Puis il déposa un doux baiser sur sa joue, et resta à l'observer tandis qu'elle glissait dans un profond sommeil.

Leur relation secrète n'avait plus rien de secret, et il était impatient de crier au monde qu'il avait trouvé sa compagne pour la vie. Une compagne qu'il chérirait toujours.

Epilogue

— Alors, vous vous imaginiez que nous n'étions pas au courant de votre soi-disant secret ? demanda Pam en souriant.

Assis sur le sofa, Dillon et elle recevaient Aidan et Jillian. Ce fut Jillian qui lui répondit, avec un sourire embarrassé :

— Alors, vous saviez ?

— Nous ne l'avons pas deviné tout de suite, convint Dillon. Mais, lorsqu'on tombe amoureux, il est très difficile de le cacher, tout spécialement dans cette famille.

Jillian comprenait parfaitement ce qu'il voulait dire. Il apparaissait à présent que le seul secret bien gardé était le fait qu'ils aient désiré garder le secret sur leur relation. Chacun des membres de la famille, n'étant pas certain que les autres avaient deviné, avait préféré ne pas faire part de ses soupçons au reste du clan.

Aidan se leva, entraînant Jillian avec lui, et la prit dans ses bras.

— En tout cas, je suis heureux que nous n'ayons plus à nous cacher.

— A essayer de vous cacher, corrigea Pam. Ni l'un ni l'autre n'étiez très convaincants. Lorsque vous avez eu cette grande dispute, Dillon et moi avons été tentés d'intervenir. Mais nous avons conclu que, si vous étiez destinés à rester ensemble, vous le feriez très bien sans notre aide.

— C'est vrai, reconnut Jillian en jetant un coup d'œil à sa bague. Nous avons réussi à trouver la bonne formule. Mais je dois tout de même remercier Paige de m'avoir fait faux bond pour cette croisière. Aidan et moi avions besoin de cette parenthèse pour régler nos problèmes.

— Et, si j'en crois ce diamant qui scintille à ton doigt, vous y avez réussi, observa Dillon.

— Oui, en effet, nous avons trouvé un terrain d'entente, répondit Aidan en souriant. L'idée de toute une année de fiançailles ne nous effraie pas. Après sa première année d'internat à l'hôpital d'Orlando, en Floride, Jillian sera autorisée à briguer un poste dans un autre établissement plus proche du Maryland. C'est seulement alors que nous nous marierons.

— De plus, ajouta Pam en souriant, cette année de répit me donnera largement le temps d'organiser le mariage sans me sentir bousculée. On se marie beaucoup chez les Westmoreland, ces temps-ci, mais, croyez-moi, je ne m'en plains pas !

— J'espère bien que non, répondit Dillon en la serrant dans ses bras. Chacun de ces mariages me comble de bonheur. Lorsque Adrian aura convolé le mois prochain, et Aidan et Jillian dans un an, nous n'aurons plus à nous soucier que de Bailey et de Bane.

Cette déclaration fut suivie d'un instant de silence. Seuls deux membres de la famille Westmoreland étaient toujours célibataires, mais il se trouvait qu'ils étaient aussi les plus entêtés.

— Bailey affirme qu'elle ne se mariera jamais, remarqua Aidan, dans un sourire.

— C'est ce que vous prétendiez aussi, Adrian et toi, lui rappela Dillon. A vrai dire, je ne pense pas qu'il y en ait eu un seul parmi nous qui ne se soit pas vanté, à un moment ou à un autre, de vouloir rester libre, moi y compris. Mais il nous a suffi de rencontrer cette personne spéciale, notre âme sœur, et nous nous sommes empressés de tenir un discours différent.

— C'est vrai, convint Aidan. Mais peux-tu imaginer une seconde Bailey en train de vanter les avantages du mariage ?

Dillon y réfléchit un instant, puis il secoua la tête en soupirant.

— Non.

Ils éclatèrent tous de rire. Puis Pam déclara :

— Tout le monde a une âme sœur, même Bailey. C'est seulement qu'elle n'a jamais rencontré l'homme qu'il lui faut. En d'autres termes, un homme capable de lui tenir tête. Mais je crois que ça arrivera un jour.

Un mois plus tard

— Adrian Westmoreland, vous pouvez embrasser la mariée.

Aidan, qui tenait le rôle du garçon d'honneur, sourit en voyant son jumeau sceller son mariage avec la femme qu'il aimait — Trinity Matthews Westmoreland, docteur en médecine — avec un baiser interminable. Sur les bancs de la famille, il vit Jillian entourée de ses sœurs, et il lui adressa un clin d'œil. Leur tour viendrait aussi, et il comptait déjà les jours.

Un peu plus tard, Aidan entraîna son frère à l'écart durant quelques minutes. Le mariage avait été célébré dans l'église de Bunnell, en Floride, la ville natale de Trinity, celle-là même où leur cousin Thorn avait épousé Tara, la sœur de Trinity. Il faisait un temps superbe, et il semblait que toute la population de cette petite ville ait été invitée au mariage, car une foule de près de huit cents personnes se pressait dans la nef de l'église. La réception avait eu lieu dans la salle de bal d'un grand hôtel face à l'océan Atlantique.

— Félicitations pour un travail bien fait, docteur Westmoreland, dit Aidan, souriant à Adrian.

— Je compte bien te tenir le même discours dans un an, docteur Westmoreland, lorsque tu seras marié, toi aussi. Je suis heureux que cette croisière vous ait aidé à aplanir vos différends.

— Moi aussi. Je crois que cette année de séparation a été la pire de ma vie.

— Je sais, répondit Adrian d'une voix douce. Souviens-toi que je ressens toujours physiquement toutes tes émotions.

— Oui. Je me souviens. Alors ? Quelle destination avez-vous choisie pour votre lune de miel, tous les deux ?

— Nous mettons le cap sur Sydney, en Australie. J'ai toujours eu envie de retourner là-bas, et je me fais une joie de le faire avec Trinity.

— Vous méritez d'être très heureux, tous les deux, observa Aidan, sirotant une gorgée de champagne.

— Jillian et toi, aussi. Je me réjouis que votre secret soit enfin éventé.

— Moi aussi ! Et, à ce propos, je vais retrouver ma fiancée afin de te laisser retourner auprès de ton épouse.

Aidan traversa la grande salle de bal pour rejoindre Jillian, qui bavardait avec Paige, Nadia et Bailey. Jillian et lui quitteraient Bunnell le lendemain pour se rendre à Orlando, à une heure de route. Ils allaient chercher ensemble un appartement proche de l'hôpital où elle occuperait un poste d'interne. Il avait déjà vérifié que les vols entre Orlando et le Maryland étaient très fréquents, et il s'en réjouissait, car il avait bien l'intention de rendre de fréquentes visites à la femme de sa vie.

Aidan avait raconté à Dillon la rencontre fortuite

qu'avait faite Jillian avec un homme du nom de Garth Outlaw, au cours de leur escale à Rome. Un homme qu'elle avait d'abord pris pour Riley, tant il lui ressemblait. Dillon ne s'était pas montré surpris qu'un lointain parent des Westmoreland, s'il existait, soit leur portrait tout craché, à cause du gène dominant qui était la marque de la famille. Il avait aussitôt transmis l'information à Rico. La famille espérait que cette rencontre constituerait le début d'une piste.

— Pardonnez-moi, mesdames, dit-il en prenant la main de la femme qu'il aimait, mais j'ai besoin de vous emprunter Jillian une minute.

— Où allons-nous ? s'étonna-t-elle, alors qu'il la conduisait vers la sortie.

— Nous promener sur la plage.

— D'accord.

Main dans la main, ils traversèrent la grande terrasse et descendirent les marches de bois jusqu'à la plage, s'arrêtant un instant pour ôter leurs chaussures.

Pieds nus dans le sable tiède, Jillian poussa un soupir de ravissement.

— A quoi penses-tu, mon amour ? s'enquit-il.

— Je me disais que je me sens merveilleusement bien, à cet instant, marchant pieds nus dans le sable, entourée par tous les gens que j'aime, sans plus avoir à dissimuler mes sentiments pour toi. Et aussi que j'ai beaucoup de chance d'avoir une famille qui m'aime et un merveilleux fiancé qui m'adore.

— Tu penses vraiment que je suis merveilleux ?

— Oui.

— Et tu penses vraiment que je t'adore ?

— J'en suis certaine.

— Cela me donnera-t-il droit à une autre de tes danses si particulières, ce soir ?

Jillian éclata de rire, et le vent de l'océan balaya ses

cheveux sur son visage. Aidan les repoussa d'un geste tendre, et elle lui sourit.

— Docteur Westmoreland, vous pouvez me demander de danser sur vos genoux chaque fois qu'il vous plaira. Vous n'avez qu'un mot à dire.

— Pourquoi pas tout de suite ?

— Accordé, répondit-elle en se haussant sur la pointe des pieds.

Alors, Aidan la serra dans ses bras, et l'embrassa. Sa vie ne pourrait jamais être plus parfaite qu'à cette seconde.

Retrouvez ce mois-ci,
dans votre collection

Passions

*Un homme. Une femme. Ils n'étaient
pas censés s'aimer. Et pourtant...*

www.harlequin.fr

OFFRE DE BIENVENUE

Vous êtes fan de la collection Passions ?
Pour prolonger le plaisir, recevez gratuitement

◆ 2 romans Passions gratuits ◆
et 2 cadeaux surprise !

Une fois votre colis de bienvenue reçu, si vous souhaitez continuer à recevoir nos
romans Passions, cela se fera automatiquement. Vous recevrez alors chaque mois 3
volumes doubles inédits de cette collection au tarif unitaire de 7,35€ (Frais de port
France : 1,99€ - Frais de port Belgique : 3,99€).

**➡ LES BONNES RAISONS
DE S'ABONNER :**

Aucun engagement de durée
ni de minimum d'achat.
◆
Aucune adhésion à un club.
◆
Vos romans en avant-première.
◆
La livraison à domicile.

➡ ET AUSSI DES AVANTAGES EXCLUSIFS :

Des cadeaux tout au long de l'année.
◆
Des réductions sur vos romans par
le biais de nombreuses promotions.
◆
Des romans exclusivement réédités
notamment des sagas à succès.
◆
L'abonnement systématique et gratuit
à notre magazine d'actu ROMANCE.
◆
Des points fidélité échangeables
contre des livres ou des cadeaux.

➡ REJOIGNEZ-NOUS VITE EN COMPLÉTANT ET EN NOUS RENVOYANT LE BULLETIN

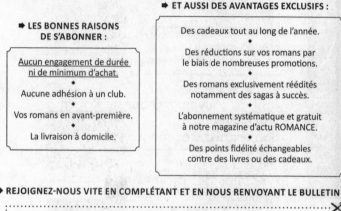

N° d'abonnée (si vous en avez un) ⎣⎦⎣⎦⎣⎦⎣⎦⎣⎦⎣⎦⎣⎦⎣⎦⎣⎦⎣⎦   RZ5F09 RZ5FB1

Mme ☐ Mlle ☐ Nom : .... Prénom : ....

Adresse : ....

CP : ⎣⎦⎣⎦⎣⎦⎣⎦⎣⎦   Ville : ....

Pays : .... Téléphone : ⎣⎦⎣⎦⎣⎦⎣⎦⎣⎦⎣⎦⎣⎦⎣⎦⎣⎦⎣⎦

E-mail : ....

Date de naissance : ⎣⎦⎣⎦ ⎣⎦⎣⎦ ⎣⎦⎣⎦⎣⎦⎣⎦

☐ Oui, je souhaite être tenue informée par e-mail de l'actualité d'Harlequin.

☐ Oui, je souhaite bénéficier par e-mail des offres promotionnelles des partenaires d'Harlequin.

<u>**Renvoyez cette page à :**</u> **Service Lectrices Harlequin – BP 20008 – 59718 Lille Cedex 9 · France**

HARLEQUIN

La romance sur tous les tons

Toutes nos actualités et exclusivités sont sur notre site internet.

E-books, promotions, avis des lectrices, lecture en ligne gratuite, infos sur les auteurs, jeux-concours… et bien d'autres surprises !

Rendez-vous sur

www.harlequin.fr

HARLEQUIN
www.harlequin.fr

OFFRE DÉCOUVERTE !

Vous souhaitez découvrir nos collections ? Recevez **2 romans gratuits*** et **2 cadeaux surprise !** Une fois votre colis de bienvenue reçu, si vous souhaitez continuer à recevoir nos romans, cela se fera automatiquement. Vous recevrez alors chaque mois vos romans inédits en avant première.

Vous n'avez aucune obligation d'achat et cette offre est sans engagement de durée !

*1 roman gratuit pour les collections Nocturne et Best-sellers suspense. Pour les collections Sagas et Sexy, le 1er envoi est payant avec un cadeau offert

☛ COCHEZ la collection choisie et renvoyez cette page au
Service Lectrices Harlequin – BP 20008 – 59718 Lille Cedex 9 – France

Collections	Références	Prix colis France* / Belgique*
❑ AZUR	ZZ5F56/ZZ5FB2	6 romans par mois 27,25€ / 29,25€
❑ BLANCHE	BZ5F53/BZ5FB2	3 volumes doubles par mois 22,84€ / 24,84€
❑ LES HISTORIQUES	HZ5F52/HZ5FB2	2 romans par mois 16,25€ / 18,25€
❑ BEST SELLERS	EZ5F54/EZ5FB2	4 romans tous les deux mois 31,59€ / 33,59€
❑ BEST SUSPENSE	XZ5F52/XZ5FB2	3 romans tous les deux mois 24,45€ / 26,45€
❑ MAXI**	CZ5F54/CZ5FB2	4 volumes triples tous les deux mois 30,49€ / 32,49€
❑ PASSIONS	RZ5F53/RZ5FB2	3 volumes doubles par mois 24,04€ / 26,04€
❑ NOCTURNE	TZ5F52/TZ5FB2	2 romans tous les deux mois 16,25€ / 18,25€
❑ BLACK ROSE	IZ5F53/IZ5FB2	3 volumes doubles par mois 24,15€ / 26,15€
❑ SEXY	KZ5F52/KZ5FB2	2 romans tous les deux mois 16,19€ / 18,19€
❑ SAGAS	NZ5F54/NZ5FB2	4 romans tous les deux mois 29,29€ / 31,29€

*Frais d'envoi inclus

**L'abonnement Maxi est composé de 2 volumes Edition spéciale et de 2 volumes thématiques

N° d'abonnée Harlequin (si vous en avez un) ⸋⸋⸋⸋⸋⸋⸋⸋

Mme ❑ Mlle ❑   Nom : _____

Prénom : _____   Adresse : _____

_____

Code Postal : ⸋⸋⸋⸋⸋   Ville : _____

Pays : _____   Tél. : ⸋⸋⸋⸋⸋⸋⸋⸋⸋⸋

E-mail : _____

Date de naissance : _____

❑ Oui, je souhaite recevoir par e-mail les offres promotionnelles des éditions Harlequin.
❑ Oui, je souhaite recevoir par e-mail les offres promotionnelles des partenaires des éditions Harlequin.

Date limite : 31 décembre 2015. Vous recevrez votre colis environ 20 jours après réception de ce bon. Offre soumise à acceptation et réservée aux personnes majeures, résidant en France métropolitaine et Belgique, dans la limite des stocks disponibles. Prix susceptibles de modification en cours d'année.Conformément à la loi Informatique et libertés du 6 janvier 1978, vous disposez d'un droit d'accès et de rectification aux données personnelles vous concernant. Par notre intermédiaire, vous pouvez être amenée à recevoir des propositions d'autres entreprises. Si vous ne le souhaitez pas, il vous suffit de nous écrire en nous indiquant vos nom, prénom et adresse à : Service Lectrices Harlequin BP 20008 59718 LILLE Cedex 9. Service Lectrices disponible du lundi au vendredi de 8h à 17h : 01 45 82 47 47 ou 33 1 45 82 47 47 pour la Belgique.

Composé et édité par HARLEQUIN

Achevé d'imprimer en avril 2015

La Flèche
Dépôt légal : mai 2015

Imprimé en France